COMMENTAIRE
SUR LE PSAUME 118

INSIGNIS ECCLESIARUM DOCTOR HILARIUS (AUGUSTIN)
Bibliothèque de la Faculté de Médecine de Montpellier, ms. H. 48, XIᵉ s.
(Photographie du CESCM, Poitiers)

SOURCES CHRÉTIENNES

N° 344

HILAIRE DE POITIERS

COMMENTAIRE
SUR LE PSAUME 118

TOME I

INTRODUCTION, TEXTE CRITIQUE, TRADUCTION
ET NOTES

PAR

Marc MILHAU

Agrégé de l'Université

Ouvrage publié avec le concours
du Centre National de la Recherche Scientifique

LES ÉDITIONS DU CERF, 29, Bd de Latour-Maubourg, PARIS
1988

*La publication de cet ouvrage a été préparée avec le concours
de l'Institut des Sources Chrétiennes
(U.A. 993 du Centre National de la Recherche Scientifique)*

© *Les Éditions du Cerf,* 1988
ISBN 2-204-02982-3
ISSN 0750-1978

ABRÉVIATIONS
ET
SIGLES

AAT   Atti della Accademia delle Scienze di Torino, Classe di Scienze morali, storiche e filologiche, Torino.

ACF   Annuaire du Collège de France, Paris.

AHMA   Archives d'Histoire doctrinale et littéraire du Moyen Âge, Paris.

BLE   Bulletin de Littérature Ecclésiastique, Toulouse.

Ch.p.   *La chaîne palestinienne sur le psaume 118.* t. 1 : Introduction, Texte critique, Traduction (*SC* 189); t. 2 : Catalogue des fragments, Notes et Index (*SC* 190); par M. Harl, Paris 1972 (pagination continue).

DAGR   Dictionnaire des Antiquités Grecques et Romaines, Paris.

DBS   Dictionnaire de la Bible, Supplément, Paris.

DS   Dictionnaire de Spiritualité, Paris.

EE   Estudios Eclesiásticos, Madrid.

Field   *Origenis Hexaplorum quae supersunt* (ed. F. Field), t. 1-2, Oxford 1875.

JbAC   Jahrbuch für Antike und Christentum, Münster.

Lowe   E. A. Lowe, *Codices Latini Antiquiores*, t. 1-11, Oxford 1934-1966.

NTS   New Testament Studies, Cambridge.

Rahlfs   *Psalmi cum Odis* (*Septuaginta* 10) (ed. A. Rahlfs), Göttingen 1967².

RAL   Rendiconti della Classe di Scienze morale, storiche et filologiche dell'Accademia dei Lincei, Roma.

RBen   Revue Bénédictine, Maredsous.

REAug   Revue des Études Augustiniennes, Paris.

RecSR	Recherches de Science Religieuse, Paris.
REL	Revue des Études Latines, Paris.
RSLR	Rivista di Storia e Letteratura religiosa, Firenze.
RSPh	Revue des Sciences Philosophiques et Théologiques, Paris.
Sabatier	*Bibliorum Sacrorum Latinae Versiones Antiquae* (ed. P. Sabatier), t. 1-3, Reims 1743.
SAWW	Sitzungsberichte der Österreichischen Akademie der Wissenschaft in Wien, Philos.-Hist. Klasse, Wien.
SC	Sources Chrétiennes, Paris.
TU	Texte und Untersuchungen zur Geschichte der altchristlichen Literatur, Leipzig.
VChr	Vigiliae Christianae, Amsterdam.
VetChr	Vetera Christianorum, Bari
Weber	*Psautier = Le Psautier Romain et les autres anciens Psautiers Latins (Collectanea Biblica Latina 10)* (ed. R. Weber), Roma 1953.
—	*Vulgata = Biblia Sacra iuxta Vulgatam Versionen* (ed. R. Weber), t. 1-2, Stuttgart 1969.
WS	Wiener Studien, Wien.

Les références données en abrégé dans le cours du volume renvoient aux ouvrages signalés dans la Bibliographie.

BIBLIOGRAPHIE

On trouvera des bibliographies très étendues sur Hilaire de
Poitiers dans les ouvrages suivants :

C. KANNENGIESSER, art. «Hilaire de Poitiers», *DS* 7[1], 1969,
c. 494-499.

J. DOIGNON, *Hilaire de Poitiers avant l'exil*, Paris 1971, p. 623-
659.

H. C. BRENNECKE, *Hilarius von Poitiers und die Bischofs-
opposition gegen Konstantius II*, Berlin-New York 1984,
p. 372-391.

On ne signale ici que les ouvrages cités dans le cours du
volume ou ceux qui ne sont pas mentionnés dans la bibliographie de J. Doignon.

AMERSFOORT, J. VAN, «Some Influences of the Diatesseron of
Tatian on the Gospel Text of Hilary on Poitiers», dans
Studia patristica XV (*TU* 128), Berlin 1984, p. 200-205.

ANYANWU, A. G. S., *The christological anthropology in St. Hilary
of Poitiers' Tractates on the Psalms* (Pont. Institutum
Altioris Latinitatis, Thesis n° 202), Roma 1983.

BUTTELL, M. F., *The Rhetoric of Saint Hilary of Poitiers*
(*Patristic Studies* 38), Washington 1934.

COURCELLE, P., «Tradition néo-platonicienne et tradition
chrétienne du vol de l'âme», *ACF* 63, 1963, p. 386-391.

— «Les Pères de l'Église devant les enfers virgiliens»,
AHMA 30, 1955, p. 5-74.

CURTI, C., «Una duplice interpretazione di Ps LXIV, 9 negli
esegeti greci e latini», *RAL* 33, 1978, p. 67-82.

DOIGNON, J., *Hilaire de Poitiers avant l'exil. Recherches sur la
naissance, l'enseignement et l'épreuve d'une foi épiscopale
en Gaule au milieu du IV*e *siècle*, Paris 1971.

— «Citations singulières et leçons rares du texte latin de l'Évangile de Matthieu dans l'*In Matthaeum* d'Hilaire de Poitiers», *BLE* 76, 1975, p. 187-196.

— «Ordre du monde, connaissance de Dieu et ignorance de soi chez Hilaire de Poitiers», *RSPh* 60, 1976, p. 565-578.

— «Une addition éphémère au texte de l'Oraison dominicale chez plusieurs Pères latins. Recherches sur son origine et son histoire», *BLE* 78, 1977, p. 161-180.

— «Être changé en 'une nature aérienne' (Hilaire de Poitiers, *In psalmum* 138, 24)», *JbAC* 21, 1978, p. 119-124.

— «Les variations des citations de l'Épître aux Romains dans l'œuvre d'Hilaire de Poitiers», *RBen* 88, 1978, p. 189-204.

— «'L'esprit souffle où il veut' (*Jean* 3,8) dans la plus ancienne tradition patristique latine», *RSPh* 62, 1978, p. 345-359.

— HILAIRE DE POITIERS, *Sur Matthieu*, introduction, texte critique, traduction, notes et index, 2 t. (*SC* 254 et 258), Paris 1978 et 1979.

— «Les implications théologiques d'une variante du texte latin de I *Corinthiens* 15, 25 chez Hilaire de Poitiers», *Augustinianum* 19, 1979, p. 245-258.

— «Le libellé singulier de II *Corinthiens* 3, 18 chez Hilaire de Poitiers. Essai d'explication», *NTS* 26, 1979, p. 118-126.

— «Rhétorique et exégèse patristique : la *defensio* de l'apôtre Pierre chez Hilaire de Poitiers», *Caesarodunum* 14 *bis*, 1979, p. 141-152.

— «Y a-t-il, pour Hilaire de Poitiers, une *inintelligentia* de Dieu? Étude critique et philologique», *VChr* 33, 1979, p. 226-233.

— «Hilaire de Poitiers devant le verset 17, 28a des Actes des Apôtres. Les limites d'un panthéisme chrétien», *Orpheus* 1, 1980, p. 334-347.

— «Tradition classique et tradition chrétienne dans l'historiographie d'Hilaire de Poitiers au carrefour des IVe-Ve siècles», *Caesarodunum* 15 *bis*, 1980, p. 215-226.

— «Versets additionnels du Nouveau Testament perçus ou reçus par Hilaire de Poitiers», *VetChr* 17, 1980, p. 29-47.

— «Le texte de *Ps.* LXIV, 9 et son application à la prière chez Hilaire de Poitiers», dans *RSLR* 16, 1980, p. 418-428.

— «*Testimonia* d'Hilaire de Poitiers dans le *Contra Iulianum* d'Augustin», *RBen* 91, 1981, p. 7-19.

— «Corpora vitiorum materies. Une formule-clé du fragment sur Job d'Hilaire de Poitiers inspiré d'Origène et transmis par Augustin (*Contra Julianum* 2, 8, 27)», *VChr* 35, 1981, p. 209-221.

— «Hilaire lecteur du Commentaire d'Origène sur le *Cantique des cantiques*? A propos de l'image psalmique du filet tendu à l'âme», 14º Incontro di studiosi dell' antichitá cristiana, L'origenismo : apologie e polemiche intorno a Origene, Rome 1986, *Augustinianum* 26, p. 251-260.

DORIVAL, G., «Origène dans les Chaînes sur les Psaumes. Deux séries inédites de fragments», dans *Origeniana (Quaderni di «Vetera Christianorum»* 12), Bari 1975, p. 199-213.

— «Les heures de la prière (à propos du psaume 118, verset 164)», *Annales de Bretagne* 83, 1976, p. 281-290.

DURST, M., *Die Eschatologie des Hilarius von Poitiers. Ein Beitrag zur Dogmengeschichte des IV. Jahrhunderts (Hereditas* 1), Bonn 1987.

— «'In medios iudicium est'. Zu einem Aspekt der Vorstellung vom Weltgericht bei Hilarius von Poitiers und in der lateinischen Patristik», *JbAC* 30, 1987, p. 29-57.

DUVAL, Y. M., «Les rapports de la Gaule et de la Cisalpine dans l'histoire religieuse du ivᵉ siècle», *Antichità altoadriatiche* 19, 1981, p. 259-277.

FIERRO, A., *Sobre la gloria en San Hilario. Una sintesis doctrinal sobre la noción biblica de «Doxa» (Analecta Gregoriana* 144), Roma 1964.

FIGURA, M., *Das Kirchenverständnis des Hilarius von Poitiers (Freiburger Theologische Studien* 127), Freiburg-Basel-Wien 1984.

FONTAINE, J., «L'ascétisme chrétien dans la littérature gallo-romaine, d'Hilaire à Cassien», dans *Atti del Colloquio sul tema «La Gallia Romana»* (Roma, 10-11 maggio 1971), *Problemi attuali di scienza e di cultura* 158, Roma 1973, p. 87-115.

12   BIBLIOGRAPHIE

GALTIER, P., *Saint Hilaire de Poitiers, le premier docteur de l'Église latine*, Paris 1960.

GARIGLIO, A., «Il commento al salmo 118 in S. Ambrogio e in S. Ilario», *AAT*, 1955-1956, p. 356-370.

GOFFINET, E., *L'utilisation d'Origène dans le Commentaire des Psaumes de saint Hilaire de Poitiers* (*Studia hellenistica* 14), Louvain 1965.

JEANNOTTE, H., *Le Psautier de saint Hilaire de Poitiers*, Paris 1917.

LADARIA, L. F., *El Espiritu santo en San Ilario de Poitiers*, Publ. Univ. Pontif. de Comillas, Madrid 1977.

— «Juan 7,38 en Hilario de Poitiers. Un análisis de *Tr. Ps.* 64, 13-16», *EE* 52, 1977, p. 123-128.

LONGOBARDO, L., *Il linguaggio negativo della trascendenza di Dio in Ilario di Poitiers*, Napoli 1982.

MARA, M. G., «Annunzio evangelico e instanze sociali nel IV secolo», *Augustinianum* 17, 1977, p. 7-24.

MERCATI, G., «Circa un prooemio di Origene al salmo CXVIII e la sua notizia della mistica ebraica», dans *Osservazioni a proemi del salterio* (*Studi e Testi* 142), Roma 1948, p. 9-18.

MILHAU, M., «Recherches sur l'origine des citations grecques dans les *Tractatus super Psalmos* d'Hilaire de Poitiers» (travail inédit).

— «Un texte d'Hilaire de Poitiers sur les Septante, leur traduction et les ' autres traducteurs '» (*In psalm.* 2, 2-3), *Augustinianum* 21, 1981, p. 365-372.

NAUTIN, P., *Origène. Sa vie et son œuvre*, Paris 1977.

NEWLANDS, G. M., *Hilary of Poitiers; a study in theological method* (Europ. Höchschulschr. 23 R. Theol. 108), Bern 1978.

ORAZZO, A., *La salvezza in Ilario di Poitiers, Cristo salvatore dell' uomo nei « Tractatus super Psalmos »*, Napoli 1986.

PELLAND, G., «Le thème biblique du règne chez saint Hilaire de Poitiers», *Gregorianum* 60, 1979, p. 639-674.

PELLEGRINO, M., «Martiri e martirio nel pensiero di S. Ilario di Poitiers», *Studi storico-religiosi* 4, 1980, p. 45-58.

PEÑAMARÍA DE LLANO, A., *La salvación por la fe en Hilario de Poitiers* (Pontificia Universitas Gregoriana), t. 1-2, Palencia 1972-1973.

— «La potestad de orden en S. Hilario de Poitiers», dans *Teologia del Sacerdocio*, 1977, p. 219-253.

RONDEAU, M. J., «L'anthropologie de saint Hilaire», dans *Studia Patristica VI (TU* 81), Berlin 1962, p. 197-210.

— «L'arrière-plan scripturaire d'Hilaire. *Hymne II*, 13-14», *RecSR* 57, 1969, p. 438-450.

— *Les commentaires patristiques du Psautier (IIIᵉ-Vᵉ s.).* II *(Orientalia Christiana periodica* 220), Roma 1985.

SCHELLAUF, F., *Rationem afferendi locos litterarum diuinarum quam in Tractatibus super Psalmos sequi uidetur S. Hilarius episcopus Pictauiensis*, Graz 1898.

ZINGERLE, A., «Studien zu Hilarius' von Poitiers Psalmencommentar», *SAWW* 108, 1885, p. 869-972.

— «Beiträge zur Kritik und Erklärung des Hilarius von Poitiers», *WS* 8, 1886, p. 331-341.

— «Die lateinischen Bibelcitate bei S. Hilarius von Poitiers», dans *Kleine philologische Abhandlungen* 4, Insbruck 1887, p. 55-89.

— «Zu Hilarius von Poitiers», *WS* 11, 1889, p. 314-323.

— «Kleine Beiträge zu griechischlateinischen Wörtererklärungen aus dem hilarianischen Psalmenkommentar», dans *Commentationes Wolfflinianae*, Lipsiae 1891, p. 213-218.

— «Der Hilarius-Codex von Lyon», *SAWW* 128, 1893.

INTRODUCTION

CHAPITRE PREMIER

LE COMMENTAIRE SUR LE PSAUME 118 DANS L'ŒUVRE D'HILAIRE

Le *Commentaire sur le psaume 118*, «psaume très long et de beaucoup le plus riche de tous» (exord., 3), est le plus développé des cinquante-huit commentaires d'Hilaire sur les psaumes qui nous sont parvenus. Rédigés sans doute dans les dernières années de la vie d'Hilaire, c'est-à-dire entre 364 et 367[1], ils marquent, après le *De Trinitate*, le retour de l'auteur à l'exégèse de l'Écriture qu'il avait inaugurée, au début de son épiscopat, par un commentaire du premier évangile. Ils sont pour nous la première œuvre de ce genre en latin : si l'exégèse suivie des psaumes avait déjà été pratiquée par de nombreux auteurs grecs, ainsi que le rappelle Jérôme dans une lettre à Augustin[2], c'est en effet Hilaire de Poitiers et Eusèbe de Verceil (dont cette partie de l'œuvre est perdue) qui l'ont inaugurée chez les Latins, en «traduisant» Origène et Eusèbe de Césarée[3].

Objet de la part d'Origène de trois homélies, de deux tomes rédigés à Césarée, enfin de scolies[4], le psaume 118

---

1. C. Kannengiesser, art. «Hilaire de Poitiers», *DS* 7[1], 1969, c. 482.
2. Hier., *Ep.*, 112,20.
3. *Ibid.*
4. Sur les différents commentaires du Psautier par Origène, voir

n'avait été commenté que de façon fragmentaire dans la
littérature latine chrétienne antérieure à Hilaire. Cyprien
— nommé, avec Tertullien, dans le *Commentaire sur
Matthieu*[5] — en cite quelques versets : les deux premiers,
qu'il applique aux martyrs[6], et le v. 120, parmi d'autres
« témoignages » destinés à montrer que le Christ « devait
être crucifié par les Juifs[7] » ; ces interprétations ne seront
d'ailleurs pas celles d'Hilaire. L'évêque de Poitiers
apparaît donc comme le premier auteur latin à avoir donné
un commentaire exhaustif du psaume 118 ; après lui, s'y
intéresseront Ambroise et Augustin, qui devait l'aborder
non sans réticence tant il lui semblait « profond[8] ».

R. Devreesse, *Les anciens commentateurs grecs des psaumes* (*Studi e
Testi* 264), Vatican 1970 ; P. Nautin, *Origène...* (en particulier le
chapitre 7).
    5. *In Matth.*, 5, 1 (*SC* 254, p. 150).
    6. Cypr., *Fort.*, 12 ; *Testim.*, 3, 16.
    7. Cypr., *Testim.*, 2, 20.
    8. Aug., *In psalm.* 118, pr. Pour un panorama de l'exégèse du
psaume 118, voir A. Deissler, *Psalm 119 (118) und seine theologie.
Ein Beitrag zur Erforschung der anthologischen Stilgattung im Alten
Testament*, München 1955.

CHAPITRE II

LA MÉTHODE DU COMMENTAIRE

I. DIVISION DU COMMENTAIRE
SENS DE CETTE DIVISION

Le psaume 118 comprend 176 versets répartis en 22 strophes de 8 versets. Chacune des 22 lettres de l'alphabet hébreu constitue successivement l'initiale de 8 versets[1]. S'inspirant très vraisemblablement sur ce point de la méthode d'Origène[2], le commentaire d'Hilaire sur le psaume 118 garde le souvenir de cette disposition particulière : il comprend aussi, après un *exordium* rappelant le προοίμιον d'Origène cité par la Chaîne palestinienne, 22 parties ou «lettres». Hilaire, qui applique le mot *littera* à la lettre de l'alphabet hébreu (exord., 1), étend son

---

1. Pour une étude détaillée de la composition du psaume 118, son analyse, voir, par exemple, M. MANNATTI, *Les Psaumes*, t. 4, Cahiers de la Pierre-Qui-Vire, 1968, p. 101-120.

2. M. HARL (*Ch. p.*, Introd., p. 108) montre qu'Origène avait utilisé la division du psaume en 22 lettres pour son commentaire. Elle renvoie à une lettre de JÉRÔME (*Ep.* 24 *ad Marcellam* = *PL* 22, 418) permettant d'affirmer que «l'exemplaire du Commentaire d'Origène sur le psaume 118 conservé à la Bibliothèque de Césarée était divisé en parties désignées par les lettres hébraïques».

emploi à l'ensemble des huit versets qu'elle couvre[3] et désigne ainsi l'unité de base de son commentaire. Ambroise reprendra une telle disposition, en donnant en outre, pour renforcer l'unité des strophes, une interprétation symbolique de chaque lettre hébraïque *(aleph = doctrina; beth = confusio)*. Hilaire ignore ou n'a pas retenu ce symbolisme qui remonte peut-être à Origène[4]. A la différence d'Origène et d'Ambroise, il ne donne d'ailleurs jamais aux lettres leur nom hébreu en cours de commentaire, mais les désigne seulement par leur place dans l'alphabet[5].

La division par «lettres» de ce «psaume très long et de beaucoup le plus riche de tous» (exord., 3) a une signification qui est donnée dès l'introduction. Le psaume 118 «qui contient la connaissance de la vérité en vue d'instruire l'ignorance humaine» (exord., 1) doit porter à son achèvement «notre enseignement et notre formation» (exord., 5) suivant une progression dont les étapes sont marquées par les lettres (exord., 3). L'enseignement donné par le prophète suit un «ordre» qui repose «sur les bases élémentaires mêmes de l'écriture» (exord., 1).

II. MÉTHODE DE COMMENTAIRE DES LETTRES

Dans chaque lettre une introduction prépare l'explication du premier verset. Quelques développements initiaux (lettres 6, 10, 14, ...) ont cependant l'importance d'un *prooemium* dont ils reprennent certaines règles définies

---

3. Cf. 2, 1 : «Dans la seconde lettre qui correspond aux huit versets suivants»; 16, 1 : «(les) huit versets que nous avons ici et qui constituent la seizième lettre.»

4. Cf. M. HARL, *Ch. p.*, Introd., p. 108-109.

5. 1, 1 : «Voici donc les versets de la *première* lettre»; 4, 1 : «dans le premier verset de la *quatrième* lettre.»

dans les traités de rhétorique. Ils amènent très progressive-
ment au premier verset, comme le veut une bonne
méthode d'exposition[6], en introduisant des considérations
générales : la perfection des paroles divines (6, 1), la place
de l'homme dans la création (10, 1-8), le passage de
l'ignorance au savoir (14, 1-5). Ces thèmes sont ensuite
développés, quand le premier verset a été cité. Ainsi,
comme le recommandait Quintilien à propos de l'exorde,
sous forme «d'une proposition plus que d'une exposition»,
«est exposé brièvement et clairement» le thème du
commentaire du premier verset[7].

Au cours de ces préambules, l'auteur fait référence au
jugement d'un grand nombre de personnes (6, 1), à
«l'opinion courante» (10, 1), comme l'orateur qui, dans
l'exorde de son discours, ne doit pas ignorer ce qui se dit
autour de lui[8]. L'opinion commune est prise comme point
de départ de la réflexion, pour être dépassée quelquefois à
la suite d'un jugement sévère : la conduite de ceux qui
doutent de la perfection des Écritures est impie et
«déraisonnable» (6, 1) ; y a-t-il quelqu'un «d'assez insensé
ou dépourvu d'intelligence» pour penser qu'il retournera
au néant (14, 1) ? Par ce ton polémique, ces introductions
s'apparentent à celles de Lactance. Mais elles poursuivent
aussi un but parénétique : elles font l'éloge de l'homme
(10, 1-8), celui de la perfection des paroles célestes (6, 1) ou
de la lumière de la science (14, 1-5), dans un style élevé et
noble.

Le premier verset dépassé, les suivants sont souvent
introduits par une formule comme *deinde sequitur, dehinc
ait*, mais sont rarement cités sans quelques mots
d'introduction[9] ; quelquefois ils sont repérés par leur

---

6. Cf. FORT., *Rhet.*, 2, 14.
7. QVINT., *Inst.*, 4, 1, 34-35.
8. Cf. QVINT., *Inst.*, 4, 1, 52.
9. 3, 18. Le v. 22 est cité sans introduction.

emplacement dans la strophe[10]. Le plus souvent, l'exégète cherche à établir un enchaînement entre les versets ; une remarque sur l'*ordo dictorum* et son importance ouvre le commentaire des deux premiers versets (1, 1). Lorsque, en apparence, cet ordre n'est plus respecté, Hilaire s'efforce de le reconstituer. Ainsi, dans la lettre 12, « il aurait été conforme à l'ordre » qu'après le premier verset évoquant le ciel vînt le troisième : « Tu as fondé la terre. » Le commentaire du verset intercalé consiste, en partie, à montrer que, malgré les apparences, l'ordre attendu n'est pas bouleversé, puisque le deuxième verset fait, comme le premier, allusion au ciel. Aussi, après avoir cité : « Tu as fondé la terre... », Hilaire peut écrire : « Un ordre presque intact a été maintenu » (12, 7).

Y a-t-il un fondement à l'ordre que l'exégèse d'Hilaire cherche à faire apparaître entre les versets ? Plus nettement encore que dans le commentaire *Sur Matthieu*[11], *ordo* et *ratio* sont étroitement associés. « Un raisonnement parfait respecte un ordre », écrit Hilaire après avoir introduit le v. 42 qu'il relie par cette formule au précédent (6, 3). « Disposées suivant le plan d'un enseignement céleste parfait » (2, 3), les paroles du prophète s'enchaînent ainsi sans qu'il y ait solution de continuité : « L'ordre d'intelligibilité contenu dans le premier verset est aussi celui des suivants », note Hilaire après avoir commenté le premier verset de la lettre 3[12]. Entre les versets, Hilaire remarque aussi une progression. Le prophète présente les demandes de sa prière « par degrés ». Ayant imploré de ne pas être livré à ses persécuteurs (v. 121), il « progresse dans son espérance et parvient maintenant à un degré de plus dans sa prière » en demandant à Dieu de l'accueillir comme son « serviteur » (v. 122)[13].

10. 3, 11 : « Le *quatrième* verset de cette troisième lettre. »
11. Cf. J. Doignon, *Hilaire*..., p. 262.
12. 3, 7. Remarque semblable en 9, 4.
13. 16, 7. Même « progression » notée entre les v. 29.30.31.32 en

Comme son raisonnement, toute la conduite du prophète obéit à un ordre. En cherchant à le faire apparaître, Hilaire établit un lien solide entre les versets d'une lettre. Attentif à la *modestia* du prophète et à l'*ordo* que cette qualité suppose[14], l'exégète rapproche les deux versets 145 et 146 : «Quel ordre plein de modération il a tenu!» (19,3). Les deux premiers versets de la lettre finale ne peuvent pas non plus être séparés. Leur disposition reflète «l'ordre d'une espérance pleine de réserve» ou «l'ordre selon lequel une prière s'approche du regard de Dieu» (22,1). De même, l'enchaînement de certains versets illustre la dignité que le prophète doit garder dans sa conduite. Après avoir dit : «Ta parole est une lampe pour mes pas, et une lumière pour mes sentiers» (v. 105), le prophète devait «donner à son affirmation une suite digne» (14,5) ; aussi a-t-il déclaré : «J'ai juré et me suis engagé à garder les jugements de ta justice» (v. 106). Ayant «juré», il devait avoir «une conduite digne de son serment» (14,8) ; les versets suivants montrent comment le prophète «exécute ce qui est digne de son serment» (14,13). Ainsi l'ordre des versets se conforme à celui de la vie morale. L'intérêt qu'il portait à l'ordonnance dans les paroles ou les actions du prophète a permis à l'exégète de commenter les versets d'une lettre non pas séparément mais suivant leur progression.

L'unité de la lettre apparaît avec plus d'évidence lorsque le verbe *concludere* introduit le verset final. Celui-ci fait bien figure de *conclusio* chaque fois que sa citation est accompagnée du rappel, ou résumé (2,11 ; 5,17 ; 10,18) ou littéral (4,11), des versets qui l'ont précédé. Ainsi les paroles finales de la lettre 4 : «Sur la voie de tes préceptes j'ai couru, lorsque tu as dilaté mon cœur» ont été

4,11 : «On est arrivé là par paliers»; entre les v. 169 et 170 en 22, 1 : «Ensuite, parvenant à un degré supérieur».

14. Cf. Cic., *Off.*, 1, 142.

préparées par celles des versets précédents : «Écarte loin de moi la voie de l'injustice», «J'ai aimé la voie de la vérité», «Je me suis attaché à tes témoignages»; elles ont conduit «par paliers» aux dernières. Hilaire souligne fortement la continuité des déclarations du prophète : «La conclusion de l'ensemble de la lettre est conforme à son plan, à son sujet» (4, 11).

L'ordre des versets dans la lettre n'intéresse pas seulement l'exégète. Il concerne aussi l'homme que veut former le prophète et contribue à son instruction. Le commentaire des deux premiers versets du psaume le rappelle. Après les avoir cités ensemble, Hilaire insiste sur le sens de «l'ordre des expressions» : «Si nous ne prenons pas soin de le connaître, nous n'atteindrons pas non plus l'ordre suivant lequel est disposée la béatitude. En effet, il n'y a pas d'abord : Heureux est-on quand on scrute les témoignages de Dieu, mais d'abord : Heureux les purs dans la voie. En effet, la première condition est d'entrer dans la voie de la vérité avec une conduite morale éprouvée et orientée vers la recherche d'une vie sans faute, par la pratique de la vertu couramment appelée probité; la suivante est de scruter les témoignages de Dieu et d'avoir pour leur recherche une âme purifiée et corrigée» (1, 1). «L'ordre des expressions» est celui que, dans «notre manière de vivre», «il nous faut respecter» et que pourtant «beaucoup parmi nous» négligent (1, 1). De même, après avoir commenté les quatre premiers versets de la lettre 21, au moment d'introduire le cinquième, Hilaire considère «l'ordre de la prédication du prophète» et en donne la signification : «Il n'est pas différent de l'ordre de la foi.» En effet, ces quatre versets convergent vers le suivant : «Grande est la paix pour ceux qui aiment ton nom et il n'y a pas pour eux de scandale», comme «tout autre commandement contenu dans la Loi se trouve résumé dans l'observance de ce seul précepte : Tu aimeras ton prochain comme toi-même» (21, 6). Ainsi, comme l'ordre des lettres

dans le psaume, l'ordre des versets dans la lettre est un
«ordre d'enseignement[15]».

III. MÉTHODE DE COMMENTAIRE DES VERSETS

Introduisant l'explication des versets de la lettre 6,
Hilaire s'élève contre ceux qui pensent que «les divines
paroles des Écritures n'ont pas la cohérence d'un enseignement parfait» et indique que, comme «le commentaire
précédent», celui qu'il entreprend maintenant fera
connaître «à ceux qui suivent la sagesse de Dieu ... la
perfection des paroles célestes» (6, 1). «Disposées suivant le
plan d'un enseignement céleste parfait», a déjà dit
l'exégète (2, 3), «elles n'offrent aucune équivoque, aucune
contradiction»; elles ne révèlent ni «ignorance», ni «confusion» (exord., 2), et ne comportent rien d'«inutile» (1, 3;
2, 1; cf. 10, 3). Encore faut-il, pour s'en persuader, ne pas
faire comme «ceux qui lisent de façon simple les écrits
tombés entre leurs mains» (exord., 2). La perfection des
paroles célestes n'apparaîtra qu'à «l'homme avisé et
intelligent» (exord., 3) qui sait que «les propos du prophète
n'ont rien de commun avec ceux entendus généralement
ou dans le monde» (3, 11). «Ils vont toujours loin et au-
delà du sens ordinaire» (15, 11)[16]. Comment Hilaire établit-
il la perfection des paroles du prophète?

15. *Ordo doctrinae* : exord., 1; 2, 7; 2, 11.
16. Ces principes de lecture du psaume 118 étaient déjà ceux
qu'avaient suivis Hilaire dans le commentaire sur l'évangile de
Matthieu. Si proche soit-elle de celle d'Origène, la méthode d'explication des versets des psaumes ne s'écarte pas des règles mises en œuvre
pour aborder le texte de l'évangéliste, règles fort parallèles à celles
utilisées par les «grammairiens» et commentateurs tardifs des auteurs
profanes. Le vocabulaire de l'*explanatio* dans l'*In Matthaeum*, son lien
avec celui des grammairiens ont été étudiés par J. DOIGNON,
Hilaire..., p. 266 s.

1. Les mots

Attentif au soin apporté par le prophète au choix des mots[17], l'exégète «juge nécessaire» d'en examiner la «valeur», *uirtus* (4, 1), ou la «propriété», *proprietas* (exord., 3). Étudier la *uirtus* d'une expression consiste par exemple à voir pourquoi le prophète a dit : «Maudits, ceux qui *s'écartent de* tes commandements», alors qu'il aurait été «facile de dire : Maudits, ceux qui *n'obéissent pas à* tes commandements» (3, 17) ; ou pourquoi l'expression «*Mon âme* s'est attachée au sol» a été préférée à «*Je* me suis attaché au sol» (4, 1). Par l'étude de la «valeur des mots», l'interprétation littérale de ce verset — qui se bornerait à faire comprendre que «le prophète, prosterné sur la terre, est attaché au sol en raison de la confession de ses péchés» — est dépassée au profit d'une interprétation plus approfondie. Puisque le psalmiste a parlé de l'âme, «nous sommes invités à comprendre qu'il regrette ici la solidarité de l'âme et du corps» (4, 1).

De même qu'il s'intéresse à leur «valeur», Hilaire considère aussi la «propriété» des termes employés par le prophète. Ainsi chacun des mots qui définissent la Loi dans le psaume 118 a une signification propre que le commentaire doit faire apparaître : il faut «distinguer dans les Écritures les passages où sont définis la loi, le précepte, les témoignages, les règles de justice, les jugements, pour que ces mots que le texte du prophète a merveilleusement distingués suivant la signification propre de chacun, la faiblesse de notre ignorance ne les confonde pas» (exord., 3).

«Valeur» et «propriété» des mots dans le verset sont

---

17. 13, 1 : «Il vaut la peine de remarquer avec quel soin dans l'expression, avec quelle exactitude dans le sens, le prophète nous encourage.»

souvent saisies par référence au texte grec, car ils ont en
grec un sens dont la traduction latine ne peut rendre
l'étendue. L'exégète adopte alors la valeur du mot grec et
la confère à son équivalent latin. « Ce que les nôtres ont dit
de cette façon : *Deduc me in semita*, le grec l'a exprimé
ainsi : Ὁδήγησόν με ἐν τρίβῳ. Et ce qui chez les Grecs se dit
τρίβος s'entend d'un sentier battu et fréquenté par suite de
beaucoup d'allées et venues. Or, pour nous, il peut être
question de sentier et il peut y avoir un sentier sans qu'il
soit battu. Donc, puisque le grec a englobé les deux notions
dans un même mot, partageons ce point de vue et sachons
que sentier veut dire sentier battu » (5, 7). Une recherche
semblable conduit l'exégète à donner un sens plus
approprié aux mots *finis* (12, 14), *saeculum* (12, 3), *iniqui*
(15, 4), *confige* (15, 13).

Pour voir ce que « cache » l'emploi de « mots courants »
(16, 12) et aller plus loin dans la compréhension du verset,
Hilaire se réfère aussi aux définitions données par des
glossaires — ainsi pour *adcola* (3, 8), *apostata* (15, 10) —,
aux traités juridiques — définitions de *heres, heredilas*
(14, 19) — ou grammaticaux — *dormito, dormio* (4, 7), *quot*
(11, 5) —, à l'Écriture — *praeuaricatio* (15, 11). De même,
il tire son commentaire d'un verset de l'étude du temps des
verbes. Du futur « je vivrai », l'exégète conclut que le
prophète ne parle pas de la vie de maintenant « dans la
poussière de la mort », mais de la « vie heureuse et vraie »
quand le corps sera passé « à la gloire de la nature
spirituelle » (3, 3) ; lorsqu'il dit qu'il gardera la loi de Dieu,
le prophète évoque une autre loi que celle qu'il accomplit
« matériellement »[18]. L'importance d'un adverbe n'échappe
pas non plus à Hilaire ; il observe les nuances qu'apportent
uehementer à l'adjectif *latum* (12, 15), *usquequaque* au verbe
humiliatus sum (14, 12), *ualde* aux v. 137 et 138 (18, 1).

18. 8, 6. Autres remarques sur le sens d'un verset à partir du temps
futur de son verbe : 5, 15 ; 10, 15 ; 15, 7 ; 15, 8. Remarques sur la
valeur du parfait : 7, 7.

Mais l'interprétation littérale de certains mots évoquant des réalités concrètes est parfois dépassée. Lorsque le prophète parle de ses yeux, il évoque moins, selon l'exégète, ceux de son corps que ceux de l'âme abandonnée à la contemplation (11,3 ; 16,8) ; la bouche n'est pas celle du corps humain, mais celle du cœur (17,5) ; l'œil, le pied, la main désignent les proches parents (17,11).

L'exégèse d'un verset suppose donc une étude exacte de la valeur des mots ou, parfois, une interprétation spirituelle de certains d'entre eux. Pourtant, jamais le commentaire ne se réduit à un savant mot-à-mot.

2. Les propositions et leur ordre

Même commenté isolément, un mot est replacé dans un ensemble et l'explication qu'il reçoit s'inscrit dans celle du verset auquel il appartient. Ainsi pour le premier verset de la lettre 3, Hilaire envisage successivement et commente d'abord pour elles-mêmes les expressions «rétribue ton serviteur», «je vivrai», «j'observerai tes paroles», mais il établit aussi entre elles un «ordre d'intelligibilité» (3,7), car «la rétribution que le prophète demande pour lui-même à Dieu, c'est de vivre» (3,3) ; de même, les expressions «je vivrai» et «j'observerai tes paroles» sont rapprochées : lorsque «la mort aura été vaincue... vraiment nous vivrons et observerons les commandements de Dieu» (3,6). L'enchaînement des idées à l'intérieur d'un verset n'est donc jamais perdu de vue ; les différentes propositions sont fortement soudées entre elles et chacune est présentée comme nécessaire à la compréhension de l'autre. Ainsi la proposition «ceux qui marchent dans la loi du Seigneur» complète les premières paroles du prophète : «Heureux les purs dans la voie» ; elle montre en effet qu'il ne faut pas suivre n'importe quelle voie mais bien celle où l'on «marche dans la loi du Seigneur» (1,2). L'ordre des propositions à l'intérieur d'un verset est donc porteur d'un enseignement. En disant d'abord : «Je m'exercerai à tes commandements», puis : «Je considérerai tes voies», le prophète montre que la pratique des œuvres de la foi est la condition préalable à l'acquisition de la science (2, 10). Par leur construction si rigoureuse, de nombreux versets sont des exemples «d'une prière parfaite» (6, 3). «L'ordre» dans lequel sont présentées les demandes instruit de la manière dont une prière doit être portée devant Dieu. Il faut, par exemple, commencer par implorer la miséricorde divine ; alors seulement, il est possible que Dieu donne son salut. Cet ordre, miséricorde et salut, a été respecté par le prophète, dit Hilaire, puisque le v. 41 est ainsi formulé : «Et que vienne sur moi ta miséricorde, Seigneur, ton salut, conformément à ta parole» (6, 2).

3. Les difficultés du verset

Le commentaire de la parole du prophète n'est pas seulement une lecture approfondie de la structure du verset et de sa signification. Il consiste aussi à résoudre les difficultés que pose sa compréhension car il n'est jamais «simple» (9, 9).

Leur nature.

Pour montrer combien sont complexes, mais aussi riches, les déclarations du prophète, Hilaire leur substitue des expressions ordinaires et faciles à comprendre. Ainsi, au lieu de «Écarte loin de moi la voie de l'injustice», «il aurait été facile de dire : Écarte loin de moi l'injustice» (4, 8 ; cf. 13, 2). De même, le prophète «ne dit pas : Retranche l'opprobre qui est en moi, mais il dit : Retranche mon opprobre, dont j'ai soupçon» (5, 16) ; ou bien, alors qu'il «aurait suffi au prophète de dire ... : Bonne est pour moi ta loi», «en disant : La loi de ta bouche, il a voulu que l'on comprenne davantage» (9, 9 ; cf. 3, 11 ; 4, 5 ; 5, 2). Le commentaire a alors pour but de justifier

l'exp… sion difficile, d'expliquer des paroles qui vont au-
delà … sens commun, et semblent parfois en contradiction
avec … opinion ordinaire (17, 1.2), au point même de
pouv … paraître «vaines et ridicules» (11, 4).

Di… rentes de «celles entendues généralement ou dans le
mon… (3, 11), les paroles du prophète présentent souvent
des … tradictions apparentes avec d'autres textes de
l'Écr… re. L'exégète part aussi de ces difficultés pour
élabc… son commentaire. Il se demande ainsi comment le
propl… e peut dire : «Sur mes lèvres, j'ai prononcé tous les
juger… ts de ta bouche», alors que «dans ce livre des
psaui… , nous lisons... : Tes jugements sont comme le
vaste… îme, (que) l'apôtre Paul dit : Insondables sont les
jugen… ts de Dieu, et (que) le prophète (dit) encore : En
effet,… ands sont tes jugements et innombrables» (2, 8).
Comn… t peut-il déclarer : «J'ai imploré ta face de tout
mon… ir», lui qui «se souvient qu'il a été dit par Dieu :
Aucu… omme ne verra ma face et vivra» (8, 7). Il y a
égaler… t contradiction entre la déclaration du prophète :
«J'ai… ué de la haine aux hommes injustes» et le
comm… lement du Seigneur prescrivant d'aimer même ses
ennem… (15, 1).

Les so… ions.

Pou… résoudre les difficultés qu'il a lui-même fait
appara… e, l'exégète utilise les éléments d'un savoir
profan… u religieux. La «nature humaine», son «habitude»
l'aiden… comprendre tel verset apparemment difficile.
Lorsqu… doit commenter : «Mon âme a défailli pour ton
salut»,… ilaire se réfère à la «nature humaine», car le
prophè… «dont toute l'attente a Dieu pour objet» est
comme… homme qui «lorsqu'il ne peut obtenir ce qu'il
désire,… t pris de défaillance à cause de l'inépuisable
aspirat… de son désir» (11, 1). La compréhension du
verset :… Pour le siècle, Seigneur, ta parole demeure dans
le ciel»… facilitée par le spectacle qu'offrent à chacun la

vue du ciel, «la course annuelle du soleil et le retour
mensuel de la lune, ... les stations, les révolutions ou les
variations des astres» qui restent «dans leurs limites, à
l'intérieur des bornes qui leur ont été fixées et des
successions qui leur ont été assignées» (12, 1-2). Présentées
comme autant de références à «l'habitude naturelle» ou à
«la nature humaine», ces explications sont surtout le reflet
du savoir profane de l'exégète. L'analyse du désir humain
conduisant à la défaillance pour comprendre l'attente du
prophète reprend les définitions stoïciennes que Cicéron et
Sénèque donnaient du *desiderium*[19]; le vocabulaire d'Hilaire parlant du ciel et de la permanence de ses lois est très
proche de celui de Cicéron sur le sujet[20]; nombreuses aussi
sont les remarques qui révèlent la formation juridique de
l'auteur[21]. Le commentaire du psaume se présente donc
comme une lecture savante des versets, à la lumière d'un
savoir tiré d'une culture profane étendue.

La plupart des problèmes soulevés pour amorcer le
commentaire du verset trouvent leur solution dans l'Écriture même. Parmi ces difficultés, certaines sont résolues
par une confrontation entre le texte grec du verset et sa
traduction latine. Celle-ci est alors toujours présentée
comme inférieure : elle rend maladroitement le verbe grec
νομοθέτησον par l'expression *legem statue* (5, 1); elle est
inapte à traduire les nuances que contient un mot grec :
τρίϐος est plus riche de sens que *semita* (5, 7); elle est
équivoque : à quel mot renvoie le pronom *ipsam* au v. 35?
Seul le grec permet de répondre (5, 10); elle est inexacte :
les traducteurs latins ont rendu l'expression εἰς τὸν αἰῶνα
par *in aeternum*, alors qu'il faudrait *in saeculum* (12, 3). Au
contraire le texte grec des psaumes constitue la norme à
laquelle doit se rapporter l'exégète. Bien sûr, toutes les

19. 11, 1 et la note.
20. 12, 2 et la note.
21. 14, 19 et la note.

versions grecques ne sont pas unanimes ; elles ne s'accordent pas sur le verbe principal du v. 28 : les unes donnent ἐνύσταξεν, les autres ἔσταξεν, d'autres enfin κατέσταξεν (4, 6) ; ou bien, certains manuscrits placent le v. 57 à la fin de la lettre 7 tandis que d'autres en font le premier de la lettre 8 (8, 1). Toutefois, il y a parmi ces versions celle qui remonte au temps du roi Ptolémée, «sous qui les Écritures de la Loi furent traduites de l'hébreu en grec» (16, 16). Cette traduction des Septante a pour elle son «autorité vénérable et antique» (5, 13), «il y a un risque pour nous à (la) transgresser» (4, 6). La compréhension d'un verset latin difficile exige donc le recours au texte grec des Septante. Par lui s'éclairent un mot ou une expression dont le sens apparaît mal en latin. Ou bien le texte grec, toujours plus riche, apporte un supplément de sens à la traduction latine. Quand celle-ci dit par exemple : *Omni consummationi uidi finem*, il faut corriger et savoir que «le prophète ... regarde, suivant le sens du mot grec (πέρας), au-delà de tout accomplissement», nuance que n'a pas le mot *finis* (12, 14). L'explication d'un verset difficile commence donc par la lecture d'un texte authentique. Pour atteindre celui-ci, l'exégète a recours, dans son commentaire, aux sources d'informations les plus sûres : sa comparaison entre différentes versions grecques du v. 28 prouve une connaissance, au moins indirecte, des Hexaples [22], et les renseignements qu'il donne sur le sens des mots grecs proviennent sans doute de glossaires gréco-latins.

Confronté au modèle grec dont il dérive, le verset est plus souvent rapproché d'autres textes de l'Écriture, soit de l'Ancien Testament [23], soit, dans la plupart des cas, du Nouveau Testament. L'affirmation est en effet plusieurs fois reprise au cours du commentaire : «Bien qu'il les

22. 4, 6 et la note.
23. 4, 3-4 où le v. 26 est expliqué par *Deut.* 10, 12 s.; *Ps.* 31, 5; *Prov.* 18, 17. 17, 6 où le v. 132 est expliqué par *Ex.* 14, 24-25; *Gen.* 18, 16; *Ps.* 103, 32; etc.

précède dans le temps, (le prophète) n'ignore pourtant pas les préceptes des Évangiles et des apôtres» (2,9; cf. 4,2; 8,7). Aussi, pour élucider les difficultés d'un verset, les témoignages du Christ dans les Évangiles, de l'apôtre Paul dans ses épîtres sont constamment invoqués. Les premières paroles du psaume : «Heureux les purs dans la voie, ceux qui marchent dans la loi du Seigneur» suscitent, par exemple, deux questions, auxquelles répondent deux textes du Nouveau Testament : «Quelle est la voie où tout homme qui marche est heureux, le Seigneur l'enseigne en disant : Je suis la Voie» (1,2); «Qu'est-ce donc que la loi? C'est, comme le dit l'Apôtre, l'ombre des biens à venir» (1,5). Le rapprochement entre un verset du psaume et un verset de l'Ancien ou du Nouveau Testament se fait ainsi par l'intermédiaire d'un mot commun : le même verbe «s'est attaché» (4,2) permet d'éclairer le v. 25 par *I Cor.* 6,17; *Ps.* 62,9; *Deut.* 13,4; l'expression : «Je suis participant de tous ceux qui te craignent» (v. 63) appelle *Hébr.* 3,14 : «Nous sommes devenus participants du Christ» (8,16); le mot «outre» du v. 83 — «Parce que je suis devenu comme une outre dans le givre» — se comprend grâce à *Mc* 2,22 : «Personne ne met du vin nouveau dans de vieilles outres» (11,4).

IV. SENS DE CETTE MÉTHODE

Ces correspondances entre les paroles du prophète et celles du Seigneur ou de l'apôtre Paul sont l'application de la règle d'explication énoncée par l'exégète dans l'*Instructio psalmorum* : «Il n'y a pas de doute que l'on doive interpréter ce qui est dit dans les psaumes d'après la prédication évangélique[24]». Elles illustrent aussi un des

24. *Instr. psalm.*, 5.

enseignements du commentaire : la «loi» est «l'ombre des biens à venir» (1,5), «notre pédagogue dans le Christ» (13,10) ; ses «paroles sacrées» doivent être interprétées d'après «les Évangiles, où, dans le Seigneur incarné, sont dévoilés les secrets de la Loi et les mystères des prophéties» (17,4). La méthode de l'exégète contribue ainsi à mettre en valeur l'instruction souvent rappelée tout au long du commentaire : les textes de l'Ancien Testament (ici, le psaume 118) doivent, pour être parfaitement compris, être mis en relation avec les écrits du Nouveau.

En rapprochant les paroles du prophète de celles de l'Évangile ou des Épîtres, l'exégète montre aussi qu'il est possible de dépasser une interprétation strictement littérale des versets et de les appliquer, non seulement à David, mais aussi au Christ ou à l'Apôtre. Ainsi, le verset «J'ai été humilié complètement, Seigneur» annonce l'enseignement sur l'humilité que donnera le Christ en *Matth.* 11,28 s. (14,8-9). Lorsque David évoque les décisions que lui dicte sa volonté et non la Loi, il «annonce» Paul qui se prononce sur les vierges (*I Cor.* 7,25) sans avoir sur cette question de précepte du Seigneur (14,13-14). Invoquant la miséricorde divine, le prophète s'exprime comme le fera l'apôtre Paul en *II Cor.* 1,3-4 ; leur propos commun repose sur l'assurance que le Christ n'abandonnera pas ceux qui sont livrés aux persécutions (*Matth.* 10,19-20) (10,14).

Comme ils concernent le Christ ou Paul, les propos du prophète s'adressent à chacun de nous et contribuent à notre formation (19,7). Aussi, si l'explication d'un verset montre qu'il s'applique d'abord à David, le cas particulier du prophète est toujours dépassé et l'exégète pense à l'instruction qu'il doit en tirer pour l'homme qu'il forme. Lorsque David évoque ses larmes, Hilaire y voit la marque de son repentir après les reproches que lui fit Natan au sujet de ses relations coupables avec Bethsabée, mais il fait de cette expression de pénitence celle de tout croyant qui ne doit jamais cesser de regretter sa faute (17,13). La

transition entre les allusions à l'histoire personnelle de
David et les remarques qui s'appliquent à tous se fait dans
le commentaire par des formules telles que « il montre par
son exemple » (7, 5), « partant de l'évocation de ce qu'il fait
ou de ce qu'il a fait, le prophète nous enseigne à nous aussi
ce qu'il faut faire » (8, 10), « le prophète nous encourage par
son exemple, en nous montrant comment il faut que nous
nous conduisions » (9, 1 ; cf. 9, 4 ; 10, 9).

L'explication d'un verset et l'élucidation de ses difficultés ont pour fin l'instruction du lecteur. De même, il nous
est apparu qu'en justifiant la division du psaume en
lettres, l'ordre des versets dans chaque lettre ou des
propositions dans les versets, l'exégète montrait l'utilité de
cette division et de cet ordre pour l'instruction que le
prophète veut donner. Quel enseignement pour l'homme
Hilaire trouve-t-il en lisant le psaume 118 ?

CHAPITRE III

L'ENSEIGNEMENT DU PSAUME 118

Le but de «l'explication» des psaumes est de trouver pour chacun «la clé qui lui est propre et lui est adaptée[1]». Dans le psaume 118, le prophète, selon Hilaire, a voulu présenter «la connaissance de la vérité en vue d'instruire l'ignorance humaine» (exord., 1). L'exégète précise cette affirmation de l'*exordium* au cours de son commentaire : Le psaume «ne contient rien d'autre qu'un enseignement de vie pour l'homme, destiné à nous former ... à la connaissance de Dieu» (9, 1) ; il doit «nous instruire en vue d'une connaissance de Dieu et d'une obéissance parfaites» (13, 1). Obéissance à Dieu, connaissance de Dieu sont les deux thèmes principaux de la réflexion de l'exégète sur un psaume qui «façonne l'homme parfait» (13, 1) et «porte à son accomplissement l'homme parfait suivant la doctrine de l'Évangile[2]».

I. *NATVRA HVMANA*

L'homme appelé à la perfection est d'abord présenté par l'exégète tel qu'il est. Les caractères de sa «nature» sont

1. *Instr. psalm.*, 24.
2. *Instr. psalm.*, 14.

ceux que lui reconnaît une double tradition, celle de la littérature classique et celle des épîtres pauliniennes.

1. Représentation classique

Pour définir l'homme et sa place dans la création, Hilaire reprend des formules que les premiers auteurs chrétiens, en particulier Lactance, employaient à la suite des écrivains latins classiques : «Seul être sur terre qui ait été constitué avec une raison, une intelligence, un jugement, des sentiments» (10, 1), «être vivant participant à la raison» (10, 6), l'homme est ici défini comme il l'était par Lactance[3], d'après Cicéron[4]. Compte tenu de ces caractères propres, Hilaire assigne à l'homme la même fin que l'auteur des *Institutions divines*[5] ou celui du *De natura deorum*[6] : «Connaître et vénérer celui qui est l'auteur et le père de si grands bienfaits pour lui» (10, 1). A la tradition classique aussi se rattachent certaines remarques plus particulières sur la nature de l'homme. L'analyse du «désir», provoqué par «l'attente» et aboutissant à la «défaillance», afin d'expliquer les paroles : «Mon âme a défailli pour ton salut»[7], s'inspire des définitions stoïciennes du *desiderium* données par Cicéron[8]. De même, pour mettre en valeur l'expression du prophète : «Admirables sont tes témoignages ; aussi mon âme les a-t-elle scrutés» et en montrer l'apparent paradoxe, Hilaire se réfère à «la nature de l'esprit humain» qui «tient pour admirable ce dont il a acquis la certitude. Ce sont en effet des certitudes qui produisent un jugement d'admiration, tandis que

---

3. Lact., *Inst.*, 2, 1, 15 : «l'homme, c'est-à-dire un être intelligent et doué de raison» (trad. Monat).
4. Cf. Cic., *Leg.*, 1, 22 ; *Ac.*, 2, 21.
5. Lact., *Inst.*, 7, 6, 1.
6. Cic., *Nat. deor.*, 2, 153.
7. 11, 1 et la note.
8. Cic., *Tusc.*, 4, 21-22.

personne ne pourra admirer ce qu'il ignore» (17, 1). En liant si nettement admiration et connaissance, l'exégète reprend dans une formulation abstraite ce qu'illustrent des pages de Cicéron ou de Pline, l'émerveillement de l'homme en présence de *facta mirabilia*. Le rôle de l'intelligence humaine (17, 2), la fonction des paupières (4, 7), du nez, de la bouche (17, 5) ou de la parole (22, 2), la loi naturelle qui régit les rapports entre les hommes (15, 1) sont définis comme ils l'ont été dans les traités philosophiques ou moraux des écrivains classiques. Ainsi la plupart des observations fondées sur «la nature humaine», son «habitude» *(consuetudo)*, «l'opinion courante» *(commune iudicium)* procèdent d'analyses ou de constatations venues d'auteurs profanes antérieurs.

2. Représentation chrétienne

«Être vivant participant à la raison», l'homme porte en lui «une nature intérieure et une nature extérieure en désaccord l'une avec l'autre» (10, 6). La définition classique de l'homme est ainsi complétée par celle qu'en donnent les épîtres pauliniennes (ici *Rom.* 7, 22 ; *II Cor.* 4, 16) et les premiers écrivains chrétiens qui les ont méditées.

Duplex natura.

De notre «double nature», Hilaire cherche l'origine dans la création, à laquelle il consacre un long exposé à propos du premier verset de la lettre 10. Son commentaire fait apparaître sa dépendance par rapport à Origène et surtout (en raison de notre connaissance fragmentaire du texte origénien sur ce verset) à Tertullien. La place de l'homme dans la création est définie à partir de *Gen.* 1, 3 s. et des commentaires déjà donnés de ces versets. Comme Tertullien[9], Hilaire rappelle le privilège de l'homme, créé non par

9. TERT., *Resurr.*, 5, 6-7 ; 6, 3.

une simple parole, mais après réflexion et par les mains de Dieu (10, 4-5). Il distingue ensuite, après Origène[10] et Tertullien[11], les différentes étapes de l'œuvre divine : création de l'âme, façonnage du corps, insufflation finale qui donne la vie (10, 7-8). Il rappelle enfin, comme il l'avait déjà fait en *In Matth.*, 10, 23-24, reprenant une image de l'auteur des traités *De anima* (41, 4) et *De resurrectione mortuorum* (63, 1 ; 63, 3), qu'un « pacte nuptial » s'est établi entre l'âme et le corps[12].

L'âme.

L'homme porte en lui une première nature, divine, et, comme telle, « raisonnable » et « incorporelle » (10, 7). Origène reconnaissait à l'homme intérieur ce second caractère. Au sens où l'entendait Tertullien, Hilaire parle aussi d'une « âme corporelle qui, répandue dans tous les membres, n'est absente d'aucune partie » du corps (19, 8). Cette âme a pour vocation de s'affranchir du corps pour « voler ... jusqu'à la demeure et à la connaissance célestes » (14, 18) ; elle est elle-même « céleste[13] ». Cependant, elle n'échappe pas aux épreuves ; elle peut être « soumise aux tentations et ... abattue, parce qu'elle est abandonnée à sa faiblesse » (12, 10), céder aux « attraits de la vie ... jusqu'à consentir à un fléchissement de la volonté » pourtant prête à supporter le martyre (15, 3).

Le corps.

Créé en second, le corps est façonné avec « la poussière de la terre », « par le travail et le soin d'une main artiste » (10, 7). Un commentaire semblable de *Gen.* 2, 7 avait déjà

---

10. Orig., *Hom. Gen.*, 1, 13 ; *Hom. Jér.*, 1, 10.
11. Tert., *Resurr.*, 5.
12. 10, 8. Cf. *In Matth.*, 10, 23-24 (*SC* 254, p. 242-246).
13. 16, 3. Sur la condition de l'âme, voir J. Doignon, « Être changé en une 'nature aérienne' » ; P. Courcelle, « ... vol de l'âme ».

été donné par Origène[14] ; Tertullien, Cyprien, Lactance[15] avaient eux aussi rappelé, à la suite de Paul (*I Cor.* 15, 47), l'origine terrestre du corps humain.

Préparée par la main de Dieu, cette «matière terrestre» n'est pas vouée à la perdition. «La terre du corps humain ... a été fondée de telle sorte qu'en elle, comme dans le ciel, la parole de Dieu demeure» (12, 7). Aussi, comme Paul (*I Cor.* 6, 19), Hilaire fait-il des corps «qui ont été sanctifiés dans le Christ ... le temple de Dieu» (18, 3). Si nous renonçons au siècle, dit-il en s'appuyant sur *II Cor.* 6, 16 et *Gal.* 2, 20, Dieu, devenant «notre part», «habite dans ce pauvre corps terrestre qui est le nôtre», il y «marche» et devient une «possession pour nous» (8, 5). Enfin, ce même corps est appelé à la gloire, «la nature de notre corps terrestre étant parvenue à plus de gloire après la mutation de la résurrection[16]».

Plus souvent cependant, la terre évoque l'idée de corruption (22, 6) ; aussi le mot «terre», commenté seulement par «corps» (12, 7), reçoit également pour équivalents «vices et péchés du corps» (11, 9). Commentant le verset : «Mon âme s'est attachée au sol», Hilaire affirme : «Par sa condition qui l'unit au sol, (l'homme) a contracté une souillure pécheresse» (4, 2). Comme Origène[17], il rapproche *Gen.* 2, 7 de *Rom.* 7, 22-23 et montre soumise à «la loi du péché» la part de l'homme formée avec de la terre (10, 8). Elle est le lieu privilégié où s'exercent les vices et se voit constamment livrée aux assauts du diable : en l'homme, «se trouve, de naissance, du fait de sa nature corporelle, la matière qui alimente les vices que le diable

---

14. ORIG., *Hom. Gen.*, 1, 13 ; *Hom. Jér.*, 1, 10.

15. TERT., *Carn.*, 9, 2-3 ; *Resurr.*, 5 ; CYPR., *Domin. orat.*, 16 ; LACT., *Inst.*, 7, 5, 13.

16. 3, 4. Cf. 3, 3 ; 12, 7. A propos de ces textes, voir *In Matth.*, 4, 3 ; 10, 19-20 (*SC* 254, p. 124 ; 238-240), passages inspirés par *I Cor.*, 15 et le commentaire de TERTULLIEN (*Resurr.*, 53, 5-7).

17. ORIG., *In Rom.*, 2, 13.

s'efforce d'enflammer» (11, 5). Soumis au péché, le corps en est aussi le responsable : «La nature de notre corps nous pousse à courir vers toute sorte de fautes» (13, 8) ; «elle nous réduit, soit en raison de sa faiblesse, soit par la brûlure de nos vices, à être imparfaits» (3, 6) ; le prophète se souvient que «la voie du péché est dans son corps» (4, 8). De même, la chair porte la responsabilité de «l'erreur» où est plongée la pensée humaine. Celle-ci est «maintenue dans l'abîme de l'ignorance à cause de la pesanteur de la nature à laquelle elle est mêlée» (14, 1).

« De condition vile et humble» (3, 2), souillé par le péché, le corps est soumis à la «loi de la mort» (3, 3). Reprenant l'enseignement de *Rom.* 7, 24, Hilaire évoque, comme l'Apôtre, le «corps de mort» dans lequel nous sommes (3, 3 ; 10, 15), «la demeure d'un corps terrestre voué à la mort» qui nous empêche d'être «purs» (3, 4).

Rapports de l'âme et du corps.

Bien que «d'une autre origine», l'âme se trouve «unie à la nature terrestre et mortelle» (4, 1.2). Toutes deux, au moment de la création, ont reçu «l'insufflation qui devait, par l'alliance que scellait en quelque sorte entre eux le souffle insufflé, rendre solidaires la nature de l'âme et celle du corps et les faire parvenir à l'état définitif de la vie» (10, 8). Au cours de la vie, l'âme n'est pas libre de ses mouvements et la parole de Dieu ne pourra entrer en elle si nous lui en interdisons «l'accès par les vices de notre corps». Elle mène cependant «un très grand combat pour se désolidariser de celui en qui elle demeure et traiter en étrangère son lieu de séjour» (4, 1). L'homme devient ainsi le cadre d'un affrontement entre la chair et l'esprit; Hilaire retrouve là un des thèmes de la fin de l'*Épître aux Galates* (5, 17), repris par Cyprien[18].

---

18. Cypr., *Domin. orat.*, 16.

II. *PERFECTVS VIR*

«Façonnant l'homme qui plaira à Dieu» (2, 1), le
prophète se charge d'une éducation complète et nous
apprend, comme un maître s'adressant «à des enfants
inexpérimentés», «la piété, la continence, l'intelligence, la
foi et la crainte» (16, 1). Son enseignement, très charpenté,
distingue d'une part «ce qu'il est utile que chacun,
conscient de la faiblesse de sa nature, veuille, fasse,
professe», d'autre part «ce qu'il lui faut aussi craindre,
éviter, corriger» (16, 1). Il donne «à qui veut se rendre
digne d'avoir été fait suivant l'image et la ressemblance de
Dieu» (10, 3), «la connaissance de la vie en Dieu sans faute»
(exord., 4). Celle-ci consiste à «modeler notre corps, à la
façon d'un instrument, selon des rythmes accordés et
harmonieux, de sortè que nous n'aimions pas les vices, que
nous ne haïssions pas les bonnes dispositions» (13, 13).
L'opposition formulée ici en termes classiques entre
«vices» et «vertus[19]» réapparaît dans le commentaire sous
la forme paulinienne : loi du péché, loi de Dieu[20] ; vieil
homme, homme nouveau[21], ou dans un vocabulaire
emprunté au psaume — mais dont le commentaire a pu
être inspiré par la *Didachè*, qui oppose la voie de la vie et la
voie de la mort —, voie du péché et voie de Dieu (1, 2 ;
4, 4.8-9). Cette antinomie sert à l'exégète pour présenter,
tout au long du *Tractatus*, la «vie sans faute à laquelle nous
forme» le prophète (12, 1).

1. Le vieil homme

«En raison de la faiblesse de sa nature» (6, 6), «aucun
vivant n'est sans péché» (8, 9). Par «sa condition qui l'unit

19. Comparaison musicale déjà utilisée par CICÉRON (*Off.*, 1, 145).
20. *Rom.*, 7, 22-23 en 1, 3 ; 10, 8.
21. *Rom.*, 6, 6 ; *Col.* 3, 9-10 en 12, 4 ; 15, 13 ; 20, 10.

au sol», l'homme a en effet «contracté une souillure pécheresse» (4, 2 ; cf. 3, 3) et porte en lui «la matière qui alimente les vices». Celle-ci est pourtant par elle-même sans pouvoir. Elle doit être «enflammée» par le diable (11, 5), qui «suscite... en nous les vices» (1, 8). Aidé par «des puissances ennemies et hostiles», il «pousse aux vices la faible nature de notre corps sous l'aiguillon des séductions[22]». Ces forces ne pourront pourtant «mettre la main sur ceux auxquels elles seront nuisibles à moins que ceux-ci ne leur soient livrés par le retrait de Dieu» (16, 6). Or Dieu n'abandonne que celui qui veut pécher : seul l'homme «en qui est la volonté du péché est vide de Dieu» ; il est comme une «maison vide» que le diable peut désormais investir[23]. Ainsi la volonté est-elle à l'origine du péché ; c'est lorsqu'elle est «injuste» que se produit la rupture avec Dieu[24]. De même «la volonté de pécher» empêche tout retour vers Dieu (10, 16). Reconnaissant le rôle de la volonté et sa faculté de décision, Hilaire établit la responsabilité et la liberté de l'homme. «En effet, à la portée de tous les hommes, en raison d'une volonté changeante par nature, se tient la méchanceté», écrit Hilaire (15, 6), d'après *Rom.* 7, 18 («vouloir est à ma portée») et 21 («le mal est à ma portée»).

«Très nombreuses sont les fautes imputables aux vices des hommes, divers et innombrables sont les actes peccamineux» (3, 14). Reprenant une classification de saint Paul (*I Cor.* 6, 18 ; 8, 12), Hilaire distingue les péchés contre nous-mêmes, contre les autres et contre Dieu (2, 6).

---

22. 16, 6. Même façon de présenter le diable par Cyprien (*Zel.*, 6 ; *Domin. orat.*, 26 ; *Donat.*, 3 ; *Mort.*, 4). Tertullien montre aussi le diable à l'origine du péché : *a diabolo immissio delicti* (*Anim.*, 16).

23. 16, 5. L'image de la maison que le diable occupe est inspirée par *Matth.*, 12, 44 ; elle a été développée en *In Matth.*, 12, 23 (*SC* 254, p. 292).

24. 15, 10. Sur le rôle de la volonté dans le péché, cf. Tert., *Castit.*, 2, 128.

Parmi ceux-ci, le péché dirigé contre Dieu, qui consiste à
«livrer au savoir d'une connaissance profane» ce qui
«devait être déposé dans le secret des cœurs voilés» est
«irrémissible» (2,6). Comme parmi les péchés, Hilaire
distingue entre les pécheurs : il y a ceux qui se séparent
volontairement de Dieu ou apostats, auxquels aucun
pardon ne peut être accordé, et ceux qui peuvent se
repentir, parce que leur faute est légère (15, 10). L'exégète
rappelle encore qu'il y a à côté des «pécheurs de la terre»,
les «pécheurs du ciel»; pour ces derniers non plus, il n'y a
pas de pardon (15, 11-12).

A ces classifications de pécheurs ou de péchés, il faut
ajouter des énumérations de vices où reviennent le plus
souvent la colère, l'ébriété, la gloire, la cupidité. Les trois
premiers sont donnés comme exemples d'«œuvres de la
chair» en *Gal.* 5, 19-25. En outre, Hilaire stigmatise
particulièrement la négligence (1, 11), condamnée comme
dans la morale classique[25]. De même, il dénonce vigoureusement l'orgueil, qui justifie la colère de Dieu (3, 14).

L'orgueil, les plaisirs, les richesses, les honneurs, les
doctrines hérétiques (4, 9), la «tentation de concupiscence
ou d'ignorance» (4, 8) constituent les voies personnelles ou
«voies du péché» (4, 4), «les voies du vice» ou du «monde»
(21, 8). Il est facile de les emprunter (4, 8), mais qui les
choisit s'expose à un châtiment (22, 4).

2. L'homme nouveau

Au libre choix de l'homme, s'offre aussi la «voie de
Dieu» (4, 3) ou «voie de vérité» (4, 9), la voie qui mérite
d'être placée sous le regard de Dieu (21, 8). Elle s'oppose
aux précédentes, d'abord parce qu'elle est unique : «Heu-

---

25. Cic., *Off.*, 1, 99; 1, 103. Expressions cicéroniennes dans la
formulation de la condamnation de la négligence en 1, 11 : *dissoluto
animo* (*S. Rosc.*, 32); *sollicitus atque anxius* (*Tusc.*, 4, 70).

reux les purs dans la voie»; «dans le premier verset, il est
question de la voie au singulier» (1, 10). S'il arrive au
prophète de parler des voies, c'est parce qu'il y a «une voie
par Moïse, une par Josué, une par David, une par Isaïe,
une par Jérémie, une par les apôtres; et par toutes,
nécessairement, on parvient à celui qui a dit : Je suis la
voie et personne ne va au Père sinon par moi» (1, 10).
Contrairement aux voies du péché, elle est difficile à
suivre : «elle est étroite et tourmentée; étroite, parce qu'il
faut s'y engager avec soin et précaution; tourmentée,
parce qu'on y accède au milieu de beaucoup de tourments
et de souffrances» (4, 11). De plus, qui s'y est engagé doit la
suivre jusqu'au bout, c'est-à-dire rompre avec son passé et
être tout entier «tendu vers l'espérance des biens à venir»
(1, 2). Enfin, si le choix des voies du péché est assorti d'un
châtiment, celui de la voie de Dieu vaudra des récompenses à ceux qui la suivront (22, 4). Le seul point commun
entre ces voies opposées est qu'elles sont librement choisies
par l'homme (22, 4). Le prophète apporte ainsi un grand
soin à réfléchir aux «voies de sa vie». Pour montrer quelle
place tient la réflexion dans son choix, Hilaire retrouve
une pensée et une expression d'inspiration stoïcienne : la
réflexion «ne peut redouter rien d'imprévu, rien de
nouveau, rien d'inattendu» (8, 10).

Comment, à l'exemple du prophète, entrer dans cette
«voie utile et nécessaire», qui permet d'atteindre le
bonheur (1, 2)? A la voie, Hilaire associe la Loi. Commentant le premier verset, l'exégète note que «sont heureux
ceux qui sont purs dans la voie, ... mais une voie dans
laquelle on marche dans la loi du Seigneur» (1, 2). Thème
central du psaume 118 qui en fait l'éloge, la Loi occupe
aussi une grande place dans le commentaire. Suivant de
très près Origène[26], Hilaire définit chacun des termes qui la

26. Les termes qui, dans le psaume 118, désignent la loi sont
définis dans le commentaire des versets de la première lettre. Sur la
parenté entre les définitions d'Hilaire et celles d'Origène, voir les
notes de la lettre 1.

désignent dans le psaume : loi, commandement, règle de justice, jugement, témoignage, et s'intéresse à la façon dont elle permet à l'homme de recevoir la meilleure formation (11,6). Il voit ainsi en elle le «pédagogue» qui conduit à l'Évangile, «voie d'excellence»; elle est «l'ombre des biens à venir» (1,5), leur «miroir» (4,5); elle est «spirituelle» (1,5). Il faut donc se garder de l'interpréter littéralement (3,4), comme les Juifs qui «pratiquent les commandements, mais ignorent la réalisation des commandements et son heure. Ils lisent la Loi, mais alors que le Juif la lit sans comprendre, le chrétien la comprend» (13,4). Les rites et prescriptions qu'elle contient sont seulement des signes de biens futurs : «Les sabbats sont sacrés, mais il désire connaître le repos des sabbats éternels... il immole la brebis à Pâques, mais il aspire à se présenter devant l'agneau révélé par Jean» (3,7). Dans la Loi, «se dessine l'image de la vérité, comme un corps est représenté dans son ombre» (1,11); celle-ci sera révélée au prophète lorsqu'il aura été «libéré de son corps fragile et faible» (3,7), mais elle est déjà reconnue par «le peuple cadet» qui, sachant que «les marques de la justice de Dieu étaient éternelles, les a achetées par sa foi» (18,8). A ce prix, il n'a plus l'ombre de la Loi, mais la vérité (18,8). En effet, la Loi conduit à celui qui dit : «Je suis la voie»; «sa fin est le Christ» (5,4). Il est venu l'achever, c'est-à-dire que «quand (la Loi) eut été anéantie et rejetée par les Juifs, alors ce fut le moment pour le Seigneur de faire ce qui était contenu dans la Loi» (16,14). Il a «révélé», «dévoilé les secrets de la Loi et les mystères des prophéties» (17,4).

Outre sa vision générale de la Loi, Hilaire montre de quelle utilité pratique sont les préceptes qu'elle contient. «L'ensemble de l'enseignement céleste est pour nous un guide sur la route de la vie ... lorsque nous agissons, pensons ou parlons» (14,2). Toutes les actions de la vie seront donc inspirées par la Loi qui doit être non seulement mise en pratique mais aussi aimée. Reprenant

un thème qui réapparaît souvent dans le commentaire
d'Origène (d'après *I Jn* 4,18 et *I Cor.* 13,1-3), Hilaire
rappelle la supériorité de l'obéissance volontaire et inspirée
par l'amour sur la soumission par crainte (6,11 ; 13,2 ;
21,4). En acceptant d'obéir à la Loi et de s'en souvenir à
tout moment (7,5-6 ; 8,15), l'homme échappe à «la
pratique et (à) l'intention de toute sorte de vices» (21,4) et
apprend les vertus qu'elle enseigne : «pudeur, continence,
crainte de Dieu» (7,6), «chasteté, piété, pudeur, charité,
vérité, vie sans fautes, sobriété, pratique religieuse» (17,1).
Il trouve aussi en elle une garantie contre l'hérésie : la Loi
«nous a retenus à l'intérieur des limites qui la constituent
et que nous devons respecter, de peur qu'en les franchissant nous nous laissions entraîner à une interprétation
hérétique[27]». Enfin la Loi doit être pour chacun l'objet
d'une application constante dans les épreuves infligées à sa
foi, quand «brûlent les bûchers» qui peuvent l'anéantir,
quand «les fouets nous lacèrent jusqu'à mettre en péril
notre vie», quand «les ongles de fer torturent notre corps»
(12,10). Comme l'y engageait le psaume, Hilaire fait donc,
dans son commentaire, une large place à la Loi, mais
insiste sur la fin à laquelle elle tend : «la règle de justice de
la Loi est le pédagogue qui ... conduit vers la règle de
justice et la foi de l'Évangile» (12,11).

Préparation à la voie, la Loi guide vers la vie celui
l'observe et en comprend le sens (12,11). Elle lui impose au
cours de sa vie terrestre une obéissance exigeante à ses
préceptes (10,15). Cependant une application aussi assidue
à la Loi n'est pas une fin en soi. Par elle, le prophète
méritera la miséricorde divine et sait qu'il vivra. Reprenant le commentaire d'Origène, Hilaire donne tout son
sens à ce futur : «Le prophète sait qu'il ne vit pas encore la
vie qui est la vie ... Maintenant en effet, nous sommes dans

---

27. 5, 3. Rapprocher ce point de vue de celui de TERT., *Pudic.*, 6,
3 ; *Praescr.*, 4 1,3.

un corps de mort» (10, 15). Mais il sait qu'il y a pour les vivants une «vie heureuse et vraie» (3, 3). Ainsi, comme la Loi était «l'ombre des biens à venir», la vie présente n'est qu'une «ombre» que le prophète doit traverser pour atteindre «la vraie région des vivants» (3, 3); il est un «colon sur la terre», c'est-à-dire un «voyageur» et un «étranger» (3, 8).

Sur ce que seront la «vraie vie» (3, 3; 10, 15) et la condition de l'homme alors, le commentaire apporte des précisions inspirées par les épîtres de Paul, les commentaires d'Origène et de Tertullien. Expliquant *Gen.* 1, 26, comme l'avait fait Tertullien[28], Hilaire voit dans les paroles : «Faisons l'homme à notre image et notre ressemblance» une promesse d'éternité pour l'homme (20, 10). Celle-ci commence à s'accomplir par le baptême (3, 9) et sera pleinement réalisée après la mort. Alors le corps passera à «la gloire de la nature spirituelle» et l'homme vivra «de la vie qui est celle du ciel» (4, 2). Parvenu à cet état, il «entendra et verra (Dieu) face à face» (3, 6). Cette contemplation lui donnera la connaissance parfaite et le fera participer à l'illumination et la gloire qui émanent du visage même de Dieu (3, 9; cf. 8, 7-8; 17, 12). Le salut et la vie heureuse seront donc réalisés pour l'homme, lorsque, «quittant sa nature corporelle et terrestre, et transformé en gloire spirituelle, il ne craindra plus aucun danger de l'opposition d'un ennemi, vivra parmi les anges élus, sera habitant du paradis, et, une fois la corruption détruite, de mortel qu'il était, se lèvera immortel» (15, 8). Telle est la condition à laquelle est appelé l'homme et qu'il prépare dès maintenant. En effet, «pour vivre, le prophète a choisi l'application à la loi de Dieu» (22, 6). Elle marque pour lui «le commencement de la vie» (12, 11) et le conduit jusqu'à «la voie parfaite de la vie» (5, 3).

28. Tert., *Bapt.*, 5, 7.

Dans son apprentissage de la perfection, l'homme a pour modèle «le Fils Unique de Dieu, qui ... donna ... en sa propre personne l'image vraie et achevée de la sagesse humaine» (14,8). Comment cette sagesse, qui s'ordonne autour de l'obéissance à la Loi, voie qui conduit à la vie, ne serait-elle pas en effet parfaitement représentée par celui qui a dit : «Je suis la voie, la vérité, la vie[29]»? En se définissant comme «la voie», le Christ, commente Hilaire, signifie qu'il faut «s'attacher à ses préceptes», c'est-à-dire «réprimer les vices de la chair, dompter l'impétuosité de l'âme, venir à bout d'une cupidité affamée, fuir la gloire des honneurs terrestres» (1,2). Par opposition, le Christ donne l'exemple des différentes vertus qui formeront «l'homme parfait» : justice, vérité, compassion, charité (cf. 8,16 ; 13,13). Apprenant à «chercher ce qui convient, non pas à chacun, mais à tous», la charité est le fondement de la «paix» (21,6). Mais la première de toutes les vertus que le Seigneur «a voulu que l'on reçoive de lui» et dont il a donné l'«exemple» est l'humilité (14,8). Elle contient «l'essentiel et la somme de tous les commandements», «tous les titres et toutes les récompenses que donne la foi» (20,1). Hilaire la définit comme l'ensemble des épreuves infligées à l'homme «méprisé, raillé, accablé d'injures, déshonoré par les offenses» (7,2) ou à «l'âme soumise aux tentations et abattue, parce qu'elle est abandonnée à sa faiblesse» (12,10). Il la justifie, comme Cyprien, soit par la volonté divine de mettre à l'épreuve notre «patience» et notre «foi» (14,7), soit par le péché : tribulations et souffrances sont les conséquences de la faute (10,11), mais permettent aussi de l'amender (9,4). Ainsi l'humilité obtiendra-t-elle un prix mérité : elle aura ses «récompenses» qui, cependant, n'ont rien à voir avec celles que recherchent les hommes ; «autres sont les lois du monde, autres sont les dons de Dieu» (14,9). Le Christ a obtenu,

29. *Jn.* 14, 6, cité en 1, 2 ; 1, 10 ; 4, 9.

pour «prix de son humilité», «d'être reconnu par la
confession des êtres célestes, terrestres et infernaux dans la
gloire de Dieu le Père» (14,10). Il achève ainsi de montrer à
qui veut le suivre la voie : «régénéré dans le Christ» dont il
a pris les vertus comme exemple pour sa vie terrestre,
«l'homme nouveau» est aussi appelé «à vivre éternelle-
ment, à l'image du Dieu éternel, c'est-à-dire à l'image de
l'Adam céleste» (20, 10).

Sur la voie conduisant à la «vie nouvelle» (8, 16), à la
suite du Christ, «guide sur le sentier» (5, 9), qui peut
s'engager, et à quelles conditions? La réponse est donnée
lorsque Hilaire commente le verset 10 : «De tout cœur je
t'ai cherché ; ne me repousse pas de tes commandements.»
Ces paroles permettent à Hilaire de répondre à une
objection formulée par les païens : Dieu peut-il repousser
quelqu'un et l'exclure de sa bonté? Comme l'avait fait
Origène, Hilaire se reporte à *Matth.* 25, 29 : «A tout
homme qui a, il sera donné et il aura en abondance ; et qui
n'a pas, il lui sera enlevé même ce qu'il a.» La parole
rapportée par l'évangéliste est ainsi commentée : Dieu «ne
repousse personne sinon celui qui résiste, il ne rejette
personne sinon celui qui est négligent» (2, 4-5). La négligence, conduite vigoureusement dénoncée (1, 11 ; 6, 5.12),
consiste à mal mettre en pratique les commandements
(1, 11) et à ne pas chercher Dieu de tout son cœur (2, 4). La
résistance est définie à l'aide d'une comparaison : l'homme
s'oppose à l'entrée dans son âme de la parole divine,
toujours prête à l'éclairer, comme une maison ferme ses
volets aux rayons du soleil, dont l'éclat ne cesse de se
manifester (12, 5 ; 19, 9). «La parole de Dieu veut toujours
entrer ; mais c'est nous qui l'excluons, pour qu'elle n'entre
pas. En effet, par ces vices de notre corps, nous lui fermons
l'accès de notre âme» (12, 5). L'adhésion à Dieu ou le refus
de Dieu dépendent donc également de la volonté de
l'homme ; ce sont les «infidèles» qui «excusent» leur
conduite en prétendant que l'on doit à un «don propre de

Dieu» de «participer à la vie et aux œuvres de Dieu» et qui font tout dépendre de la «volonté de Dieu» (14, 20). Or, en toute chose, l'initiative revient à l'homme seul qui veut le péché (10, 16 ; 16, 5), l'«impiété» ou la «piété» (5, 12 ; 22, 4).

Une disposition de la volonté ne suffit pas pour conduire à Dieu. Commentant les paroles du prophète : «Heureux les purs», Hilaire donne comme première condition pour entrer dans «la voie de la vérité» une «conduite morale éprouvée et orientée vers la recherche d'une vie sans faute par la pratique de la vertu couramment appelée probité» (1, 1). Aussi, l'homme qui «plaira à Dieu» est-il celui qui n'aura pas connu l'expérience du péché. Au converti corrigé et oubliant ses vices sous l'effet de la crainte, le prophète préfère l'homme jeune, entraîné à la sagesse dès ses premières années, alors qu'il est encore ignorant des fautes (2, 1-2). Son éloignement naturel du péché est la meilleure garantie pour qu'il parvienne à une vie sans faute.

Préservé du péché ou libéré de son emprise par la «confession, c'est-à-dire un aveu repentant de ses péchés» (4, 4), l'homme offre à Dieu un cœur non plus «étroit», mais «ouvert» (6, 9), à la mesure de la grandeur divine : «Dieu qu'on ne peut limiter a ... besoin d'une demeure ouverte» (6, 9). Dès que ce cœur lui a été «ouvert par la foi» (17, 5), par une «vie sans faute» et se trouve ainsi «libre» (19, 10), Dieu peut y «répandre sa lumière» (19, 10). Seul un «cœur dilaté» est en effet en mesure «d'accueillir l'enseignement divin», de devenir le lieu de séjour du «mystère du Père et du Fils», où «l'Esprit-Saint aime à être accueilli» (4, 12). Ainsi se réalise la promesse : «Et j'habiterai en eux, et je marcherai en eux, et moi je serai leur Dieu[30].» L'homme peut alors se dire «participant du Christ» (10, 16) ; lui qui, cédant à la «volonté du péché» serait devenu une «maison vide ... livrée» au diable (16, 5),

---

30. *II Cor.* 6, 16, commenté en 8, 5.

s'offre au contraire comme une «vaste habitation, digne de Dieu» (4, 12).

La vie nouvelle, dont *a priori* personne n'est exclu, mais où personne non plus n'est admis par un simple don de Dieu, exige donc de l'homme une adhésion de sa volonté et une purification de son cœur. Cette démarche préalable effectuée, intervient «le don de Dieu» qui consiste à aider celui qui a commencé à parvenir au salut. Seul, il ne pourrait en effet réussir, en raison de sa «faiblesse» (14, 20). La miséricorde de Dieu est nécessaire (16, 10); encore doit-elle être «méritée par notre application à mener une vie sans faute» (17, 7).

III. *COGNITIO VERITATIS*[31]

1. Place de la *scientia* dans la formation du *perfectus uir*

Si, dans le psaume 118, le prophète prépare à «la vie sans faute», il cherche aussi à élever «notre esprit jusqu'à l'intelligence des mystères divins invisibles» (12, 1). L'obéissance à Dieu, le service qui lui est dû sont indissociables de sa connaissance (aux mots *oboeditio, famulatus* est associé celui de *cognitio* : 13, 1 ; 17, 1) qui doit être aussi «parfaite» que l'est sa crainte (13, 1 ; 2, 2).

Connaître est en effet la vocation de l'homme, «né de la terre et formé de boue pour parvenir à la connaissance de Dieu» (13, 10). Aussi, l'ignorance, lorsqu'elle est volontaire, constitue un péché (4, 8), qui ne peut être pardonné, car «les règles de justice de Dieu ... ne demeurent consignées par écrit que pour se répandre universellement en savoir et connaissance» (20, 5). Elles demandent cependant à être étudiées avec grand soin ; il serait faux de penser qu'on

---

31. Exord., 1 : «psaume ... devant contenir la connaissance de la vérité.»

peut, comme pour n'importe quel «écrit tombant entre nos mains», les lire «de façon simple» ou superficielle, sans tenir compte des différences «dans les mots, les noms, les sujets» (exord., 2). Elles exigent au contraire d'être «scrutées» avec une extrême attention, de «tout cœur» : «on ne doit pas apporter à l'enseignement céleste une application partielle» (1, 9). Par cette étude, apparaîtra «la perfection des Écritures» qui ne contiennent pas la moindre marque d'ignorance ou de confusion (exord., 2). Qui espère en l'éternité ne peut donc se contenter d'une «foi simple», limitée au seul désir d'une «vie sans faute». Il doit surtout savoir en quoi elle consiste et approfondir pour cela la parole divine (exord., 4). Ainsi la «science» est-elle pour «l'homme parfait» le complément indispensable de la «sagesse». Se fondant sur la liste des charismes donnée par Paul en *I Cor.* 12, 8, Hilaire conclut que «la pratique de la sagesse a son accomplissement dans la pratique de la science» (exord., 4).

2. Objet de la *scientia*

La parole.

Dans le cas particulier du psaume 118, «l'homme avisé et intelligent» a pour tâche d'apprendre à se repérer dans la langue de Dieu et à distinguer «la loi, le précepte, les témoignages, les règles de justice, les jugements», mots dont les emplois ne sauraient être confondus, contrairement à ce que ferait croire une lecture superficielle (exord., 3). Après Origène, avec les mêmes références bibliques, Hilaire définit chacun de ces termes. La loi est «l'ombre des biens à venir» (1, 5) ; au contraire, le commandement ne porte pas sur l'avenir, mais «implique la réalisation immédiate d'une action» (1, 11). Les témoignages sont ceux de tous les témoins, anges de Dieu ou serviteurs du diable, qui observent les actes, mais aussi tous les mouvements de la volonté humaine (1, 7-8). Par «règles de justice», il faut

entendre l'ensemble des obligations que chacun a vis-à-vis
de ses proches, mais aussi des responsables de l'Église, des
anges, de Dieu (1, 12). Quant aux jugements, ils sont
constitués par les décisions de la justice divine, pour
laquelle louange doit être rendue à Dieu (1, 14). Cependant,
reconnaît Hilaire, «les paroles de Dieu portent en elles la
plus grande obscurité» : d'une part, elles enferment «les
mystères des réalités célestes» (22, 1), d'autre part, elles
ont été souvent proférées par un prophète qui, interprète
de la pensée divine, parle suivant l'inspiration reçue de
Dieu et non d'après le raisonnement des hommes (22, 2).
Aussi faut-il que ces paroles qui, «suivant l'Apôtre, sont
des allégories» reçoivent leur «manifestation» (17, 3). Celle-
ci est donnée par les Évangiles «où, dans le Seigneur
incarné, sont dévoilés les secrets de la Loi et les mystères
des prophéties» (17, 4). Le Christ, par sa «prédication»
(13, 10), par «ses faits et ses actes» (17, 4) révèle en effet ce
qui était caché ; en lui, le prophète reconnaît «le maître de
la science céleste» (8, 19).

Dieu.

«La vérité de la foi» consiste en «l'intelligence de Dieu le
Père et du Seigneur» (1, 12). Ceux qui cherchent une telle
connaissance doivent cependant se garder des erreurs dans
lesquelles s'est égarée la «vaine intelligence des païens, des
Juifs, des hérétiques» (16, 13) et s'efforcer au contraire de
tirer des prophètes et des Évangiles un seul et même
enseignement (1, 12). Ainsi, à l'exemple de Tertullien,
Hilaire recommande l'unité de doctrine, garantie par une
autorité, et condamne l'interprétation personnelle, ferment de l'hérésie[32].

Lorsqu'un verset du psaume lui en donne l'occasion,
l'exégète signale et corrige certaines erreurs que les
hommes commettent dans leur représentation de Dieu. Les

---

32. Tert., *Praescr.*, 6 ; 32 ; 42.

plus graves consistent à ne pas reconnaître à Dieu la
« majesté » (8, 8), la « magnificence » (12, 9) qui lui reviennent, à le rendre responsable des maux qui nous accablent
(18, 2) et à introduire en lui certaines « faiblesses » propres
aux hommes. Commentant le verset « Rappelle-toi ta
parole envers ton serviteur », l'exégète réfute d'abord
l'objection de ceux qui penseraient que David, par une
telle demande, soupçonne Dieu d'oubli. « Serait-ce que
Dieu ne se souvient pas de sa promesse ? Loin de nous de
croire que certaines formes des faiblesses humaines s'introduisent dans la puissance éternelle et indéfectible » (7, 1). A
la suite de Tertullien[33] et de la tradition apologétique,
Hilaire défend l'intégrité de la nature divine. Il la souligne
avec une insistance particulière à propos du v. 151 : « Tu es
proche, Seigneur, et tous tes commandements sont vérité. »
Voulant rendre compte de la nature divine, Hilaire
constate la difficulté d'en donner une définition et les
limites de toute comparaison qui utilise les réalités du
monde pour faire comprendre Dieu : « ce qui est éternel
échappe à toute comparaison, et l'exception que représente la divinité ... ne tolère pas d'image qui figure la vérité »
(19, 9). Ces réserves faites, Hilaire compare la présence de
Dieu dans le monde à celle de « l'âme corporelle qui,
répandue dans tous les membres, n'est absente d'aucune
partie » (19, 8). Il reprend aussi une comparaison déjà
utilisée par Minucius Felix et Tertullien[34] pour définir la
présence de Dieu au monde : comme le soleil, visible en un
seul point du ciel, dispense partout son éclat, Dieu enferme
la totalité du monde dans « le sein de sa divinité » (19, 9.10) ;
il ne peut cependant pénétrer les parties qui refusent sa
lumière.

Cette définition de Dieu doit être complétée par les
précisions apportées par les adjectifs *incorporalis, immen-*

---

33. Tert., *Marc.*, 2, 16.
34. Min. Fel., 32, 8 ; Tert., *Anim.*, 41, 2.

sus appliqués à Dieu, par opposition au monde *circum-scriptus, corporalis*[35]. Hilaire qualifie aussi Dieu par les adjectifs *initiabilis* (19, 9) et *inconceptibilis* (6, 9) qui reçoivent dans son œuvre leurs premières attestations[36]. Ainsi, au fil du commentaire, et non dans un exposé suivi, Hilaire combat toute représentation de Dieu qui altérerait sa grandeur et plaide pour une nature divine aux caractères irréductibles.

Le Christ.

«L'intelligence du Seigneur» est cherchée par Hilaire — très fidèle en cela à l'exégèse origénienne — dans des expressions du psaume, interprétées comme des allusions au Christ. Le mot «salut» aux v. 81, 123, 166 et 174 reçoit pour équivalent Jésus, car en hébreu le nom propre Josué ou Jésus veut aussi dire salut. Un autre mot clé du psaume, celui de «voie», est interprété à la lumière de la parole du Christ : «Moi, je suis la voie, la vérité, la vie» (1, 2.10 ; 4, 9). De même, la «bouche» de Dieu, c'est «le Christ», suivant une explication présente chez Origène et déjà traditionnelle (9, 9). L'exégèse paulinienne permet à Hilaire de préciser le rôle du Christ par rapport à la loi : le Christ est «la fin de la Loi» (5, 4 ; 11, 1) ; après Moïse, il est le «nouveau législateur» ; par son incarnation, il est venu accomplir «ce qui était contenu dans la Loi» (16, 14) et remplacer celle-ci par la foi (17, 4). A l'apôtre Paul et à Jean, Hilaire doit enfin d'autres formules qui définissent le Christ et précisent son rapport avec Dieu : il est «puissance et sagesse de Dieu», «droite de Dieu», «image de Dieu» (9, 9) ; le Christ est aussi «justice», «vérité», «résurrection» (8, 16).

A ces définitions, Hilaire ajoute sa réflexion sur le Christ

35. 19, 9. Pour l'adjectif *incorporalis*, cf. LACT., *Inst.*, 7, 97 ; pour *immensus*, cf. TERT., *Apol.*, 17, 2 ; MIN. FEL., 18, 8.
36. Pour *initiabilis*, voir *In psalm.* 63, 5 ; 138, 35 ; pour *inconceptibilis*, *Trin.*, 4, 8.

comme modèle du salut de l'homme. A propos du v. 107, «J'ai été humilié complètement, Seigneur», il le présente comme «l'exemple» qui enseigne «la plus importante des vertus» (14, 9), l'humilité, dont la récompense sera pour celui qui la pratique, comme elle le fut pour le Christ lui-même, «d'être reconnu ... dans la gloire de Dieu le Père» (14, 12). La dernière image du Christ que donne le commentaire est d'ailleurs celle du rédempteur. «Sauveur, pasteur éternel», il l'est pour les brebis perdues de la maison d'Israël et pour le prophète, c'est-à-dire l'homme nouveau qui, introduit dans le ciel, donnera aux anges «une joie éternelle» (22, 7).

Ainsi, épars dans le commentaire, sont donnés des éléments permettant d'accéder à la connaissance du Christ. Hilaire doit beaucoup sur ce point aux conceptions d'Origène et aux épîtres pauliniennes, dont des formules courtes ou de plus amples développements (points de vue sur la Loi et le Christ qui l'achève) sont cités ou évoqués pour éclairer les paroles du prophète.

3. Conditions d'acquisition de la *scientia*

Parvenir à «l'intelligence des mystères divins invisibles» (12, 1), dont le psaume et son commentaire fournissent les premiers éléments, est cependant «fort difficile» (exord., 2) pour qui s'est engagé dans la vie nouvelle. Cela tient d'une part à l'objet même de ce savoir, «obscur et difficile», d'autre part à «la faiblesse de notre esprit et (à) sa pauvreté» (10, 9). Hilaire indique pourtant les conditions d'accès à la «science». Dès le commentaire du premier verset, s'appuyant sur *Phil.* 3, 12, il rappelle que «la lumière de la science» ne viendra qu'à celui dont «la conduite morale est éprouvée» et «l'âme purifiée et corrigée» (1, 1). Plusieurs fois, l'idée est exprimée et précisée : «Si l'on ne commence pas par pratiquer les œuvres de la foi, on n'acquerra pas la connaissance de l'enseignement et, pour obtenir la science, il faut d'abord agir dans la foi» (2, 10); «seuls les fidèles et les croyants peuvent obtenir l'enseignement de la science» (9, 3). Or comment accomplir les œuvres de la foi, sinon en se conformant aux préceptes de la Loi, dont l'importance est ainsi mise en évidence : la Loi n'est pas une fin en soi, mais le moyen de «former à la science de Dieu» (13, 10). Celle-ci, pourtant, ne sera parfaite qu'avec l'aide de Dieu (13, 12). Un don de sa part est nécessaire pour parvenir à «la connaissance de la nature divine impénétrable» (12, 1). Mais l'homme doit provoquer cette aide divine et par une scrupuleuse observance des commandements manifester sa volonté de parvenir à une compréhension parfaite de la Loi (13, 12). Il lui faut pour cela «ouvrir son cœur» et exprimer son «désir» de comprendre Dieu, dont la connaissance, pour le prophète, est comme un souffle qui «doit être recherché, ... attiré et aspiré», mais n'entre pas de lui-même (17, 5). «La connaissance n'est pas accordée à ceux qui ne la cherchent pas» (13, 12).

Obtenant «l'intelligence des mystères» par une grâce divine qu'il a méritée, l'homme parfait parvient à la connaissance aux mêmes conditions que celles par lesquelles il entre dans la vie nouvelle : il «se joint à la famille de Dieu» (16, 10) s'il en prend l'initiative et mérite le secours dont il a besoin. Dans son commentaire d'un psaume où le prophète «façonne l'homme qui plaira à Dieu», Hilaire indique ainsi une même voie pour parvenir à la sagesse et à la science, celle où se rencontrent la volonté de l'homme et la miséricorde de Dieu.

CHAPITRE IV

D'ORIGÈNE À HILAIRE

L'UTILISATION PAR HILAIRE
DES COMMENTAIRES D'ORIGÈNE
SUR LE PSAUME 118

Lorsque Jérôme écrit qu'Hilaire a «imité» ou «traduit» Origène dans ses Commentaires sur les psaumes, il précise aussi que l'auteur latin a ou bien «amputé» l'œuvre de son modèle d'éléments «nuisibles» pour ne garder que ceux qui sont «utiles», ou bien en a «ajouté» de personnels[1]. Si les expressions de Jérôme peuvent nous paraître suspectes en raison du jugement moral qu'elles énoncent, elles justifient néanmoins — grâce à notre connaissance des scolies origéniennes sur le psaume 118 recueillies par la Chaîne palestinienne[2] — une étude permettant d'établir les limites de la dépendance de l'exégète latin par rapport à son maître grec.

Hilaire doit à Origène sa méthode de commentaire. Les deux auteurs procèdent en effet de la même façon : à l'intérieur de chaque lettre, ils commentent les versets soit

---

1. HIER., *Vir. ill.*, 100 (*PL* 23, 783 C); *Ep.* 82, 7 (Labourt, t. 4, p. 118).
2. Voir aussi E. GOFFINET, *L'utilisation d'Origène...*; P. NAUTIN, *Origène...*, en particulier p. 261-302.

par deux[3], soit verset par verset[4], soit par demi-versets[5]. Souvent ils isolent dans le verset un mot : au v. 9 νεώτερος, *iunior* ; au v. 38 φόϐος, *timor* ; au v. 90 γενεά, *generatio* ; au v. 105 λύχνος, *lucerna*. Plus encore que nous ne pouvons nous en rendre compte, le commentaire d'Origène devait, comme celui d'Hilaire, insister sur l'enchaînement logique des paroles de David[6]. Ainsi les premières remarques faites par les deux exégètes après avoir cité les v. 1 et 2 portent sur leur τάξις ou *dictorum ordo*.

Le sens général donné au psaume par Hilaire est déjà contenu dans le commentaire d'Origène : l'homme atteindra sa perfection s'il commence par mener une vie morale irréprochable, condition impérative pour qu'il ait accès à la parfaite connaissance[7]. Aussi, entre l'anthropologie d'Hilaire et celle d'Origène plusieurs points communs apparaissent. Le v. 73, capital sur ce sujet, reçoit de la part d'Hilaire un commentaire qui s'inspire largement des idées d'Origène. La place éminente de l'homme parmi les autres créatures de Dieu, sa création en plusieurs étapes, les caractères de l'âme ou de l'homme intérieur «invisible», «incorporel», fait à l'image de Dieu sans en être l'image ; ceux du corps, façonné avec de la terre, mais soumis à la loi du péché, tous ces éléments du commentaire hilarien étaient probablement contenus dans l'explication du v. 73 par Origène et se retrouvent de toute façon ailleurs dans son œuvre[8]. De même, la condition de l'homme pécheur est évoquée en termes semblables dans les deux commentaires. «Nul n'est pur de souillure», écrit Origène[9] pour expliquer la demande du prophète : «Prends pitié de moi» ;

---

3. V. 1-2.47-48.137-138.
4. V. 3.4.5.
5. V. 7a.7b ; 8a.8b.
6. Cf. *Ch. p.*, Introd., p. 39-40.
7. 1, 1-3 (commentaire des v. 1-2). Origène : *Ch. p.*, p. 186-188.
8. Cf. 10, 7-9 et les notes.
9. *Ch. p.*, p. 282, v. 58, l. 5.

et Hilaire reprend : «Aucun vivant n'est sans péché» (8, 9) ;
sa formule : le prophète «se rappelle que la voie du péché
est dans son corps» (4, 8) fait écho à celle d'Origène : «La
voie de l'injustice est en nous[10].» Les deux auteurs
dénoncent pareillement la recherche des richesses, des
honneurs[11], condamnent l'orgueil[12], la négligence[13] ou la
divulgation inconsidérée de la parole de Dieu[14]. Ils
soulignent la responsabilité du pécheur, qui transgresse la
loi de Dieu[15], livre place en lui-même au diable[16]. Celui-ci
est présenté comme un «calomniateur[17]» qui, aidé par ses
anges, «tend ses filets[18]».

Au contraire du pécheur, devenu la propriété du diable,
le juste offre à Dieu un «cœur large», où celui-ci peut
«habiter». Ce thème origénien de l'ouverture du cœur[19] est
repris par Hilaire (4, 12) ; comme l'exégète alexandrin, il
montre qu'il faut, pour mériter de devenir l'habitation de
Dieu, choisir «la voie étroite». Les deux commentateurs
mettent l'accent sur les tourments et épreuves qui
s'ensuivent : «machinations des pécheurs[20]», «haine des
impies» (12, 13), hostilité du diable et des esprits du mal[21],
des Juifs[22], martyre[23]. Mais ils insistent aussi sur l'appui
que le fidèle trouvera dans le Christ, auquel ils appliquent
les mots employés par le prophète dans le psaume :

10. *Ch. p.*, p. 238, v. 29, l. 4-5.
11. 4, 9 (v. 30) ; *Ch. p.*, p. 240.
12. 3, 14 (v. 21) ; *Ch. p.*, p. 222.
13. 2, 3-5 (v. 10) ; *Ch. p.*, p. 204-206.
14. 2, 6 (v. 11) ; *Ch. p.*, p. 206.
15. 15, 11-12 (v. 119) ; *Ch. p.*, p. 378-380.
16. 16, 5 (v. 121) ; *Ch. p.*, p. 324, l. 7-8 ; p. 384, l. 7-11.
17. 16, 7 (v. 122) ; *Ch. p.*, p. 386, l. 7-9.
18. 14, 17 (v. 110) ; *Ch. p.*, p. 368.
19. *Ch. p.*, p. 242, v. 32.
20. *Ch. p.*, p. 340, v. 94.
21. 11, 5 (v. 84) ; *Ch. p.*, p. 324.
22. 13, 4 (v. 98) ; *Ch. p.*, p. 346.
23. 12, 10 (v. 92) ; *Ch. p.*, p. 336.

«salut[24]», «bouche[25]», et, bien sûr, «voie[26]». Ils en font le
guide de vie du chrétien et donnent les mêmes références
au Nouveau Testament pour montrer au fidèle comment il
doit s'engager à la suite du Christ : *Matth.* 10, 38 («prendre
sa croix et le suivre») au v. 35 ; *Rom.* 6, 4 («être enseveli
avec le Christ») au v. 120 ; *Col.* 3, 3-4 («vie cachée» avec le
Christ) au v. 17b ; *Hébr.* 3, 14 («devenir participant du
Christ») au v. 63. Origène et Hilaire méditent aussi, à
propos d'un psaume qui lui est consacré, sur la Loi, définie
dans les deux commentaires en des termes si semblables
qu'Hilaire semble donner une traduction d'Origène[27]. Ils la
considèrent comme «pédagogique» et devant conduire au
Christ[28], et affirment qu'elle n'est comprise que par le
chrétien, car le Juif s'en tient à l'observance[29]. Le fidèle
doit en faire l'objet de son application[30] ; surtout il doit
l'aimer et, en plusieurs endroits de son commentaire[31],
Hilaire, reprenant un «thème découvert par Origène à
propos du psaume 118» et désormais «lié à l'interprétation
du psaume[32]», évoque la supériorité d'une action dictée
par l'amour sur une action faite avec chagrin ou par
contrainte. La véritable observance de la Loi ne sera
cependant réalisée que lorsque le prophète vivra «la vraie
vie», c'est-à-dire, pour Hilaire (3, 3 ; 10, 15) comme pour
Origène[33], la «vie cachée avec le Christ en Dieu» (*Col.* 3, 3)
et qui, partagée avec «les anges élus[34]», sera contempla-

24. 22, 5 (v. 174) ; *Ch. p.*, p. 468.
25. 9, 9 (v. 72) ; *Ch. p.*, p. 300.
26. 1, 2 (v. 1) ; *Ch. p.*, p. 186.
27. Voir 1, 4-7 et les notes.
28. 13, 10 (v. 102) ; *Ch. p.*, p. 354.
29. 13, 4 (v. 98) ; *Ch. p.*, p. 346.
30. Voir les commentaires du mot μελέτη aux v. 16 (*Ch. p.*, p. 212) ;
47 (p. 268) ; 92 (p. 336) ; 97 (p. 344) et ceux de *meditatio* en 2, 11 ; 6,
11 ; 12, 10 ; 13, 2.
31. 6, 11-12 ; 13, 1-3 ; 16, 15 ; 20, 9 ; 21, 4.
32. *Ch. p.*, Introd., p. 142.
33. *Ch. p.*, p. 214, v. 17b ; p. 312, v. 77.
34. 15, 8 (v. 117) ; *Ch. p.*, p. 378.

tion, lumière et gloire[35]. Concernant les conditions mises par les deux exégètes à l'accession à la «vraie vie», on remarque là encore des formules parallèles : d'une part celles qui affirment que seul progressera celui qui, de lui-même, recherchera Dieu «de tout son cœur[36]», d'autre part celles qui rappellent que l'aide de Dieu est nécessaire. «La nature humaine tout entière a besoin des miséricordes de Dieu», écrit Origène[37], et Hilaire reprend : «La faiblesse de notre nature corporelle a besoin des miséricordes de Dieu» (10, 15). Ainsi, quand il doit traiter de l'homme face à Dieu, de sa liberté ou de sa nécessaire dépendance, Hilaire s'inspire d'Origène, dont il reprend la pensée au point de la traduire parfois avec une grande exactitude, mais, plus souvent, librement.

Pour les versets où elle est possible, une étude comparative permet de voir qu'Hilaire a fait cependant une lecture sélective du commentaire d'Origène, laissant ici et là des éléments proprement origéniens que d'autres exégètes cités par la Chaîne palestinienne ou Ambroise ont pour leur part repris. Parmi eux, «les plus spéculatifs», que le caténiste a lui-même parfois omis[38], mais qui nous sont connus par ailleurs. Ainsi au v. 81 : «Mon âme a défailli pour ton salut», où l'on peut supposer, d'après ce qu'en disent Didyme et Ambroise, un commentaire d'Origène plus long que celui que nous avons et qui, dans sa forme abrégée, a inspiré à Hilaire ses remarques. Ce long commentaire aurait porté sur «l'âme» qui en «défaillant» devient «esprit»; une telle transformation, mentionnée par Didy-

---

35. Voir 3, 3-10 et les notes : rapprochements entre les commentaires d'Hilaire et d'Origène des v. 17-19.

36. Commentaires parallèles de *Matth.* 25, 29 par Origène (*Ch. p.*, p. 204, v. 10) et par Hilaire (2, 4-5).

37. *Ch. p.*, p. 312, v. 77.

38. Sur «l'état du texte origénien dans la Chaîne palestinienne» et «l'élimination de l'origénisme ?», voir les conclusions de M. HARL, *Ch. p.*, Introd., p. 59-66.

me et Ambroise, ne l'est pas par Hilaire[39]. De même, à
propos du v. 176 : «J'ai erré comme une brebis perdue», on
peut supposer des «spéculations d'Origène sur la chute des
âmes et leur rédemption[40]»; rien de tel n'est évidemment
passé dans le commentaire d'Hilaire.

Le commentaire d'Origène abonde en distinctions et
classifications, le plus souvent absentes des explications
d'Hilaire. Au v. 14, le mot «richesse» suggère à Origène
que les vertus trouvées en Dieu sont de trois ordres. Les
trois mots qui les définissent πρακτική, θεωρητική, λογική ont
été repris par Ambroise, non par Hilaire[41]. A propos du
v. 107, Origène distingue les «êtres privés de raison», les
«êtres raisonnables», et, parmi eux, ceux qui vivent «selon
la parole de Dieu[42]»; ailleurs (v. 137-138), il établit
différents degrés dans la manière de recevoir la vérité
«tantôt distincte et claire, tantôt obscure[43]»; ou bien,
commentant la demande du prophète : «Que ma prière
s'approche en ta présence, Seigneur», il rappelle qu'il y a
plusieurs façons de s'approcher de Dieu : celle de Moïse,
«le parfait, qui s'approche en personne de Dieu», celle de
David, «voisin du parfait», dont la «prière» seule «s'approche de Dieu[44]». De semblables hiérarchies n'ont pas été
faites par Hilaire; certaines l'ont été par Ambroise.

Hilaire n'a pas non plus reproduit des passages d'Origène contenant des allusions à la philosophie grecque. Ainsi,
au v. 161, à propos de la crainte éprouvée par le prophète
et dénoncée par «certains Grecs», Origène répond à ses
adversaires à l'aide d'une formule empruntée à un autre
Grec, selon toute vraisemblance, Musonius Rufus[45]. Au

39. Pour l'étude du v. 81, voir M. HARL, *Ch. p.*, Introd. p. 62;
Notes, p. 661-668.
40. M. HARL, *Ch. p.*, Notes, p. 776-778.
41. *Ch. p.*, p. 210, v. 14; Notes, p. 578-579.
42. *Ch. p.*, p. 364, v. 107.
43. *Ch. p.*, p. 408, v. 137-138.
44. *Ch. p.*, p. 456, v. 169.
45. *Ch. p.*, p. 444, v. 161; Notes, p. 753-755.

v. 165 : «Grande est la paix pour ceux qui aiment ton nom», Origène entend le mot «paix» au sens de paix intérieure, «paix des pensées» et la définit en termes stoïciens comme «l'absence d'agitation et de trouble résultant de l'impassibilité[46]». Hilaire, lui, parle de la paix entre les hommes et les mots qui lui servent à l'évoquer rappellent ceux de Cicéron sur la concorde à l'intérieur d'un état (21, 6).

Hilaire a également omis des passages polémiques dans lesquels Origène désignait, précisément ou non, ses adversaires. Au v. 38, sont dénoncés ceux qui n'éprouvent pas une «crainte selon la raison», les encratites et les femmes juives qui célèbrent le sabbat et préparent les azymes[47]. Ces exemples, qui figurent dans le commentaire d'Ambroise, sont absents de celui d'Hilaire. De même, à propos de la crainte du prophète, mentionnée au v. 161, Origène répond aux «Grecs» qui font grief au saint d'avoir éprouvé «la passion la plus infamante qui soit chez les hommes[48]». Ces Grecs dans lesquels il faut reconnaître «des païens analogues à Celse[49]» ne sont évidemment pas cités par Hilaire. De façon plus générale, il semble qu'Hilaire a allégé le commentaire d'Origène en supprimant des détails — au v. 127, Origène et Ambroise donnent plus de renseignements qu'Hilaire sur la topaze[50] —, ou des développements greffés sur un commentaire principal : ainsi à propos du plérôme du temps au v. 33[51], ou de l'interprétation de midi justifiée par l'expression «à minuit» du v. 62[52]. Les derniers versets du psaume sont aussi commentés plus rapidement par Hilaire que par

---

46. *Ch. p.*, p. 452, v. 165.
47. *Ch. p.*, p. 254-256, v. 38.
48. *Ch. p.*, p. 444, v. 161.
49. M. HARL, *Ch. p.*, Notes, p. 753.
50. Comparer 16, 15-16 avec *Ch. p.*, p. 390-394, v. 127.
51. *Ch. p.*, p. 246-248, v. 33.
52. *Ch. p.*, p. 284-286, v. 62.

Origène et Ambroise. Ainsi on opposera aux remarques très succinctes d'Hilaire sur le premier verset de la dernière lettre celles, très développées, d'Origène sur la façon dont la prière du fidèle s'approche de Dieu[53].

Excluant ce qu'il tenait sans doute pour des audaces et des superfluités, Hilaire, dans son *Commentaire sur le psaume 118*, a ainsi apporté à la méditation de ceux pour qui il écrivait un large écho de la réflexion d'Origène sur ce psaume. Il est sans doute le premier à faire connaître au monde latin, un siècle après son élaboration, une pensée sur un psaume dont devaient encore s'inspirer dans le monde grec, et jusqu'au Ve siècle, des auteurs que cite la Chaîne palestinienne, et dans le monde latin, pour la traduire peut-être plus fidèlement qu'Hilaire, au moins plus littéralement, Ambroise.

53. Comparer 22,1 avec *Ch. p.*, p. 456-460, v. 169.

CHAPITRE V

L'ÉTABLISSEMENT DU TEXTE

I. LES MANUSCRITS

Les manuscrits dont nous avons à nous occuper sont les suivants :

A *ANGERS, Bibl. Mun. 289*, xi*e*-xii*e* s.
B *ARRAS, Bibl. Mun. 82*, xiii*e* s.
C *COLOGNE, Dombibl. 29*, ix*e* s.
L *LYON, Bibl. Mun. 452* et *PARIS, B.N. n. acq. lat. 1593*, v*e*-vi*e* s.
R *VATICAN, Reg. lat. 95*, ix*e* s.
S *CHARLEVILLE, Bibl. Mun. 239*, xii*e* s.
V *VÉRONE, Bibl. Cap. XIII (11)*, v*e* s.
m *TROYES, Bibl. Mun. 524*, xii*e*-xiii*e* s.
p *PARIS, B.N. lat. 1693*, xi*e*-xii*e* s.
r *VATICAN, lat. 251*, xi*e* s.

VENDÔME, Bibl. Mun. 125, xii*e* s.
FLORENCE, Laur. Fesul. 51, xv*e* s.   } ne nous retien-
VATICAN, Lat. 250, xv*e* s.   } dront pas (cf.
TURIN, Bibl. Naz. Univ. 390 (D.I.9), xv*e* s. } *infra*, p. 78).

A. LES MANUSCRITS ANCIENS

1. Les manuscrits du Ve siècle

V   VÉRONE, Bibl. Cap. XIII (11), vᵉ s., fol. 287ᵛ-473ᵛ.

Ce manuscrit en onciale de 558 folios comporte, malgré de nombreuses lacunes, l'ensemble des Commentaires d'Hilaire sur les psaumes qui nous sont parvenus, jusqu'à *In psalm.*, 132,4. D'après E. A. Lowe, t. 4, nᵒ 484, sa transcription, très soignée, sur parchemin de qualité, remonte au vᵉ siècle et a été faite en Italie. Le scribe a signé son travail sur le fol. 327 : *Scribit antiquarius Eutalius*. D'importantes corrections ont été apportées dès le vᵉ siècle. Des indications en marge (fol. 41, fol. 480ᵛ) montrent que le manuscrit fut utilisé au viiiᵉ et au ixᵉ siècle. Il a servi à l'éditeur Maffei (Vérone 1730) et à Zingerle. Nous l'avons à nouveau collationné.

Pour une étude plus détaillée de *V* (particularités orthographiques, rapports avec les autres manuscrits, corrections reçues), voir A. Zingerle, «Studien zu Hilarius' von Poitiers Psalmencommentar», *SAWW* 108, 1885, p. 878-900 ; 913-927.

L   LYON, Bibl. Mun. 452, fol. 118-208ᵛ et *PARIS, B.N. nouv. acq. lat. 1593*, fol. 1-15ᵛ, vᵉ-viᵉ s.

Le manuscrit 452 de la Bibliothèque Municipale de Lyon (315 folios) contient les Commentaires sur les psaumes 51-69 ; 91 ; 118-136. Il présente cependant plusieurs lacunes. L'une est due à une mutilation : entre les fol. 117 et 118, 15 feuillets ont été arrachés et constituent le manuscrit *nouv. acq. lat. 1593* de la *Bibliothèque Nationale*. Ils contiennent les lettres 1 et 2 du Commentaire sur le psaume 118. En revanche, une lacune entre les fol. 204 et 205 nous prive du témoignage de *L* pour une grande partie de la lettre 19 (depuis 19,3 *ausus est*), la lettre 20, le début de la lettre 21 (jusqu'à 21,2 *de uictis*).

E. A. Lowe, t. 6, n° 775, date ce manuscrit écrit en lettres onciales — avec moins de soin cependant que *V* — de la fin du vᵉ siècle et pense qu'il a été rédigé en Gaule (cf. E. A. Lowe, *Codices lugdunenses antiquissimi*, Lyon 1924, p. 27).

A. Zingerle a présenté le manuscrit (« Der Hilarius - Codex von Lyon », *SAWW*, 128, Abh. 10, 1893), mais il ne le connaissait pas au moment où il préparait son édition des *Tractatus super Psalmos* pour le *CSEL*.

Rapports de V *et de* L.

Des fautes communes (en plus de l'écriture et de l'orthographe) montrent une étroite parenté entre *V* et *L*, presque contemporains.

> *Omissions communes :* 5, 9, 11-12 iuste — princeps ‖ 10, 1, 10-11 eo quod talia creata sunt ‖ 10, 5, 13-14 cur manibus propheta se factum esse dicat ‖ 12, 15, 8-9 alius uitia eleemosynis redimit ‖ 16, 6, 15-16 sunt, nisi sibi per secessionem Dei traditi.
>
> *Fautes communes :* exord. 1, 23 totius *cett.* : totus *VL r* ‖ 2, 9, 5 conscientia *cett.* : constantia *VL r* ‖ 3, 7, 13 iubelaei *cett.* : iubet legi *VL r* ‖ 3, 7, 25 caduco atque infirmo corpore *cett.* : caduca atque infirma corpora *VL*.

Chacun a pourtant ses fautes propres.

> *Omissions propres à* V : exord. 4, 13-14 praetulisset statim sermonem scientiae ‖ 1, 6, 8-9 sancta est et animas per futurorum ‖ 5, 13, 14-15 inclinari cor suum — in Dei testimonia ‖ 13, 4, 6-7 auctorem non habentibus quid circumcisio.
>
> *Fautes ou omissions propres à* L : 5, 1, 14 intellegat et *cett.* : intellegere *L* ‖ 5, 5, 13 lege *cett.* : re *L* ‖ 14, 9, 20 opum contemptus opulentia est, cum Domino > *L*.

De plus, les formes particulières que donne *V* dans les citations bibliques ne se retrouvent pas, pour la plupart, dans *L*, plus proche sur ce point des manuscrits récents.

1, 15, 10 sufferre *V* : ferre *cett.* ‖ 6, 9, 7 coangustati
V r : angustiati *cett.* ‖ 8, 12, 5 sicut *V r* : tamquam
cett.

Ces remarques prouvant l'indépendance de *V* et de *L*
nous amènent à supposer seulement un ancêtre commun à
V et *L*, librement reproduit par deux copistes contemporains.

2. Les manuscrits du IXᵉ siècle

R *VATICAN, Reg. lat. 95*, ixᵉ s., fol. 88-139.

Après l'*Instructio psalmorum* (incomplète), le manuscrit
donne les commentaires sur les psaumes 1 ; 2 ; 13 ; 14 ; 118 ;
119-131 ; 135-150. Chaque commentaire est précédé du
texte du psaume d'après une recension romaine (sur *R*,
voir le Catalogue du Vatican : *Reginenses latini*, t. 1,
p. 208-209) ; pour le psaume 118, *R* donne en tête de
chaque lettre les huit versets correspondants ; le texte est
souvent très différent de celui que commente Hilaire.
L'origine de *R* nous est connue grâce à l'inscription portée
sur le dernier folio : *Hic est liber s(an)c(t)i Maximini
Miciacen/sis monasterii quem Petrus abbas / scribere iussit*
(c'est le *Miciacensis* de Coustant). De Micy (diocèse
d'Orléans) où il fut composé au milieu du ixᵉ siècle, il entra
dans la bibliothèque de Paul et d'Alexandre Petau. Il
appartint ensuite (à partir de 1650) à la reine Christine de
Suède avant de passer à la Bibliothèque Vaticane, avec les
autres ouvrages acquis par le pape Alexandre VIII en
1689, qui devaient constituer le Fonds de la Reine. Enfin,
il fut utilisé pour le texte des Commentaires sur les
psaumes parus dans la deuxième édition complète des
œuvres d'Hilaire que publia J. Gillot, à Paris, en 1605.
L'éditeur dit en effet (p. 4) qu'il s'est servi pour les
Tractatus in Psalmos d'un «excellent» manuscrit que lui a
fourni Jacques Bongars. Or ce nom apparaît sur le fol. 1 de
notre manuscrit *R*.

Bien que les éditeurs aient généralement pris connaissance de *R*, nous en avons fait une nouvelle collation pour l'*In psalm.* 118.

C COLOGNE, *Dombibl. 29*, ixe s., 114 folios.

Ce manuscrit ne contient que le Commentaire sur le psaume 118. Sur le premier folio, on lit : *LIBER VVILLIBERTI ARCHIEPI.* Le manuscrit a donc été probablement copié dans la deuxième moitié du ixe siècle, Wilbert ayant été archevêque de Cologne de 871 à 890. Présentation du manuscrit dans P. Jaffé et G. Wattenbach, *Ecclesiae metropolitanae Coloniensis codices manuscripti*, Berlin 1874, p. 9.

Nous n'avons pas relu *C* ; nous avons pris connaissance de ses leçons par l'apparat critique de Zingerle.

Rapports de R *et de* C.

Bien que contemporains, *R* et *C* ont chacun trop de leçons ou omissions propres pour qu'il soit possible d'établir entre eux des rapports aussi étroits qu'entre *V* et *L*.

> *Leçons ou omissions propres à* R : exord. 1, 18-19 centum septuaginta octo ‖ exord. 1, 24 decurrat ‖ exord. 2, 4-5 qui haec ipsa > ‖ exord. 3, 18 uniuscuiusque rei ‖ 1, 9, 3 prophetam > ‖ 2, 1, 10 infantiae > ‖ 3, 7, 13 iubente lege ‖ 3, 7, 20 iam ‖ 5, 2, 10-11 et nubis — columna ignis > ‖ 5, 13, 9 cuiusque est desiderio coaptantes. Etc.
> *Omissions ou leçons propres à* C : exord. 1, 27 ignoratio *cett.* : ignorantia *C* ‖ exord. 5, 19-20 iussum ... est *cett.* : iussit ... ea *C* ‖ 1, 3, 2 enim *cett.* : autem *C* ‖ 1, 9, 5 oportet *cett.* : oportere *C* ‖ 14, 6, 6-7 quia — statuit >. Etc.

La plupart de ces leçons ou omissions sont dues à la négligence d'un copiste donnant parfois un texte incompréhensible.

Cependant quelques omissions communes et leçons

particulières données par ces deux témoins permettent de
supposer un ancêtre commun à *R* et à *C*.

> exord. 4, 3 innocentiae — studium *VL r S* :
> innocentia *RC* ‖ exord. 5, 16 uirtute ‖ 1, 1, 8 in > ‖
> 1, 5, 10 scriptaque > ‖ 1, 13, 3 omnia > ‖ 2, 11,
> 19-20 quae — consequitur > ‖ 3, 4, 5-6 mortuos ...
> adprehensos ‖ 8, 16, 6 consortibus tuis ‖ 11, 6, 6
> diuinarum scripturarum. Etc.

B. Les manuscrits des XIe, XIIe et XIIIe siècles

1. Les manuscrits *p* et *A*

p *PARIS, B.N. lat. 1693*, fin xie-début xiie s., fol. 1-57^v.

Outre le Commentaire sur le psaume 118, ce ms. de
85 folios (anciennement *Mazarin 1336; Regius 3982*)
contient le Commentaire sur le psaume 142, suivi du traité
d'Augustin : *Epistola de gratia Noui Testamenti*. Une note
marginale du xve siècle (fol. 2^v) précise qu'il provient de
Saint-Hilaire de Poitiers. Il a été abondamment utilisé par
les Mauristes pour leur édition parue en 1693 à Paris ; ils le
désignent dans leurs notes par les mots *regius codex*. Nous
ne l'avons pas à nouveau collationné.

A *ANGERS, Bibl. Mun. 289*, xie-xiie s., fol. 1-55^v.

Comme *p, A* (154 folios) donne après le Commentaire
d'Hilaire sur le psaume 118, son Commentaire sur le
psaume 142, suivi, à partir du fol. 59, de divers traités
d'Augustin ou attribués à Augustin. Comme celles de *p*, les
leçons de *A* sont souvent citées dans l'édition des
Mauristes (c'est leur *Sancti Albini Andegauensis*). Zingerle
ne l'ayant pas collationné, nous en avons fait la lecture.

Rapports de p *et de* A.

La parenté entre *p* et *A* apparaît constamment, tout au
long du Commentaire.

Ainsi, pour la lettre 16, nous relevons : 16, 5, 2-3 et ubi — locus est > ‖ 16, 5, 20 dominatu ‖ 16, 8, 8 peccatis + eorum ‖ 16, 13, 5 interdum + diabolus ‖ 16, 13, 9 dei > ‖ 16, 15, 8 creditis ‖ 16, 16, 1 eadem ‖ 16, 16, 10 nolunt. Etc.

Rapports de p et A avec les manuscrits plus anciens.

C'est avec le manuscrit *C* que *p* et *A* ont les relations les plus étroites, comme le prouvent de nombreuses omissions communes.

Au début de la lettre 2, même omission : In quo — proposuit dicens (2, 1, 2) ‖ 2, 4, 7-8 non habens — indigebit > ‖ 5, 8, 3-4 habuit — semita est > ‖ 11, 9, 11 inimicis > ‖ 13, 2, 26-28 nec in eum — tantus > ‖ 14, 5, 5-7 ingredientibus — publicum iter > ‖ 14, 18, 7-8 captus — quid quereris > . Etc.

Nombreuses aussi sont les leçons communes à *C, p* et *A* : exord. 3, 23 dominum ‖ 2, 6, 2 peccarem ‖ 3, 7, 13 liber esse ‖ 3, 13, 9 et ‖ 3, 19, 13 et id ‖ 4, 5, 9 quae ‖ 4, 5, 12 enim ‖ 4, 8, 4 meminit ‖ 5, 8, 10 iosue. Etc.

Par rapport à *C, p* et *A* offrent un texte généralement compréhensible. Leurs auteurs ont corrigé le modèle dont ils disposaient, celui-ci étant parfois inintelligible.

1, 13, 6 : les mss anciens ont *directis uiis* devenu *derelictis uiis* dans *C* ; *p* et *A* corrigent par *indeflexis uitiis* ‖ 5, 8, 5 : *percursum* devient *percussus* dans *C* ; *p* et *A* proposent *perrectum* ‖ 10, 8, 7-8 : l'omission de *in* à la l. 7 rendant le verbe *contineretur* incompréhensible, *p* et *A* le remplacent par *contineret* ‖ 14, 7, 3 : *C* ayant écrit *faciuntur* au lieu de *sanciuntur*, *p* et *A* remplacent la forme barbare par *efficiuntur*. Autres exemples de corrections proposées par *p* et *A* en 14, 12, 4-5 ; 15, 11, 18 ; 16, 7, 5 ; 18, 5, 17 ; 18, 5, 20-21. Etc.

2. Le manuscrit *r*

r VATICAN, lat. 251, XIᵉ s.

Ce manuscrit couvre l'ensemble des *Tractatus* conservés

à l'exception des Commentaires sur les psaumes 55-56 ;
122-123 ; 133 ; 135 ; 137 ; 139 ; 142 ; 144-150. Daté par
Zingerle du XIIIe s., il est daté du XIe s. dans le Catalogue
du Vatican (*Vaticani latini*, t. 1, p. 183 s.). Au bas du
fol. 226[v] on lit la mention suivante : *Hunc librum acqui-
siuit domnus Damianus S +*. Le manuscrit a donc
appartenu au monastère de Fonte Avellana.

Le texte de référence pour *r* est celui de *V*. De
nombreuses fautes et omissions communes l'attestent. *r*
donne même parfois le texte de *V* antérieur aux corrections :

> 3, 1, 1 emundati *cett.* : et mundati $V^1 r \parallel$ 3, 1, 12 se
> esse *cett.* : sese *V r* $\parallel$ 3, 3, 5 puluere *cett.* : -rem *V r* $\parallel$
> 3, 12, 3 ipsius *cett.* : eius *V r* $\parallel$ 3, 15, 11 eorum opere
> *cett.* : ea re *V r*.

Conscient des lacunes et des erreurs de son modèle, le
copiste de *r* a entrepris de le corriger ; mais il l'a souvent
fait sans se référer à un autre témoin, se distinguant ainsi
de l'ensemble de la tradition manuscrite :

> 2, 1, 11 locutus esse *cett.* : elocutus est *V*   esse
> locutum *r* $\parallel$ 2, 7, 5 sacramenta absconsa sapientiae
> *cett.* : sacramentum absconsa sapientiae *V*   sa-
> cramentum absconsae sapientiae *r* $\parallel$ 5, 12, 5
> impietatis est uoluntas *cett.* : i. est uoluntatis
> *V*   impiae est uoluntatis *r* $\parallel$ 8, 5, 3-4 sortem
> commodioris portionis *cett.* : sortem commodiores
> portionis *V*   sortem commodiorem portionis *r*.
> Cf. 9, 3, 12 ; 10, 8, 18. Etc.

Plus généralement cependant, *r* a corrigé le texte de *V*
d'après les manuscrits contemporains, *p* et *A* :

> 1, 4, 10 mandata *VL R r¹ S* : omnia m. *C pA r² mB*
> $\parallel$ 1, 7, 2 testimonia *VL R r¹ S* : -nium *C pA r² mB* $\parallel$
> 1, 8, 8 incalescentibus *VL R r¹* : i. uitiis *C pA r² S*
> *mB* $\parallel$ 1, 12, 20 quam *VL RC r¹ S* : nequaquam *pA*
> *r² mB* $\parallel$ 1, 12, 24 prompta *VL RC r¹ mB* : probata
> *pA r² S*.

Nous avons collationné *r* pour le Commentaire sur le
psaume 118, Zingerle n'ayant utilisé ce manuscrit qu'occa-
sionnellement.

3. Le manuscrit S

S CHARLEVILLE, Bibl. Mun. 239, XIIe s., fol. 60[v]-95.

Ce manuscrit, qui appartint à l'abbaye cistercienne de Signy (diocèse de Reims) (fol. 1 : *liber sancte marie signiaci*), contient, comme l'indique une inscription portée sur le premier folio, les Commentaires d'Hilaire sur 52 psaumes, à savoir — après l'*Instructio psalmorum* appelée *expositio* — les Commentaires sur les psaumes 1-2, 51-69, 118-149 (début). Le texte, sur deux colonnes, est écrit en caractères noirs soigneusement disposés ; dans notre commentaire, l'encre rouge est utilisée lorsque est cité un verset du psaume (fol. 81-92), ou seulement pour la première lettre du verset (fol. 60-80 ; 93-95), et pour les formules d'*incipit* et d'*explicit*. La première lettre d'un commentaire de huit versets est aussi en rouge, ou en vert (à partir du fol. 82).

S porte la marque de son temps : on retrouve dans son texte des leçons propres à *p A* :

> 5, 14, 11 cantarent *cett.* : cantantur *pA S B* ‖ 5, 15, 2 non *cett.* : si *pA S* ‖ 17, 1, 9 huic > *pA S* ‖ 17, 11, 10 iudicii die > *pA S*. Etc.

Mais comparativement, *S* est moins novateur que *p A*. Le copiste disposait de plusieurs manuscrits reproduisant le texte des témoins les plus anciens. Aussi, dans le cas du Commentaire sur le psaume 118, voit-on réapparaître, grâce à *S*, des leçons que *p A* ne connaissaient pas ou avaient oubliées. L'auteur de *S* a ainsi travaillé de toute évidence avec un manuscrit très proche de *R* :

> 2, 3, 12 perquisierit *cett.* : quaesierit *R S* ‖ 2, 9, 12 ueste *cett.* : uestibus *R S* ‖ 3, 5, 2 caelesti uita *cett.* : caelestis uitae *R S* ‖ 3, 9, 7 sensus *cett.* : sensuum *R S* ‖ 6, 10, 5 inhabitantia *cett.* : in abundantia *R S m.* Etc.

Il a aussi, mais dans une moindre mesure, restitué des leçons propres à *VL (r)* :

exord. 3, 23 deum *VL r S* : dominum *C pA*   domini *R mB* ‖ exord. 4, 2 innocentia *cett.* : innocentiae ... studium *VL r S* ‖ exord. 4, 9 et *cett.* : ad *VL
S* ‖ 1, 4, 2 qui scrutantur *cett.* : scrutantes *VL r S* ‖
5, 12, 2 quisquam *cett.* : quisque *V S*.

Son texte présente enfin quelques cas de ressemblance
avec *C* :

1, 1, 8 studium *cett.* : studiis *C S mB* ‖ 2, 1, 25
ignoratio *cett.* : ignorantia *C S* ‖ 15, 5, 19 habitatu-
rum *cett.* : habiturum *C S* ‖ 17, 2, 10 intellegentiae
cett. : -tiam *C S*.

Plusieurs fois, *S* propose des leçons nouvelles (elles ont
souvent eu la faveur des premiers éditeurs) :

2, 1, 23 erit *cett.* : fuerit *S* ‖ 2, 2, 11 rudes *C p A r²
mB* : erudi *Vl r¹*   rudi *R*   maturi *S* ‖ 3, 6, 11
audiamus atque cernamus *cett.* : audiemus atque
cernemus *S* ‖ 3, 9, 12 dignique *cett.* : digni *S* ‖ 4, 4,
12 peccati *cett.* : peccata *C*   p. sua *S* ‖ 4, 8, 5
peccati *cett.* : a peractione p. *S*. Etc.

S est donc, à plus d'un titre, un témoin important : il
donne un texte qui, malgré l'influence des manuscrits
contemporains, conserve beaucoup de leçons anciennes,
choisies avec discernement. Toute édition à venir des
Tractatus super Psalmos devra l'utiliser. Zingerle ne s'en
est pas servi.

4. Les manuscrits *m* et *B*

m   *TROYES, Bibl. Mun. 524*, fin xıı°-début xııı° s.,
fol. 78ᵛ-122.

En plus des Commentaires d'Hilaire sur les psaumes 118
et 142, *m* (197 folios), contient, comme l'indique une note
portée sur le dernier folio, *sententiae Othonis, sententiae
Prosperi, opusculus cuiusdam de Veteri Testamento, de
Sacramentis ecclesiasticis (intitulatur : speculum ecclesiae).*
Ce manuscrit provient de l'abbaye cistercienne Sainte-
Marie de Clairvaux (d'où le sigle *m* que nous avons adopté,

réservant *M* à *TROYES, Bibl. Mun. 540*, qui contient la
plupart des Commentaires sur les psaumes).

Donnant comme *p* et *A* les Commentaires sur les
psaumes 118 et 142, *m* reproduit, pour l'essentiel, un texte
semblable à celui contenu dans ces manuscrits.

> Exord. 4, 5 nunc > *pA mB* ‖ 3, 1, 10-12 et dignum
> — se esse > *C pA mB* ‖ 3, 13, 7-8 nondum —
> condicionis > *C pA mB* ‖ 5, 2, 4-5 cum —
> disponitur > *C pA mB* ‖ 6, 7, 12 praesens *cett.* : hoc
> *pA m* ‖ 8, 4, 21 diuitiae suae glorias *VL RC r¹ S* :
> diuitiarum suarum gloriam *pA r² mB* ‖ 10, 11, 5
> adeptis *cett.* : apertis *pA m.*

m se distingue cependant de *pA* en proposant des leçons
propres, en particulier des solutions différentes aux
problèmes que posait le texte parfois difficile de *C*.

> 1, 13, 6 uiis *VL RC S* : uitiis *pA r B*   uiribus *m* ‖
> 15, 11, 16 a natura legis *VL R rS* : naturale legis
> *C*   a naturale lege *pA*   naturali lege *mB* ‖
> 19, 6, 16 inopem *V R r S* : -pes *C*   moras *pA*
> inope moras *m* ‖ 20, 10, 15 indemutandae *V R r S* :
> inmutandae *C pA*   indemutantiae *mB*.

m présente aussi plus d'affinités que *pA* avec les
manuscrits anciens. Ses leçons sont souvent celles de
témoins antérieurs à *p* et *A*.

> 1, 12, 24 prompta *VL RC r¹ mB* : probata *pA r² S* ‖
> 3, 12, 12 omni *VL R r S mB* : omnium *C pA* ‖ 3, 13,
> 9 ex *VL R r S mB* : et *C pA* ‖ 5, 3, 11 improbant *VL*
> *R r mB* : probant *C pA S*. Etc.

Enfin, on remarque de nombreuses convergences entre *r*
et *m*.

> 5, 13, 5 ambigua *RC pA S B* : -guo *VL*   -guum *r*
> *m* ‖ 8, 8, 21 praestandi *cett.* : -da *r m* ‖ 12, 4, 21
> cohabitationis *VL RC S* : ex quo habitationis
> *pA*   habitationis *r m* ‖ 19, 3, 6 fuit² > *r m*.

m ne figure pas dans la liste des manuscrits collationnés
par Zingerle.

B *ARRAS, Bibl. Mun. 82*, xiiiᵉ s., fol. 1-22.

Après les Commentaires sur les psaumes 118 et 142, *B*
(122 folios subsistants) donne un texte intitulé : *Verbum*

abbreuiatum magistri Petri Cantoris. On lit sur le premier folio : *Bibliothecae monasterii Sancti Vedasti Atrebatensis.*

Très mutilé, *B* ne donne du Commentaire sur le psaume 118 qu'un texte incomplet. D'après les folios subsistants, *B* s'apparente fort à son contemporain *m*.

> exord. 3, 23 deum *VL r S* : dominum *C pA*   domini *R mB* ‖ doctrinae *cett.* : -na *mB* ‖ 1, 1, 6 dei *cett.* : eius *mB* ‖ 1, 10, 13 unam uiam *cett.* : una uia *mB* ‖ 1, 10, 19 uadit *cett.* : uenit *mB* ‖ 3, 18, 10 pergenti *cett.* : peragenti *mB*.

B cependant s'écarte souvent de *m* :

> 1, 13, 6 uitiis *B* : uiribus *m* ‖ 2, 11, 6 ea *B* : haec *m* ‖ 2, 11, 8 haec *m* : in his *B*. Etc.

C. Autres manuscrits

VENDÔME, Bibl. Mun. 125, xiie s., fol. 1-63.

FLORENCE, Bibl. Laur., Fesulana 51, xve s., fol. 306-345.

Quelques sondages faits dans ces deux manuscrits montrent qu'ils sont des descendants de *p* et de *A*.

VATICAN, Lat. 250, xve s. Déjà écarté par Zingerle (*CSEL* 22, p. xii).

TURIN, Bibl. Nazionale Univ. 390 (D.I.9), xve s. Signalé en dernière heure par R. Étaix.

D. Testimonia

Augustin.

L'auteur des traités *Contra Iulianum Pelagianum* et *De natura et gratia* cite plusieurs extraits du Commentaire d'Hilaire sur le psaume 118.

> *C. Iul.*, 1, 3, 9 : Rursus idem in expositione centesimi duodeuigesimi paslmi, cum ad id uenisset quod scriptum est : «Viuet anima mea et

laudabit te», *Viuere se*, inquit, — *esse se natum*
(= *In psalm.* 118, 22, 6).

C. Iul., 2, 8, 26 : Audi et beatissimum Hilarium ubi
speret hominis perfectionem ... : *Quia lex*, inquit,
umbra erat futurorum bonorum — natura (= *In
psalm.* 118, 3, 4). Rursus in eodem sermone : *Ipsis*,
inquit, *apostolis — filiis uestris* (= *In psalm.* 118,
15, 6).

De natura et gratia, 62, 73 : Et ipse Hilarius cum
locum psalmi exponeret, ubi scriptum est, *Spreuis-
ti omnes discedentes — apostatas uocant* (= *In
psalm.* 118, 15, 10).

Les citations de notre Commentaire contenues dans le
Contra Iulianum ont été étudiées par J. Doignon, «Testimonia d'Hilaire ...».

Cassiodore.

Dans son *Expositio in psalmum CX* (*CC* 98, p. 1014),
Cassiodore, se souvenant des remarques faites par Hilaire
sur les lettres de l'alphabet, cite très librement quelques
lignes de *In psalm.* 118, exord. 1 :

> «Est et alia causa, ut Hilarius dicit, positi huius
> alphabeti : Scimus paruulos et rudes per litteras
> erudiri, ut sapientiae praecepta conquirant ; sic
> huiusmodi psalmi pueris et incipientibus dantur,
> ut primordia eorum quasi quibusdam elementis
> docentibus instruantur.»

Hincmar.

Dans son traité *De praedestinatione*, parmi de nombreux
extraits des Pères et des citations d'autres œuvres
d'Hilaire, Hincmar (*PL* 125, 227 D-229 C) cite successivement du Commentaire sur le psaume 118 :

> 2, 3 depuis *competere* jusqu'à 2, 5 *(non merentis)* ;
> 8, 18 depuis *misericordia* jusqu'à *impertiens* ;
> 12, 4 depuis *in his enim* jusqu'à 12, 5 *(repertis
> aditibus)* ;
> 15, 6 depuis *nostrum* jusqu'à *reficiam* ;
> 15, 10 depuis *hic seruata* jusqu'à *iniqua* ;
> 22, 5 depuis *concupiui* jusqu'à *extendit* ;
> 22, 7 depuis *ut per saluatorem* jusqu'à *amen*.

Le texte d'Hincmar est souvent très voisin de celui des manuscrits *p* et *A*.

Fragment manuscrit.

Le manuscrit *PARIS, B.N. lat. 18095*, du xe s., provenant du chapitre de Notre-Dame de Paris contient des extraits des Pères. Au fol. 45, sous le titre *De nocturna oratione sancti Hilarii*, il cite *In psalm.* 118, 7, 6 depuis *memor fui in nocte.*

Leçons liturgiques.

Certains homéliaires, dont celui de Cluny, donnent pour les leçons du jour de la Conversion de saint Paul *In psalm.* 118, 8, 4-6. Cf. R. Étaix, «Le lectionnaire de l'office de Cluny», *REAug* 11, 1976, p. 91-159.

II. LES ÉDITIONS

Nous présentons ici les éditions dans lesquelles nous avons lu le texte du Commentaire sur le psaume 118, soit intégralement (Bade, Érasme, Gillot, Migne, Zingerle), soit en partie (Lipse, Coustant, Vérone).

Bade.

Édition parue en 1510 *in aedibus ascensianis Parrhisiis* (Josse Bade). Dans cette première édition des *Opera complura sancti hylarii episcopi*, l'*Explanatio psalmi CXVIII* occupe les folios 50-79 du livre qui réunit les Commentaires sur les psaumes. Ceux-ci sont placés avant l'*Explanatio in euangelium Matthei*, après les autres œuvres d'Hilaire. Le texte est disposé sur deux colonnes; il présente des abréviations. Le Commentaire sur le psaume 118 ne comporte d'autre division que celle par lettres, en tête de chacune desquelles le début du verset initial est écrit en

gros caractères. Dans la lettre-préface écrite par Robertus
Fortunatus Maclouiensis *ex gymnasio Plesseiaco Parrhisiis*,
aucune indication n'est donnée sur l'origine du texte des
Commentaires publié dans cette première édition. Cependant, on remarque de nombreuses convergences avec notre
manuscrit *S* : 1, 13, 4 omission de *ac deuersabimur* ; leçons
communes : 2, 1, 23 *fuerit* ; 2, 2, 11 *maturi* ; 2, 3, 11 *sentit* ;
3, 6, 11 *audiemus ... cernemus* ; 3, 9, 12 *digni*. Cette édition
corrige néanmoins le manuscrit *S*, auquel certaines leçons
restent propres : 2, 5, 4 *ex toto* ; 2, 7, 3 *consistit* ; omission
en 3, 19, 17-18.

Érasme.

Dans l'édition d'Érasme, imprimée à Bâle, chez Jean
Froben, en 1523, les *Commentarii in plerosque Psalmos*
constituent le second tome des *Diui Hilarii Pictauorum
episcopi lucubrationes*. L'*In psalmum CXVIII enarratio* est
reproduite de la page 160 à la page 253 de ce second tome
qui comprend 413 pages. La seule division du commentaire est encore celle par lettres. Sur chaque feuille, sont
indiqués quatre repères A B C D. Quelques notes, peu
nombreuses, figurent en marge : *liberum arbitrium* en face
de *A nobis est ergo, cum oramus, exordium ...* (5, 12), ou de
Quia unicuique ad id quod uolet ... (22, 4). Dans sa lettre-
préface à Jean Carondelet, Érasme écrit : *Plurimum
sudoris compereram in emendando Hieronymo, sed plus in
Hilario*, à cause de la difficulté de l'auteur *(intellectu
difficilis)* et des érudits qui ont mal interprété le texte
(eruditulorum temeritas). Cependant, il ne dit pas sur
quelles bases ce travail de correction, sévèrement jugé plus
tard par les Mauristes, a été fait. Notre apparat critique
montre que rares et peu significatifs sont les cas où Érasme
se sépare de son prédécesseur, Bade.

Gillot.

Édition de Jean Gillot, imprimée à Paris, à l'enseigne de
la Grand-Nef, en 1605. Jean Gillot avait déjà donné une

édition complète d'Hilaire en 1572, à Paris ; il avait alors
suivi le texte de Martin Lipse (édition imprimée à Bâle, en
1570, qui reprend pour l'essentiel le texte d'Érasme, bien
que son auteur affirme, sans plus de précisions, avoir tenu
compte de « nombreux manuscrits »). Comme dans l'édition
de Josse Bade, le texte est ici disposé sur deux colonnes ;
chacune est numérotée. Chaque page présente les points de
repère A B C D E F et donne en marge les références
scripturaires. A la fin figurent des *uariae lectiones* tirées des
anciennes éditions et de manuscrits, et trois index :
scripturaire, *rerum et uerborum, in D. Hilario memorabi-
lium.* Dans les *Commentarii in plerosque psalmos*, qui
viennent après les autres œuvres d'Hilaire, l'*In CXVIII
Psalmum Enarratio* occupe les colonnes 836 F à 962 D. En
tête de chaque lettre, figurent, comme dans le manuscrit
R, les huit versets dont la lettre est l'initiale. A l'intérieur
des lettres, Gillot a introduit, le premier, une division en
paragraphes, sommaire cependant. Pour établir son texte,
Gillot déclare s'être servi des « manuscrits les meilleurs » ;
ainsi, dit-il dans l'avis du *Typographus* au *Lector*, le texte
des *tractatus in psalmos* a été revu sur celui d'un manuscrit
que lui a fourni Jacobus Bongarsius. Or ce nom figure sur
le folio 1 de notre manuscrit *R*. L'édition Gillot, reprise à
Cologne en 1617, à Paris en 1631 et 1652, se sépare donc
souvent du consensus Bade-Érasme, pour introduire des
leçons propres à *R*.

Coustant.

Édition établie *studio et labore monachorum ordinis
S. Benedicti, e congregatione S. Mauri*, imprimée à Paris,
chez F. Muguet, en 1693. Un exemplaire de la Bibliothèque Nationale (Rés. C. 947) porte des notes manuscrites de
P. Coustant. Les *Commentarii in Psalmos* (ainsi appelés
dans la table des matières) ou *Tractatus super Psalmos*
(titre donné au début du texte lui-même) figurent désormais en tête des œuvres d'Hilaire. Ils sont précédés d'une

admonitio qui fixe la date de leur composition (360), traite
de la question de savoir si tous les psaumes ont été
commentés, donne des indications sur la méthode du
commentaire, la dépendance d'Hilaire par rapport à
Origène, son respect de l'*auctoritas* des Septante, et montre
enfin que les psaumes ont dû faire l'objet d'un commentaire oral, rédigé ensuite par l'exégète. Le texte est imprimé
sur deux colonnes; on trouve des repères A B C D E F
analogues à ceux de l'édition Gillot. Il est accompagné en
marge de formules résumant un ou plusieurs paragraphes;
ces derniers sont plus nombreux que dans la précédente
édition; la division établie par les Mauristes sera gardée
par les éditeurs suivants. Les bas de pages sont occupés
par des notes où sont traitées des questions de doctrine et
un apparat critique. Pour le *Tractatus in CXVIII psalmum*, les Mauristes ont accordé beaucoup de faveur au
texte de nos manuscrits *p* et *A*.

Vérone.

Réimpression de l'édition précédente, parue à Vérone,
apud Petr. Ant. Bernam et Iac. Vallarsium, en 1730. La
nouveauté de cette édition consiste dans l'utilisation, grâce
aux découvertes de Maffei, de deux manuscrits véronais,
l'un pour le *De Trinitate*, l'autre (notre ms. *V*) pour les
Tractatus super Psalmos. En fait, quelques leçons de *V*
seulement sont passées dans le texte. Ainsi, en 3, 13, 7, la
leçon *sine metuendi iudicii terrore* donnée par *V* remplace
celle de *pA* adoptée dans l'édition de 1693 : *sine metu
iudicii terrorem*. La plupart des leçons intéressantes de *V*
figurent cependant dans les notes.

Migne.

L'édition de la *Patrologia latina*, tome 9, de J. P. Migne,
imprimée à Paris, chez Vrayet, en 1844, dans laquelle le
Tractatus in CXVIII Psalmum occupe les colonnes 500 D -
642 A, reproduit celle de Vérone : la pagination de cette

édition figure dans le texte ; les notes sont les mêmes. Les formules qui dans l'édition de Vérone résumaient un ou plusieurs paragraphes sont ici imprimées en pleine page.

Zingerle.

Édition du *Corpus Scriptorum Ecclesiasticorum Latinorum*, tome 22, établie par A. Zingerle, imprimée à Vienne par F. Tempsky, en 1891. Elle ne contient que les *Tractatus sancti Hilarii episcopi pictauiensis super Psalmos* (titre repris du ms. *R*). Le *Tractatus in psalmum CXVIII* occupe les pages 354 à 544. Plus longuement que dans la préface de cette édition, A. Zingerle s'est expliqué sur l'établissement du texte des *Tractatus super Psalmos* dans les études auxquelles il renvoie p. VII de son édition, et que nous citons dans la bibliographie. Le texte du Commentaire sur le psaume 118 est établi sur la base des manuscrits *VRCp*, d'une collation partielle ou indirecte des manuscrits *A* et *r*, des éditions de Paris 1510, Bâle 1570, Paris 1572, Migne. Parmi tous ces témoins, Zingerle accorde sa préférence à *V* pour les citations scripturaires, *V* donnant le texte des anciennes versions[1]. Pour le texte même d'Hilaire, en cas de désaccord entre les manuscrits, Zingerle se range de préférence du côté de *R*, au point même de n'avoir parfois pour garant que ce témoin. Nous ne l'avons pas suivi dans la très grande majorité des cas où *R* était ainsi privilégié au détriment du témoignage des autres manuscrits[2]. D'autre part, Zingerle nous a semblé

---

1. Cf. *Matth.* 6, 13, en 1, 15 : *sufferre* n'est attesté que par *V* ; les autres témoins donnent *ferre*. Pour *II Cor.* 4, 8, en 6, 9, *V* donne *coangustati*, alors que les autres mss, à l'exception de *r*, ont *angustiati*. Même remarque pour *Rom.* 8, 36, en 8, 12, où *V r* donnent seuls *sicut* ; on lit ailleurs *tamquam*. Cf. aussi *Matth.* 10, 19, en 10, 14 : *V r* écrivent *die*, les autres : *hora*.

2. Ainsi en *exord.* 3, 17, nous avons écrit *uniuscuiusque*, et non *u. rei* avec *R Mi. Zi.* ; en 2, 6, 6 *occuluisse*, et non *occultasse (R Zi.)* ; en 3, 7, 7 *sancta esse*, et non *esse sancta (R Zi.)* ; en 5, 16, 10 *numerari*, et non *nominari (R Zi.)*.

accepter parfois trop facilement le texte des manuscrits récents, alors que les leçons des anciens témoins étaient défendables[3]. Enfin, certaines de ses conjectures nous ont paru inutiles[4].

La présente édition est l'aboutissement d'une recherche d'abord présentée sous forme de thèse de doctorat de 3e cycle devant la Faculté des Lettres et Sciences humaines de Besançon, le 30 avril 1982. Le jury était composé de MM. Doignon, Duval et Monat. A M. Doignon, maître des études hilariennes, j'exprime toute ma reconnaissance pour m'avoir fait partager, avec une libéralité et une disponibilité sans bornes, sa science aux compétences éprouvées dans tous les domaines que doivent aborder le lecteur d'Hilaire et l'auteur d'une édition. MM. Duval et Monat, lors de la soutenance de thèse, m'ont fait de très utiles remarques de forme ou de fond dont bénéficie, je l'espère, le présent travail. Celui-ci doit enfin beaucoup à la savante et minutieuse relecture faite, à l'Institut des Sources chrétiennes, par M. Lestienne qu'il m'est agréable de remercier. Je remercie également le CNRS dont la subvention a facilité l'édition de cet ouvrage.

3. En 1, 2, 17 il choisit *quisquis* avec *pA r S mB*, contre *quisque (VL RC)*; en 3, 15, 7-8 comme *pA r² mB*, il omet *et infelix hoc* pour l'introduire, comme eux, quelques lignes après; en 3, 19, 12 et 7, 5, 10, il accepte les additions proposées, dans le premier cas par *pA r² S mB*, dans le second par *pA mB*.

4. En 2, 9, 1, au *iudiciorum* de *pA S mB* qui corrige *iudicia* de *VL RC r*, Zingerle préfère une forme *iudicium*, qui serait un génitif pluriel. En 4, 4, 13, il a remplacé par *earum* le neutre pluriel *eorum* donné par tous les témoins, alors qu'un pronom neutre peut reprendre un substantif d'un autre genre (cf. LEUMANN - HOFMANN - SZANTYR, *Lateinische Grammatik*, t. 2, München 1965, p. 432). En 10, 2, 13, *ei qui non* de *R* suggère à Zingerle *et qui non*, alors que les autres témoins donnent *et qui*.

TEXTE
ET
TRADUCTION

MANUSCRITS ET ÉDITIONS

A   ANGERS, *Bibl. Mun. 289*, XIᵉ-XIIᵉ s.
B   ARRAS, *Bibl. Mun. 82*, XIIIᵉ s.
C   COLOGNE, *Dombibl. 29*, IXᵉ s.
L   LYON, *Bibl. Mun. 452* et PARIS, *B.N. n. acq. lat. 1593*, Vᵉ-VIᵉ s.
m   TROYES, *Bibl. Mun. 524*, XIIᵉ-XIIIᵉ s.
p   PARIS, *B.N. lat. 1693*, XIᵉ-XIIᵉ s.
R   VATICAN, *Reg. lat. 95*, IXᵉ s.
r   VATICAN, *lat. 251*, XIᵉ s.
S   CHARLEVILLE, *Bibl. Mun. 239*, XIIᵉ s.
V   VÉRONE, *Bibl. Cap. XIII (11)*, Vᵉ s.

Ba.   Bade, 1510.
Er.   Érasme, 1523.
Gi.   Gillot, 1605.
Mi.   Migne, 1844.
Zi.   Zingerle, 1891.

PRÉSENTATION DU TEXTE

1) Le lemme est imprimé en petites capitales avec en marge le numéro du verset du psaume.

2) Les mots *du lemme commenté* repris dans le commentaire sont en italique dans le texte latin et dans la traduction.

3) Les citations scripturaires (explicites ou implicites) — y compris celles du psaume 118 qui n'appartiennent pas au lemme commenté — sont en italique dans le texte latin et entre guillemets dans la traduction française. Elles sont accompagnées d'un appel d'apparat scripturaire.

4) Les allusions scripturaires sont également accompagnées d'un appel d'apparat scripturaire, mais la référence scipturaire donnée dans l'apparat y est précédée d'un «cf.». Les contacts verbaux avec le texte auquel il est fait allusion sont en italique dans le texte latin, entre guillemets dans la traduction. Il n'y a pas de frontière nette entre citation implicite et allusion.

5) Lorsqu'une citation ou une allusion est reprise, partiellement ou en totalité, au cours du commentaire *d'un même lemme*, l'appel d'apparat scripturaire n'est pas répété.

6) Lorsqu'un mot d'une citation ou d'une allusion appartient également au lemme commenté, il est à la fois en italique et entre guillemets dans la traduction.

7) En règle générale, on a considéré comme reprise du lemme ou d'une citation tout mot de même radical, qu'il s'agisse d'un verbe, d'un adverbe, d'un substantif ou d'un adjectif. Ainsi, pour le verbe *quaero*, on retiendra normalement *quaestio*, mais pas *perquiro*, ni *exquiro*. On considère en outre comme équivalents le nom divin et le pronom qui le remplace : *mandata Dei* et *mandata eius, sua, tua, mea*.

8) Pour les citations implicites et les allusions le texte scripturaire de référence est celui de Sabatier.

9) On a volontairement conservé dans la traduction des citations scripturaires le caractère rugueux du latin. D'où un français parfois obscur ou déroutant. Le commentaire d'Hilaire en explicite généralement le sens.

10) La distinction entre «Loi» et «loi» est fondée sur la remarque faite par Hilaire en 1, 4.

PSALMVS CXVIII

ALEPH

BEATI IMMACVLATI IN VIA QVI AMBVLANT IN
LEGE DOMINI.

Exord. 1. Qui ad doctrinam rationabilis et perfectae
prudentiae praeparantur, ab ipsis statim elementis litterarum docendi sunt, ut perfectam ueramque rationem
tamquam ab exordio primae institutionis consequantur.
5 Sciens istud sanctus apostolus Paulus, eam solam ueram
atque utilis doctrinae esse prudentiam, quae ab aetatis
initiis atque ab infantiae ipsius inchoaretur exordiis, haec

VL   RC   pA   r   S   mB

psalmus CXVIII : tractatus psalmi CXVIII *L C pA Mi.*   t. de
psalmo CXVIII *S*   tractatus *mB* ‖ *ante titulum pr.* (in dei nomine
C) incipit *codd.* ‖ *post titulum add.* hilarii episcopi catholici *C*   hilarii (hylarii *A*) episcopi pictauensis *pA*   sancti hylarii episcopi super
beati immaculati *mB*
     aleph : prologus *Mi.*   > *C pA mB Zi.*   *pr.* alleluia *L R S*
Ba.   + alleluia *V r*
     beati — domini + et reliqua litterae octo uersuum *L*   + beati
qui scrutantur testimonia eius usque non me derelinquas usquequaque *C*   + etc usque ibi derelinquas usquequaque *Ba. Er.*
+ *omnes uersus primae litterae R Gi.*   > *pA S mB Mi. Zi.*
     Exord. 1, 1 quid *L* ‖ rationalis *Ba. Er.* ‖ 2-3 litterarum elementis
Ba. Er. Gi. Mi. ‖ 4 consequatur *L* ‖ 5 paulus apostolus *S edd.* ‖ paulus
> *L* ‖ eam : cum *V* ‖ ueram solam *L*

PSAUME CXVIII

ALEPH

HEUREUX LES PURS DANS LA VOIE, CEUX QUI
MARCHENT DANS LA LOI DU SEIGNEUR.

Arg. 1[1]. Ceux qui se préparent à recevoir l'enseignement
de la sagesse raisonnable[2] et parfaite doivent y être formés
dès les lettres mêmes de l'alphabet, afin d'en obtenir
l'intelligence parfaite et véritable dès le début, en quelque
sorte, de leur première formation. Le saint apôtre Paul,
sachant que la seule sagesse véritable et dont l'enseignement fût utile était celle qui remontait au commencement
de la vie et aux débuts de l'enfance même[3], écrit dans sa

---

1. Les § 1-5 constituent un ensemble qu'Hilaire désigne par le mot
exordium en 2, 1 ; 9, 1 ; 16, 1 et qu'il faut rapprocher du προοίμιον placé
par Origène en tête de son commentaire, dont la *Ch. p.* (p. 182-184)
nous donne un extrait. *Exordium* étant l'équivalent du grec προοίμιον
(Qvint., *Inst.*, 4, 1, 1), nous l'avons traduit, comme les éditeurs de la
Ch. p., par «argument».
2. Rapprocher l'expression *rationabilis prudentiae* de celles d'Origène : *hi qui per* rationabilem *scientiam vivunt* (*Hom. Gen.*, 2, 3) ;
prima eruditionis rationabilis *elementa* (*Hom. Num.*, 27, 1) ; *per*
rationabilem *institutionem* (*Princ.*, 2, 3, 1).
3. Sur l'importance des rudiments du savoir, voir les textes
d'Origène indiqués ou cités dans la *Ch. p.* (p. 546) et les principes de
pédagogie romaine énoncés par Qvint., *Inst.*, 1, prooem., 5 ; 1, 1.

ad Timotheum inter magna atque praeclara fidei studiique
praeconia in secunda epistula scribit : *Tu uero permane*
10 *in his quae didicisti et credidisti, sciens a quibus*
didicisti, et quod ab infantia sacras litteras nosti, quae
te possint instruere in salutem[a]. Hoc propter praesentem
psalmum ita dictum sit, in quo, cum cognitio ueritatis ad
eruditionem humanae ignorantiae esset tenenda, per ipsa
15 litterarum atque elementorum initia doctrinae ordo est
distributus. Secundum enim Hebraeorum litteras in
singulis octonis uersibus singulae litterae praeferuntur.
Est autem omnis numerus uersuum in centum septuaginta
sex uersibus. Nam cum ex uiginti duabus litteris omnis
20 hebraeus sermo conueniat et octonos uersus litterae
singulae explicent, numerus iste uersuum octonis partibus
multiplicatus expletur. Hanc igitur extitisse causam
existimo, ut per litteras totius istius psalmi ordo
decurreret, ut, sicut paruuli et imperiti et ad legendum
25 imbuendi haec primum, per quae sibi uerba contexta
sunt, litterarum elementa cognoscerent, ita et humana
ignoratio ad mores, ad disciplinam, ad cognitionem Dei
per hunc singularum litterarum octonarium numerum
ipsis uelut infantilis doctrinae initiis erudiretur.

Exord. 2. Arduum enim et difficillimum homini est per
se ipsum uel per saeculi doctores rationem praeceptorum
caelestium consequi ; nec naturae nostrae recipit infirmitas diuinis institutis, nisi per eius gratiam, qui haec

VL   RC   pA   r   S   mB

Exord. 1, 10 a quo *pA mB Mi.* ‖ 11 didiceris *V r Zi.* ‖ 12 in : ad
L ‖ 14 essetenenda *L*   esset edenda *RC pA r² S mB edd.* ‖
16 in > *VL r Ba. Er.* ‖ 18-19 centum septuaginta sex : CLXVI *V*
c. s. octo *R Ba. Er. Gi.* ‖ 23 totus *VL r¹* ‖ 24 decurreret : decurrat
R Zi.   > *Gi.* ‖ 27 ignorantia *C* ‖ 29 ueluti *VL r S mB Ba. Er. Gi.* ‖
infantulis *C Ba. Er. Gi.*

Exord. 2, 1-2 per se > *V* ‖ 2 uel : ui *Ba. Er.* ‖ 4-5 qui haec ipsa
> *R*   quae haec ipsi *Ba. Er. Gi.*

seconde lettre à Timothée, au milieu d'éloges éclatants et
enthousiastes pour sa foi et son zèle : «Pour toi, demeure
en ce que tu as appris et cru, sachant de qui tu l'as appris
et que depuis ton enfance tu connais les Lettres Sacrées
qui peuvent t'instruire en vue du salut[a].» Il faut faire ce
rappel à propos du présent psaume qui, devant contenir la
connaissance de la vérité en vue d'instruire l'ignorance
humaine, offre un ordre dans l'enseignement qui s'appuie
sur les bases élémentaires mêmes de l'écriture. En effet,
chaque lettre, dans l'ordre des lettres hébraïques, est mise
en tête de huit versets chaque fois. Or le nombre total des
versets est de cent soixante-seize. Comme l'hébreu
comprend en tout vingt-deux lettres, et que chaque lettre
présente huit versets, ce nombre total des versets est
atteint par une multiplication autant de fois par huit[4]. Je
pense que la raison pour laquelle tout ce psaume suit
l'ordre de l'alphabet fut la suivante : comme les tout-petits
sans instruction, pour être formés à la lecture, apprennent
d'abord les lettres de l'alphabet par lesquelles s'agencent
les mots, de même l'ignorance humaine devait être formée
à la morale, à la discipline, à la connaissance de Dieu par la
répétition de chaque lettre, huit fois, comme si elle
apprenait les bases mêmes de l'enseignement élémentaire.

Arg. 2. Il est en effet ardu et fort difficile pour l'homme
d'obtenir par ses propres moyens ou par l'intermédiaire
des docteurs de ce monde[5] l'intelligence des préceptes
célestes ; et la faiblesse de notre nature ne reçoit le moyen

---

Exord. 1. a. II Tim. 3, 14-15

4. Voir les remarques d'Origène sur la composition alphabétique
du psaume : *Ch. p.*, p. 182, l. 1-6.
5. Rapprocher l'expression *per saeculi doctores* de Lact., *Inst.*,
5, 1 : «*apud sapientes et* doctos *et principes huius* saeculi» (cf. *I Cor.*
2, 6.8).

5 ipsa dederit, erudiri. Namque qui simpliciter ea quae inter
manus sibi inciderint legunt, existimant nihil differentiae
in uerbis, nihil in nominibus, nihil in rebus existere.
Sed si istud communis conloquii sermo non patitur, ut sub
diuersis rerum nuncupationibus non diuersa significata
10 esse intellegantur, numquid Dei eloquia tam imperita
et tam confusa esse credemus, ut aut inopia uerborum
quibus uterentur laborauerint aut distinctionum genera
nescierint?

Exord. 3. Plures enim cum audiunt legem, iustificationem, praecepta, testimonia, iudicia, quae omnia Moyses
sub diuersa uniuscuiusque generis uirtute disposuit, unum
atque idem esse existiment, ignorantes aliud legem, aliud
5 iustificationem, aliud praeceptum, aliud testimonium,
aliud esse iudicium; quae multum a se differre et
discrepare, testis nobis est octauus decimus psalmus, quo
continetur proprietas uniuscuiusque et nuncupationis et
generis. *Lex* enim *Domini immaculata, conuertens animam.*
10 *Testimonium Domini fidele, erudiens paruulos. Iustitiae*
Domini rectae, laetificantes corda. Praeceptum Domini
lucidum, inluminans oculos. Timor Domini sanctus, per-
manens in saeculum saeculi. Iudicia Domini uera, iusti-
ficata in ipsum[a]. Sunt ergo distantiae in singulis quibusque
15 rebus et prudentis atque intellegentis uiri est in his
quae scripta sunt discernere ubi *lex*, ubi *praeceptum*,
ubi *testimonia*, ubi iustificationes, ubi *iudicia* constituta

---

VL RC pA r S mB

Exord. 2, 6 inciderunt *VL* ‖ 7 in nominibus nihil > *V* ‖ 9 non : nisi
Er. ‖ 11 et > *C pA m Mi.* ‖ credimus *RC pA S mB Ba. Er. Gi. Mi.* ‖ 12
uterentur : iterantur *Ba. Er. Gi.* ‖ aut : ut *R* ‖ 13 nescierunt *V*
Exord. 3, 4 existimant *C pA S mB Ba. Er. Gi. Mi,* ‖ 9 enim > *r* ‖
domini > *VL Ba. Er.* ‖ animas *C S Ba. Er. G. Mi.* ‖ 10 dei *VL* ‖ 14
ipsum : semet ipsa *C pA S mB Ba. Er. Gi.* ‖ 17 testimonium *pA S mB*
Ba. Er. Gi. Mi.

d'être formée par les enseignements divins que de la grâce
de celui qui les lui a eux-mêmes donnés. En effet ceux qui
lisent de façon simple les écrits tombés entre leurs mains
pensent qu'il n'y a aucune différence dans les mots, aucune
dans les noms, aucune dans les sujets. Or si le langage
ordinaire n'admet pas que, sous différentes appellations,
on ne comprenne pas que sont exprimées des réalités
différentes, allons-nous croire que les paroles de Dieu
révèlent une telle ignorance et une telle confusion qu'elles
souffrent de la pauvreté du vocabulaire mis en œuvre ou
ignorent les distinctions par catégories?

Arg. 3. Beaucoup en effet, lorsqu'ils entendent parler de
loi, de règle de justice, de préceptes, de témoignages, de
jugements — tous mots que Moïse a répartis en tenant
compte de la valeur différente de chaque catégorie qu'ils
représentent —, peuvent penser que c'est une seule et
même chose, en ignorant qu'autre chose est la loi, autre
chose la règle de justice, autre chose le précepte, autre
chose le témoignage, autre chose le jugement[6]. Que ce sont
là des mots fort différents les uns des autres et distincts, le
psaume dix-huit en est témoin, qui contient le sens propre
de chaque nom et de chaque catégorie. En effet : « La loi
du Seigneur est pure, convertissant l'âme. Le témoignage
du Seigneur est fidèle, formant les tout-petits. Les
sentences du Seigneur sont droites, réjouissant les cœurs.
Le précepte du Seigneur est brillant, illuminant les yeux.
La crainte du Seigneur est sainte, demeurant pour le siècle
du siècle. Les jugements du Seigneur sont vrais, justes en
soi[a]. » Il y a donc des différences entre chaque chose
considérée séparément, et le propre d'un homme avisé et
intelligent est de distinguer dans les Écritures les passages
où sont définis la « loi », le « précepte », les « témoignages »,

Exord. 3. a. Ps. 18, 8-10

6. Énumération empruntée à Origène (*Ch. p.*, p. 182, l. 9-11).

sint, ne illa quae sermo propheticus mirabili uniuscuiusque
proprietate distinxit, ea ignorantiae nostrae infirmitas
20 indocta imperitiae opinione confundat. Itaque per litteras
singulas haec omnia maximus et ultra ceteros copiosissi-
mus psalmus iste discreuit, ut per haec uerborum elementa
credendi et uiuendi et *erudiendi* in Deum doctrinae ratio
et distinctio doceretur.

Exord. 4. Plures autem arbitrantur simplicitatem fidei
ad absolutam aeternitatis spem posse sufficere, tamquam
innocentiae secundum iudicium saeculi studium doctrinae
caelestis non egeat institutis. Et quia aliter se res habet,
5 idcirco nunc uiuendi in Deo innocenter et in innocentia
religiose manendi cognitio multa cum copia prophetici
sermonis exposita est, quia difficile est quemquam per
semetipsum, id est per saeculi instituta, hanc innocentiae
religiosae cognitionem et uerum usum uitae piae et
10 innocentis adipisci. Nouit etiam infirmam per se esse
humanam naturam apostolus ad hanc uiuendi scientiam
capessendam. Nam cum de charismatum et munerum Dei
donis doceret, cum primum *sermonem sapientiae* praetulisset, statim *sermonem scientiae* subiecit[a]. Hoc enim
15 *scientiae* post *sapientiae* sequens a Deo donum est, quia
usus *sapientiae* in usu *scientiae* perfectus est.

VL   RC   pA   r   S   mB

Exord. 3, 18 illa : *pr.* in *R* ‖ uniuscuiusque + rei *R Mi. Zi.* ‖ 23
crediderit *V* ‖ dominum *C pA Mi.*   domini *R mB Ba. Er. Gi.* ‖
doctrina *mB Ba. Er. Gi.* ‖ 24 et > *Ba. Er. Gi.*
    Exord. 4, 3 innocentia *RC pA mB Mi. Zi.* ‖ studium > *RC pA mB*
Mi. Zi. ‖ 4 institutis non egeat *pA mB Mi.* ‖ habeat *pA mB Mi.* ‖ 5
nunc > *pA mB* ‖ innocenter et in > *V r* ‖ in > *C* ‖ 9 et[1] : ad *VL S Ba.*
Er. Gi. ‖ 10 per se > *C pA mB* ‖ esse > *R* ‖ 12 munerum + et *VL* ‖ 13-
14 praetulisset — scientiae > *V* ‖ 15 a deo : ideo *C* ‖ 16 usu : usum
R   usus *C*

Exord. 4. a. cf. I Cor. 12,8

les règles de justice, les «jugements», pour que ces mots, que le texte du prophète a merveilleusement distingués suivant la signification propre de chacun, la faiblesse de notre ignorance ne les confonde pas par un jugement ignorant, dû à notre incompétence. Aussi, dans chaque lettre, ce psaume très long et de beaucoup le plus riche de tous a fait toutes ces distinctions, pour que dans l'ordre de l'alphabet soient enseignés le plan et l'économie d'un enseignement de foi, de vie et de «formation» en Dieu.

Arg. 4. Or beaucoup pensent que la simplicité de foi peut suffire à garantir une espérance absolue d'éternité, comme si la recherche d'une vie sans faute conformément à l'opinion du monde n'avait pas besoin des règles de l'enseignement céleste. Et, comme il en va autrement, le texte du prophète a exposé avec beaucoup de détails ce qu'il faut savoir pour vivre en Dieu sans faute et demeurer dans une vie sans faute conforme à la religion ; il est en effet difficile que chacun parvienne par ses propres moyens, c'est-à-dire par les règles du monde, à cette connaissance de la vie religieuse sans faute et à une véritable expérience de vie sainte et sans faute. L'Apôtre sait même que la nature humaine est par elle-même incapable de parvenir à la science d'une telle vie. En effet, alors qu'il traitait du don des charismes et des grâces de Dieu, aussitôt après avoir mentionné en premier la «parole de sagesse», il a ajouté la «parole de science[a]». En effet, venant de Dieu, le don de la «science» fait suite à celui de la «sagesse», parce que la pratique de la «sagesse» a son accomplissement dans la pratique de la «science»[7].

---

7. Par son ton polémique, les idées qu'il développe *(scientia; innocentia)*, ce paragraphe rappelle les préfaces des livres 1 et 6 des *Institutions divines* de LACTANCE.

Exord. 5. Occurrit autem in praesenti psalmo etiam
ea nobis difficultas, quod, cum duos tantum psalmos
acceperimus per litteras hebraeas conscriptos, id est
centesimum undecimum atque duodecimum, ita ut a
5 prima usque ad uicesimam secundam secundum Hebraeos
litteram uersuum numerus conueniret uersusque singuli a
singulorum elementorum initiis inchoarentur, in hoc nunc
psalmo octonos uersus elementa singula obtinerent. Sed
cum omnia uiuendi et credendi et placendi Deo praecepta
10 continerentur in psalmo, in eo numero omnia litterarum
initia continentur, qui maxime secundum plenam et religiosam eiusdem numeri uirtutem primus omnium conue-
nientium in se undique partium aequalitate perfectus est.
Primum etenim per duas in se partes ex partibus
15 coaequalis, tum deinde per quattuor aeque partes
conuenit, ut uirtutes psalmorum, qui in hoc numero
uel singulari uel multiplicato conlocati sunt, docent
numeri huius esse sanctam et religiosam plenitudinem.
Hic autem numerus etiam in lege sanctus est. Iussum
20 enim est ut qui natus esset in *octauo signum circum-*
cisionis acciperet[a]. Haec etiam in *circumcisione* Domini
ratio seruata est; et in hoc dierum numero, cum ipse
circumcisione non egeret, oblatus in templo est, ut in
corpore eius humanae carnis recideretur infirmitas[b]. Hic
25 etiam numerus omnia genera pecudum, ut digna sacrificiis

VL   RC   pA   r   S   mB

Exord. 5, 4 decimum atque undecimum *R r Mi.* ‖ 5 ad > *Ba. Er.*
Mi. ‖ uicesimam + et *V Zi.* ‖ 5-6 litteram secundum hebraeos *pA mB*
Mi. ‖ 9 et credendi : credendi *RC S edd.*   credendique *pA mB* ‖ 10
contineantur *Gi. Mi.* ‖ 14 ex : et *V* ‖ 15 coaequales *VL B* ‖ 16 uirtute
RC ‖ 17 doceant *C pA mB Mi.* ‖ 19-20 iussum ... est : iussit ... ea *C* ‖
20 in > *pA* ‖ 23 circumcisionem *R*

Exord. 5. a. cf. Gen. 17,10-12; Lév. 12,3 ‖ b. cf. Lc 2,21

Arg. 5. A propos du présent psaume, une autre difficulté se présente à nous : alors que nous n'avons que deux psaumes rédigés dans l'ordre des lettres hébraïques — les psaumes cent onze et cent douze — dans lesquels le nombre des versets correspond à celui qui va de la première à la vingt-deuxième lettre suivant les Hébreux, et où chaque verset commence par l'initiale alphabétique correspondante, dans le psaume qui nous occupe maintenant, chaque lettre alphabétique regroupe huit versets[8]. Mais comme tous les préceptes pour vivre, croire en Dieu et lui plaire étaient contenus dans ce psaume, chaque lettre forme un ensemble indiqué par ce chiffre[9] qui, si l'on envisage d'abord la signification religieuse dont il est porteur, est le premier à être parfait, en raison de l'égalité de toutes les combinaisons que l'on trouve en lui. En effet, il est d'abord formé de deux ensembles égaux, eux-mêmes constitués de deux ensembles égaux, ensuite il est formé de quatre ensembles constitués comme les deux précédents[10]. De même les psaumes placés sous ce chiffre soit simple, soit multiplié ont un sens qui en montre la plénitude sacrée et religieuse. Et ce chiffre est aussi sacré dans la Loi. Il fut en effet ordonné que le nouveau-né recevrait le « signe de la circoncision le huitième jour[a] ». Cette règle fut encore observée pour la « circoncision » du Seigneur ; c'est dans la limite fixée par ce chiffre, alors qu'il n'avait pas lui-même besoin de la « circoncision », qu'il fut présenté au Temple pour que, dans son corps, fût retranchée la faiblesse de la chair humaine[b]. Ce chiffre encore purifie toutes les espèces de bétail et les rend dignes des sacrifices ; c'est en effet le

8. Rapprochement avec les psaumes 111 et 112 à la suite d'Origène (*Ch. p.*, p. 182, l. 16-19).

9. Voir l'explication d'Origène sur les raisons pour lesquelles le chiffre huit a été affecté à chaque lettre (*Ch. p.*, p. 184, l. 37-41).

10. Mêmes considérations dans MACROBE, *Commentaire du Songe de Scipion*, 1, 5, qui fait venir des pythagoriciens ces spéculations sur la perfection du chiffre huit.

habeantur, emundat; *octaua* enim *die* iubentur *offerri*[c].
Et in hoc numero diluuii diebus origo rursum humanae
generationis eligitur[d]. Consummatio igitur nunc doctrinae
et eruditionis nostrae sub perfecti huius numeri absolu-
30 tione per singula elementa concluditur, ante quem neque
munda Deo hostia fuit, neque in generis familia quis
cessante *circumcisione* susceptus est, et ex quo rursum
iterandae generationis coepit exordium.

Primae igitur litterae hi uersus sunt :

1   **1.** Beati immacvlati in via, qvi ambvlant in lege
Domini. *Beati qui scrutantur testimonia eius, in toto corde
exquirunt eum*[a]. Dictorum ordo non neglegendus est ;
qui si non diligenter a nobis cognoscitur, ne dispositae
5 quidem *beatitudinis* ordinem consequemur. Non enim
primum : *Beati scrutantes testimonia Dei*, sed primum :
Beati immaculati in uia. Prius enim est, confirmatis
moribus et in innocentiae studium ex communi probitatis
honestate compositis ueritatis *uiam* ingredi ; sequens
10 deinde est, *scrutari Dei testimonia* et expurgato emunda-
toque animo ad inuestiganda adesse. Ordinis autem huius
et alius propheta non immemor est dicens : *Serite in*

VL   RC   pA   r   S   mB

Exord. 5, 26 haberentur *pA mB* ‖ 32 ex : in *C* ‖ 33 regenerationis
VL RC r¹ Gi.
igitur > *B* ‖ litterae + uel aleph *B* ‖ sunt + aleph *m Zi.*
+ aleph littera prima *C* + aleph prima littera *pA* + prima
littera aleph *omnes uersus primae litterae Mi.*
1, 2 qui scrutantur : qui scrutant *VL Zi.* scrutantes *S* ‖ 4
agnoscitur *pA mB* ‖ ne : nec *C B* neque *Ba. Er. Gi.* ‖ 5
consequimur *pA mB Mi.* ‖ 6 dei : eius *mB* ‖ 7 est > *R* ‖ 8 in > *RC
mB* ‖ studiis *C S mB Ba. Er. Gi.* ‖ ex : et *VL r* ‖ 9 uiam ueritatis *Ba.
Er. Mi.* ‖ 11 inuestiganda + dei testimonia *B* ‖ adesse : esse *VL*

Exord. 5. c. cf. Lév. 14, 23 ‖ d. cf. Gen. 7, 7 ; I Pierre 3, 20

1. a. *v. 2*

«huitième jour» qu'on a ordre de les «offrir[c]». Et c'est dans la limite fixée par ce chiffre qu'aux jours du déluge est choisie la souche à partir de laquelle devait se refaire l'espèce humaine[d]. Donc l'achèvement de notre enseignement et de notre formation se fait sous le signe de la plénitude de ce chiffre parfait affecté à chaque lettre, chiffre en deçà duquel une victime n'était pas pure devant Dieu, ni personne n'était accueilli dans sa famille de naissance, en l'absence de «circoncision», et à partir duquel une génération a recommencé à se faire[11].

Voici donc les versets de la première lettre :

1. Heureux les purs dans la voie, ceux qui marchent dans la loi du Seigneur. «Heureux ceux qui scrutent ses témoignages, qui de tout cœur le cherchent[a].» L'ordre des expressions ne doit pas être négligé[12]; si nous ne prenons pas soin de le connaître, nous n'atteindrons pas non plus l'ordre suivant lequel est disposée la *béatitude*. En effet, il n'y a pas d'abord : «*Heureux* est-on quand on scrute les témoignages de Dieu», mais d'abord : *Heureux les purs dans la voie*. En effet, la première condition est d'entrer dans la *voie* de la vérité avec une conduite morale éprouvée et orientée vers la recherche d'une vie sans faute par la pratique de la vertu couramment appelée probité ; la suivante est de «scruter les témoignages de Dieu» et d'avoir pour leur recherche une âme purifiée et corrigée. Cet ordre, un autre prophète ne l'oublie pas non plus, qui dit : «Faites de vous-mêmes une semence pour la justice,

---

11. Origène, qui fait allusion à la circoncision du Seigneur, évoque en outre la résurrection au huitième jour. Mais la *Ch. p.* (p. 184, l. 31-37) ne contient aucune des allusions d'Hilaire à l'Ancien Testament.

12. Sur l'*ordo uerborum*, son importance, voir Cic., *Orat.*, 70 ; Qvint., *Inst.*, 9, 4, 23.

iustitiam uosmetipsos et metite uos in fructum uitae et inluminate uos in lumine scientiae[b]. Non *inluminatio*
15 primum, sed *satio* nostra praecepta est, ut, cum antea *nosmetipsos*, id est uitae nostrae usum, in spem *fructuum seuerimus*, deinde cum quae *sata sunt messuerimus*, tunc nos *lumine scientiae inluminemus*. Tenendus igitur hic ordo est : *sationis, messis* et *inluminationis*. Plures enim
20 nostrum *inluminari* se prius quam *serere* ac *metere* festinant, cum *satio* atque *messis* quaedam consequendi *luminis* praeparatio sit.

2. Prima igitur haec *beatitudo* est, *beatos* esse qui *immaculati in uia* sint, sed non *in uia* fortuita et in incerta et in erratica, sed *in uia* in qua *in lege Domini ambulatur*. Plures etenim utilem et necessariam *uiam* se
5 esse ingressos existimant ; sed *immaculati in uia* non erunt, quia non *in lege Domini ambulant*. Sed *uia* haec non solum ineunda est, sed etiam peragenda. Nemo enim, dum *in uia* est, id ad quod per *uiam* tendit obtinuit ; beatus Paulus ait : *Non quod aliquid acceperim aut iam*
10 *perfectus sim ; sequor autem si adprehendam, .in quo et adprehensus sum a Christo*[a]. Ergo adhuc ille pergebat ;

VL   RC   *pA*   *r* *S*   *mB*

1, 13 iustitia *L pA S mB Ba. Er. Gi. Mi.* ‖ fructu *pA S mB Gi. Mi.* ‖ 16 fructus *A   B* ‖ 17 seruerimus *C pA* ‖ 18 hic > *R*
2, 2 in³ > *VL R S Ba. Er. Gi.* ‖ 4-5 se esse : esse se *S Ba. Er. Gi.*   sese *VL C pA r mB Mi.*

---

1. b. Os. 10,12
2. a. Phil. 3,12

une moisson pour le fruit de la vie, une lumière dans la lumière de la science[b].» Ce n'est pas d'abord notre «illumination» qui a été prescrite, mais notre «ensemencement», ce qui veut dire que, lorsque nous nous serons d'abord «semés nous-mêmes», ou que nous aurons fait de notre manière de vivre une semence en vue d'espérer des «fruits», lorsque ensuite nous aurons «moissonné ce qui a été semé», alors nous serons «illuminés par la lumière de la science». Il faut donc respecter cet ordre : «ensemencement, moisson» et «illumination». Beaucoup parmi nous en effet ont hâte d'être «illuminés» avant de «semer» et de «moissonner», alors que l'«ensemencement» et la «moisson» sont une sorte de préparation pour atteindre la «lumière»[13].

2. Telle est donc la première *béatitude* : sont *heureux* ceux qui sont *purs dans la voie*; mais non pas une *voie* aléatoire, incertaine et errante, mais une *voie* dans laquelle on *marche dans la loi du Seigneur*. De fait, beaucoup pensent être entrés dans la *voie* utile et nécessaire[14]; pourtant ils ne seront pas *purs dans la voie* parce qu'ils ne *marchent* pas *dans la loi du Seigneur*. Mais il ne faut pas seulement entrer dans cette *voie*, il faut encore aller jusqu'à son terme. En effet, tant qu'on est *dans une voie*, on n'a pas atteint le but qu'on a en vue en empruntant cette *voie*; le bienheureux Paul dit : «Non que j'aie obtenu un résultat ni que je sois déjà parfait, mais je suis mon chemin pour tâcher de saisir, et là, j'ai été moi-même saisi par le Christ[a].» Donc il marchait encore, mais il marchait

---

13. Même citation d'*Os.* 10, 12 et même suite d'idées chez Origène. Celui-ci fait aussi remarquer «l'ordonnance» des deux premiers versets, avant de présenter la correction des mœurs comme condition nécessaire à «l'examen des enseignements divins» (*Ch. p.*, p. 186).

14. L'expression «la voie utile et nécessaire» se retrouve chez Hilaire en *Trin.*, 1, 4 ; elle est commentée par J. Doignon, *Hilaire ...*, p. 113-116.

sed pergebat ea *quae retro sunt obliuiscens*, his autem
quae in priore sunt se extendens. Itaque *uiam* hanc agens
beatus est qui cum *obliuione praeteritorum* in futurorum
15 spem *extenditur*[b]. Et quae *uia* sit, in qua unusquisque
ambulans beatus sit, Dominus docet dicens : *Ego sum uia*[c].
Quisque igitur in praeceptis eius institerit, hic *beatus*
est, dum uitia carnis coercet, dum animi petulantiam
edomat, dum auaritiae famem uincit, dum terrenorum
20 honorum gloriam euitat. Qui in his ergo manserit, hic est
immaculatus in uia et *in lege Domini ambulans*.

3. Adiectio autem ea, qua dictum est : *In lege Domini*,
non est otiosa. Est enim et peccati *lex*, de qua ait beatus
apostolus : *Video aliam legem in membris meis contra-*
militantem legi mentis meae et captiuum me ducentem in
5 *lege peccati*[a]. Ergo quia et *lex peccati* esset, idcirco
lex Domini dicta est. Nisi enim et *lex* esset exterior,
non cum adiectione proprietatis *legem Domini* propheticus
sermo dixisset.

2   **4.** Sequens deinde uersus est primae litterae : Beati
qvi scrvtantvr testimonia eivs et in toto corde
exqvirvnt evm. In primo uersu est : *Qui ambulant in*
lege Domini[a], in secundo : *Qui scrutantur testimonia eius*,
5 in quarto, quia tertius supplementum dedit secundo, de
mandatis ait dicens : *Tu mandasti mandata tua custodiri*

VL   RC   pA   r   S   mB

2, 12 sed pergebat > *pA Er.* ‖ ea : *pr.* et *C pA* ‖ his : *pr.* in
R S Ba. Er. Gi ‖ 13 priora *R pA Ba. Er. Gi. Mi.* ‖ 14 obliuionem
VL C ‖ in > *L* ‖ 17 quisquis *pA r S mB edd.*
3, 2 enim : autem *C* ‖ et > *B* ‖ 3 contramilitantem : repugnantem
R ‖ 4 captiuam *pA mB*   captiuantem *S* ‖ me > *pA mB* ‖ 5 lege :
legem *V*(?) *pA Ba. Er. Gi. Mi.*
4, 1 est uersus *VL r* ‖ 2 qui scrutantur : scrutantes *VL r S Zi.* ‖ et
> *C Ba. Er.* ‖ 4 in > *R* ‖ secundum *VL* ‖ qui scrutantur : qui scrutant
VL Zi.   scrutantes *r* ‖ 6 custodire *C r*

« oubliant ce qui est derrière, tendu vers ce qui est devant ».
Aussi, en suivant cette *voie* est-il *heureux* celui qui,
« oubliant le passé, est tendu » vers l'espérance des biens à
venir[b]. Et quelle est la *voie* où tout homme qui *marche* est
heureux, le Seigneur l'enseigne en disant : « Je suis la
voie[c][15]. » Donc celui-là est *heureux* qui se sera attaché à ses
préceptes en réprimant les vices de la chair, domptant
l'impétuosité de l'âme, venant à bout d'une cupidité
affamée, fuyant la gloire des honneurs terrestres. Aussi,
celui qui sera resté dans ces préceptes est *pur dans la voie*
et *marche dans la loi du Seigneur*[16].

3. L'adjonction de *dans la loi du Seigneur* n'est pas
inutile. Il existe en effet aussi la *loi* du péché, dont parle le
bienheureux apôtre : « Je vois une autre *loi* dans mes
membres qui fait la guerre à la *loi* de mon esprit et me
mène prisonnier dans la *loi* du péché[a]. » Donc c'est parce
qu'il y avait aussi la « *loi* du péché » qu'il est question de la
loi du Seigneur. En effet, s'il n'existait pas aussi la *loi*
extérieure, le texte du prophète n'aurait pas ajouté cette
précision : la *loi du Seigneur*.

4. Le verset suivant de la première lettre est : HEUREUX   2
CEUX QUI SCRUTENT SES TÉMOIGNAGES, ET QUI DE TOUT
CŒUR LE CHERCHENT. Dans le premier verset, il y a :
« Ceux qui marchent dans la loi du Seigneur[a] », dans le
deuxième : *Ceux qui scrutent ses témoignages*, dans le
quatrième — le troisième étant un complément du
second — il parle des commandements, en disant : « Tu as

2. b. cf. Phil. 3, 13 ‖ c. Jn 14, 6
3. a. Rom. 7, 23
4. a. *v. 1*

15. Origène (*Ch. p.*, p. 186) cite aussi *Phil.* 3, 13 et *Jn* 14, 6.
16. Tradition du thème des voies : CIC., *Tusc.*, 1, 72 ; *Didache*, 1-5 ;
Épître de Barnabé, 18-21 ; LACT., *Inst.*, 6 (début).

nimis[b], in quinto de iustificatione : *Vtinam dirigantur
uiae meae ad custodiendas iustificationes tuas*[c], in sexto
rursum de mandatorum effectibus : *Non confundar, cum*
10 *respicio in mandata tua*[d], in septimo de iudiciis : *Confitebor
tibi, Domine, in directione cordis, in eo quod didici iudicia
tua*[e], in octauo de iustificatione : *Iustificationes tuas
custodiam, non me derelinquas usquequaque nimis*[f]. Si ergo
aliud *lex*, aliud *praeceptum*, aliud *iudicium*, aliud *iusti-*
15 *ficatio*, aliud *testimonium*, necessarium est ab eo qui haec
omnia constituit et cóndidit intellegentiae gratiam nos et
munus orare. Totum hoc autem in commune *lex* dicitur.
Sed est quiddam in his speciale, quod propriam in se
habet *legis* nuncupationem.

5. Quid ergo est *lex*? *Vmbra* scilicet, ut apostolus
ait, *futurorum*[a]; quod de ceteris scriptum nusquam est,
ut *futurorum umbra* sit aut *iustificatio*, aut *testimonia*,
aut *mandata*; sed tantum id *legi* proprium est, ut
5 apostolus in plurimis docet, non secundum litterae intellegentiam *legem* esse tractandam, sed secundum spiritalem
doctrinam *futurorum* in ea *umbram* esse noscendam. Ait
enim : *Non obturabis os bouis triturantis*; et adiecit :
Numquid pecudum Deo cura est? *an propter nos dicta
10 scriptaque sunt*[b]? et rursum : *Legem legentes non audistis
quod Abraham duos filios habuit, unum ex ancilla et unum
ex libera*? *Sed qui ex ancilla, secundum carnem natus est*;

VL RC pA r S mB

4, 7 nimis : ualde *S* ‖ 10 in[1] + omnia *C pA r*[2] *mB Mi.* ‖ 12
iustificatione : -nibus *V r* ‖ 14 aliud[2] : ad *V* ‖ 17 autem hoc *V S Ba.
Er.* ‖ 17-18 in commune — propriam > *S Ba. Er.* ‖ 18 se > *VL*
eo *r*

5, 2 nequaquam *C* ‖ 4 id legi : in lege *C* ‖ 5 pluribus *Ba. Er. Gi.* ‖ 7
eam *V* ‖ 8 boui trituranti *L S Ba. Er. Gi.* ‖ 9 cura est deo *r* ‖ annon *RC
pA r*[2] *S*[2] *mB Ba. Er. Gi. Mi.* ‖ 10 scriptaque > *RC pA mB* ‖ 11 duos
habuit filios *L*   habuit duos filios *R* ‖ 12 ex[1] : de *L*

4. b. *v. 4* ‖ c. *v. 5* ‖ d. *v. 6* ‖ e. *v. 7* ‖ f. *v. 8*
5. a. Hébr. 10, 1 ‖ b. I Cor. 9, 9-10

donné tes commandements à garder extrêmement[b]»; dans
le cinquième, il est question de la règle de justice : «Que
mes voies soient dirigées pour que je garde tes règles de
justice[c]»; dans le sixième, à nouveau de ce que produisent
les commandements : «Je ne serai pas confondu du
moment que je regarde tes commandements[d]»; dans le
septième, des jugements : «Je te confesserai, Seigneur,
dans la droiture de mon cœur, parce que j'ai appris tes
jugements[e]»; dans le huitième, de la règle de justice : «Je
garderai tes règles de justice; ne m'abandonne pas trop
complètement[f]». Si autre chose est la «loi», autre chose le
précepte, autre chose le «jugement», autre chose la «règle
de justice», autre chose le *témoignage*, il est nécessaire de
demander à celui qui les a établis et fondés la grâce et la
faveur de leur intelligence[17]. Tout cet ensemble est appelé
du terme général de «Loi». Mais il y a en lui quelque chose
de particulier auquel revient en propre le nom de «loi».

5. Qu'est-ce donc que la «loi»? C'est, comme le dit
l'Apôtre, l'«ombre des biens à venir[a]»; or, à propos du
reste, il n'est écrit nulle part que la «règle de justice», les
témoignages ou les «commandements» soient l'«ombre des
biens à venir»; mais la «loi» seule a cette propriété, comme
l'Apôtre l'enseigne en plusieurs endroits, qu'elle ne doit
pas être commentée d'après son sens littéral, mais que, en
vertu de l'enseignement spirituel, elle doit être reconnue
comme l'«ombre des biens à venir». L'Apôtre dit en effet :
«Tu ne muselleras pas le bœuf qui foule le grain»; et il a
ajouté : «Dieu se met-il en peine des bœufs? N'est-ce pas
pour nous que cela a été dit et écrit[b]?» Et encore : «Vous
qui lisez la loi, n'entendez-vous pas qu'Abraham eut deux
fils, l'un de la servante, l'autre de la femme libre? Mais
celui de la servante est né selon la chair, celui de la femme

---

17. «Traduction» d'Origène (*Ch. p.*, p. 190, v. 2, l. 1-5).

qui autem ex libera, secundum repromissionem[c]. Et quia
lex futurorum umbra est, adiecit : *Quae sunt allegorumena,*
15 *haec enim sunt duo testamenta*[d]. Ergo quaecumque doctrinarum spiritalium *umbram* complexabunt, haec *lex* esse
dicenda est; quia *lex* et *spiritalis est*[e] et *umbra* est
futurorum.

6. *Mandatum* autem Domini est in quo obseruatio
praeceptorum et custodia continetur, ut illud : *Non
occides, non moechaberis*[a], et cetera horum similia. Et
quia haec simplicia et splendida sunt nosque in uerum
5 lumen per obseruantiam suorum dirigentia, idcirco ita
dictum est : *Praeceptum Domini lucidum, inluminans
oculos*[b]. De *lege* autem non conuenerat ista dixisse,
quia per *umbram futurorum* sancta est et *animas* per
futurorum cognitionem *conuertens*[c]; *mandatum* autem per
10 obseruantiam sui *inluminans.*

7. Ergo quia *beati* sunt *scrutantes testimonia Dei,* et
aliud *legem,* aliud *mandatum,* aliud *testimonia* esse sicut
cetera diximus, quae haec *Dei* sint *testimonia* noscendum
est. *Legis* etenim totius liber sub *testimoniis* datus est.
5 *Caelum* namque *et terram* Moyses librum testamenti tradi-
turus in *testimonium* aduocauit[a]. Sunt et plurima in

VL   RC   pA   r   S   mB

5, 14 esset *pA r mB Mi.* ‖ allegorumena : allegorica *R r mB Gi.*
allegoriarum *C*   > *Ba. Er.* ‖ 16 umbram (-bra *C*) complexa sunt
C pA r mB Mi.   umbra complexa est *S Ba. Er. Gi.* ‖ 17 est[2] > *R pA*
mB

6, 3 moecharis *V* ‖ 5 sui *pA S mB Ba. Er. Gi. Mi.* ‖ 5-6 ita dictum :
adiectum *VL r* ‖ 8 quia : quae *Ba. Er. Mi.* ‖ sancta : aucta *Ba. Er.*
Gi. ‖ 8-9 sancta — futurorum > *V* r[1]

7, 2 testimonium *C pA* r[2] *mB Mi.* ‖ 4 enim *C pA Ba. Er. Gi. Mi.* ‖ 6
et sunt *pA mB Mi.*

libre, selon la promesse[c].» Et parce que la «loi» est
l'«ombre des biens à venir», il ajouta : «Ce sont là des
allégories, elles représentent en effet les deux
Testaments[d].» Donc tout ce qui contiendra l'«ombre» des
enseignements spirituels doit être appelé «loi» parce que la
«loi est spirituelle[e]» et qu'elle est l'«ombre des biens à
venir»[18].

6. Dans le «commandement» du Seigneur sont contenues l'observance et la garde des préceptes ; par exemple :
«Tu ne tueras pas, tu ne commettras pas d'adultère[a]», et
les autres commandements semblables. Et comme ils sont
simples et lumineux et qu'ils nous conduisent à la vraie
lumière quand on les observe, il est dit : «Le précepte du
Seigneur est brillant, illuminant les yeux[b].» Il n'aurait pas
convenu de dire cela de la «loi», parce qu'elle est sainte en
raison de l'«ombre des biens à venir» et «convertit nos
âmes» par la connaissance de ces «biens»[c], tandis que le
«commandement illumine» du fait qu'on l'observe[19].

7. Donc, puisque sont *heureux ceux qui scrutent les
témoignages de Dieu* et que, nous l'avons dit, autre chose
est la «loi», autre chose le «commandement», autre chose,
comme tout le reste, les *témoignages*, il faut savoir ce que
sont ces *témoignages de Dieu*. Le livre qui contient toute la
«Loi» a été donné avec des *témoignages*. En effet, au
moment de remettre le livre de l'alliance, Moïse appela «le
ciel et la terre» pour qu'ils portent «*témoignage*[a]». Bien des

---

5. c. Gal. 4, 21-23 ‖ d. Gal. 4, 24 ‖ e. Rom. 7, 14
6. a. Ex. 20, 13-14 ‖ b. Ps. 18, 9 ‖ c. cf. Ps. 18, 8
7. a. cf. Deut. 4, 26 ; 30, 19

---

18. Définition de la loi empruntée à Origène qui utilise les mêmes
versets de Paul (*Ch. p.*, p. 190, v. 2, l. 5-18).

19. Définition du commandement inspirée de celle d'Origène (*Ch.
p.*, p. 192, v. 2, l. 18-23). Même citation de *Ps.* 18, 9b.

causam *testimoniorum* constituta, cum Iacob ait : *Testi-*
monium erit uobis collis iste, et testimonium erit lapis iste[b].
Et in Iesu scriptum est : *Duodecim lapides ecferte, ut sint*
10 *hi in testimonium filiis uestris*[c]. Curato etiam leproso
Dominus ait : *Offers munus tuum in testimonium, quod*
constituit Moyses illis[d]. Apostolus plura ad Timotheum
per epistulam loquens denuntiat sub testibus dicens : *In*
conspectu multorum testium denuntio tibi et in conspectu
15 *Dei uiuificantis omnia et Iesu Christi et electorum angelo-*
rum, ut haec custodias[e]. Plura igitur et innumerabilia
sunt *Dei testimonia* ; quae si quis *scrutari* per cognitionem
legis, prophetarum, euangeliorum, apostolorum uellet, in
beatitudine permaneret, neque uelut uacuo et solitario
20 orbe uiuens sciret se nisi sub *teste* peccare. Plena sunt
enim omnia diuinis *testimoniis* ; et omne hoc uacuum
quod putatur repletum est *angelis* Dei nihilque est quod
non haec diuinorum ministeriorum *frequentia* incolat[f].

8. Horum itaque cognitionem per doctrinam quis
adeptus scit se sub *testibus* uiuere. Et cum natura
humanae infirmitatis procliuis ad uitia est, refugit tamen
uel sub *teste* peccare ; quod ipsum docet nos communis
5 consuetudinis ratio. Quis enim furari sub *teste* non metuit ?
Quis ad scelus nisi secretum elegit ? Quis ad adulterium
non aut solitudinem aut noctem optauit ? Et si quando

VL   RC   pA   r   S   mB

7, 7 causa *C pA S mB Ba. Er.* ‖ 9 iesum *L   R* ‖ ecferte : tollite *S*
Ba. Er. Gi. ‖ 10 in > *C   B¹* ‖ curato : cur *VL* ‖ 11 offer *C pA r S mB*
edd. ‖ testimonio *V r* ‖ 14 conspectum *L* ‖ 15 iesus christus *V* ‖ 18
euangelistarum *m* ‖ 18-19 in beatitudine > *C* ‖ 19 et > *V* ‖ 20 sese *L* ‖
nisi : nsim *(sic) V   > L* ‖ testem *V* ‖ 22 est¹ > *C p r S mB Ba. Zi.*
8, 2 naturam *V* ‖ 5 metuet *VL R pA r mB* ‖ 6 eligit *V C S   eliget*
pA mB ‖ 7 optabit *VL pA r mB*

choses encore furent établies pour servir de *témoignages* ;
Jacob dit : « Ce monceau vous portera *témoignage* et cette
pierre portera *témoignage*[b]. » Il est encore écrit dans Josué :
« Chargez douze pierres pour qu'elles soient un *témoignage*
pour vos fils[c]. » De même après la guérison du lépreux, le
Seigneur dit : « Présente en *témoignage* ton offrande, celle
que Moïse a établie pour eux[d]. » L'Apôtre, s'adressant
longuement à Timothée dans une lettre, l'adjure en
présence de témoins en disant : « Sous le regard de
nombreux témoins, je t'adjure, sous le regard de Dieu qui
donne la vie à toute chose, de Jésus-Christ et des anges
élus : garde ces règles[e]. » Nombreux et innombrables sont
donc les *témoignages de Dieu* ; si l'on voulait les *scruter* par
la connaissance de la « Loi », des prophètes, des Évangiles
et des apôtres, on demeurerait dans la *béatitude* et l'on
saurait que, ne vivant pas dans un monde qui serait vide et
dépeuplé, on ne pèche qu'en présence de « témoins ». En
effet l'univers entier est rempli de *témoignages* divins ; tout
ce que l'on croit vide est peuplé d'« anges » de Dieu et il
n'est aucun lieu que n'habite cette « foule » des serviteurs
divins[f20].

8. Aussi, celui qui par l'enseignement en a acquis la
connaissance sait qu'il vit en présence de « témoins ». Et
bien que la faiblesse humaine soit, en raison de sa nature,
portée aux vices, elle refuse cependant de pécher précisément en présence d'un « témoin » ; l'expérience commune
nous l'apprend. Qui en effet n'a pas craint de voler en
présence d'un « témoin » ? Qui n'a choisi pour un crime un
lieu écarté ? Qui n'a souhaité ou bien la solitude ou bien la
nuit pour un adultère[21] ? Et si jamais, dans la fièvre des

7. b. Gen. 31, 52 ‖ c. Jos. 4, 5 ‖ d. Matth. 8, 4 ‖ e. I Tim. 5, 21 ‖ f. cf.
Hébr. 12, 22

20. Définition du témoignage à l'aide de citations de l'Ancien
Testament déjà faites par Origène (*Ch. p.*, p. 192, v. 2, l. 23-28).
21. Lieu commun de l'éthique classique. Cf. Cic., *Off.*, 3, 37-39.

incalescentibus iam ad crimen animis promptum est,
tamen furor insanientis uoluptatis occursu *testis* coercetur,
10 et in sese abruptam humanae petulantiae naturam
nonnumquam intercessio repentina reuocauit. Si ergo
metus intercessionis iam praesumptum animo facinus
demoratur, quid Christianum hominem agere conueniet,
scientem se tot undique spiritalium uirtutum *testimoniis*,
15 non dico operum suorum, sed ipsius tantum uoluntatis
obsessum? Nonne cum in aliquam turbidae adfectionis
uoluntatem infirmitatis nostrae aculeis commouemur,
metuimus adsistentes undique nobis choros *angelorum*
et plenum ministeriis caelestibus mundum? Si enim
20 *angeli* paruulorum *patrem* nostrum *cotidie uident, qui in*
caelis est[a], possumus *testimonia* eorum metuere quos et
nobiscum manere et Deo cotidie scimus adsistere. Quin
etiam ipsum illum diabolum, per quem ipsa illa uitiorum
nostrorum incentiua praebentur, suosque omnes *testes*
25 metuere debemus, puncto temporis omnem amplitudinem
mundi huius obeuntem, cui dulce est peccare nos, ut
peccatorum nostrorum *testimonio* glorietur. Est enim eius
haec propria calliditas, instigare ad peccandum et arguere
peccantes. Dictum est enim : *Aut nescis quid est diabolus,*
30 *accusator fratrum uestrorum*[b]?

9. Et quia essent hae aduersariae nobis uirtutes in
testimonio cūm ceteris permanentes, de sanctis tantum
prophetam meminisse dignum fuit dicentem : *Beati scru-*

VL RC pA r S mB

8, 8 incalescentibus + uitiis *C pA r² S mB Ba. Er. Mi.* ‖ iam :
tam *pA* ‖ animus promptus *L C pA r S mB Ba. Er. Mi.* ‖ 9 uoluntatis
Ba. Er. Gi. Mi. ‖ 10 abrupta ... natura *pA* ‖ 11-12 intercessio —
metus > *V* ‖ 11 intercessio + ista *pA* ‖ 11-12 repentina —
iam > *pA* ‖ 11 reuocabit *L* ‖ 12 metu *r B* ‖ praesumpto *VL* ‖
14 tot : totum *r* ‖ 15 operum — ipsius > *V r¹* ‖ 16 in > *R* ‖ 18
adsistens *V r* ‖ chorus *VL* ‖ 27 est : et *V r* ‖ 28 calliditas + est *r* ‖
29 aut : an *S Ba. Er.* ‖ quid : quia *C S Ba. Er. Gi. Mi.*   quod
mB ‖ est : sit *V r mB Zi.*   adest *S Ba. Er. Gi. Mi.* ‖ 30 nostrorum
A S mB

esprits portés à la faute, l'adultère est imminent, le déchaînement du plaisir insensé est arrêté par l'irruption d'un «témoin» et une intervention imprévue a parfois fait se ressaisir une nature brutale portée à l'effronterie. Si donc la peur d'une intervention retarde un méfait déjà conçu en pensée, que conviendra-t-il au chrétien de faire, lui qui sait que partout, non pas ses œuvres, mais sa seule volonté est enveloppée par les *témoignages* de tant de puissances spirituelles? Lorsque nous sentons les aiguillons de notre faiblesse nous pousser à désirer une émotion trouble, ne craignons-nous pas les chœurs des «anges» partout présents autour de nous et le monde rempli de serviteurs célestes? Si en effet les «anges» des tout-petits «voient chaque jour» notre «père qui est aux cieux[a]», nous pouvons craindre les *témoignages* de ceux dont nous savons qu'à la fois ils restent avec nous et sont chaque jour auprès de Dieu. Bien plus, nous devons craindre ce diable en personne qui suscite précisément en nous les vices, et tous les «témoins» qui sont les siens; en un rien de temps il occupe la totalité de ce monde et il lui est agréable que nous péchions pour se glorifier du *témoignage* de nos péchés. En effet, il a en propre cette malice d'inciter au péché et d'accuser les pécheurs[22]. Il est dit en effet : «Ou bien ignores-tu ce qu'est le diable, l'accusateur de vos frères[b]?»

9. Et comme ces puissances qui nous sont hostiles demeuraient mêlées aux autres dans le *témoignage*, il convenait que le prophète n'évoquât que celles qui sont saintes; il dit : *Heureux est-on quand on scrute ses*

9, 1 sunt *Ba. Er. Gi.* ‖ hae : haec *R*   > *C pA B Mi.* ‖ 3 prophetam > *R*

---

8. a. cf. Matth. 18, 10 ‖ b. Apoc. 12, 10

---

22. Sur l'occupation du monde par les anges et les démons, cf. Tert., *Apol.*, 22, 8 ; *Spect.*, 8 ; *Marc.*, 5, 17. Sur le diable calomniateur, cf. Tert., *Anim.*, 35, 3.

114 SUR LE PSAUME 118, ALEPH

tantes testimonia eius, non aliena scilicet, sed illa quae Dei
5 sunt. Non neglegens autem *testimoniorum Dei* oportet esse
scrutatio; ob quod dictum est : *In toto corde exquirunt eum*.
Non pro parte studium caelesti doctrinae adhibendum
est, sed *toto corde Dei testimonia* inquirenda sunt, ut, quia
sunt et alia quae Dei non sunt, ea quae Dei discimus esse
10 non auocato in alia negotia *corde scrutemur*.

3   **10.** Succedit deinde hic uersus : Non enim qvi ope-
rantvr iniqvitatem in viis eivs ambvlavervnt. In
primo uersu singulariter *uia* commemoratur, in hoc tertio
plures, ex quo intellegendum est per multas *uias* ad unam
5 perueniri ; in qua quisque *immaculatus* si sit, hic *beatus*
est[a]. De plurimis autem *uiis* atque una Ieremias paria
testatus est dicens : *Stale in uiis et interrogate uias Domini
aeternales et quaerite quae sit uia bona*[b]. *In* plurimis
ergo *uiis standum est*, et plurimae *interrogandae sunt*; et
10 hae quidem plures et *Domini* sunt et *aeternales*, et in his
cernendum est quae sit *uia* optima. *Viae* plures sunt et
plurima *Domini* mandata, plures prophetae, per quos
omnes in unam *uiam* pergitur, sed in his *operarii
iniquitatis non ambulauerunt*. Nam si in lege mansissent,
15 usque ad optimam illam noui testamenti *uiam* peruenȳ-
rent. Est *uia* per Moysen, est per Iesum, est per Dauid,
est per Esaiam, est per Ieremiam, est per apostolos ; et
per has omnes necesse est ad eum perueniri qui dixit :

VL   RC   pA   r   S   mB

9, 4 eius : tua *R Ba. Er. Gi.* ‖ 5-6 neglegentem ... scrutationem *R B
Gi. Mi. Zi.* ‖ 5 oportere *C* ‖ 6 exquirent *VL Zi.* ‖ 7 caelestium *V* ‖ 9
ea : et *C*
10, 5 peruenire *C* ‖ quique *VL* ‖ hic > *C* ‖ 6-7 de — est > *V* ‖
pariter attestatus *C* ‖ 7 uiis > *C* ‖ 9 et[1] : ei *C* ‖ 10 haec *RC* ‖ 12
plurima : plura *C pA r*[2] *B Mi.* ‖ dei *Ba. Er. Gi. Mi.* ‖ 13 una uia *mB* ‖
15 optimum illud *V* ‖ uia *C* ‖ 18 ad eum necesse est *C pA S mB Ba. Er.
Gi. Mi.* ‖ peruenire *C pA r S mB Ba. Er. Gi. Mi.*

témoignages ; précisons : non pas ceux d'un autre, mais ceux qui appartiennent à Dieu. Or il ne faut pas que cet *approfondissement des témoignages de Dieu* soit fait avec négligence ; aussi est-il dit : *De tout cœur ils le cherchent.* On ne doit pas apporter à l'enseignement céleste une application partielle, mais on doit *de tout cœur* rechercher les *témoignages de Dieu*, pour que, comme il en existe aussi d'autres qui ne sont pas de Dieu, ceux dont nous apprenons qu'ils sont de Dieu, nous ne les *scrutions* pas d'un *cœur* qui se détourne vers d'autres occupations.

10. Vient ensuite ce verset : En effet ceux qui font l'injustice n'ont par marché dans ses voies. Dans le premier verset il est question de la *voie* au singulier ; dans ce troisième, de plusieurs. Il faut comprendre par là que par de nombreuses *voies* on parvient à une voie unique ; celui qui serait « pur » en elle est « heureux[a] ». Sur les *voies* très nombreuses et la voie unique, Jérémie a porté le même témoignage en disant : « Tenez-vous sur les *voies*, interrogez les *voies* éternelles du Seigneur et cherchez quelle est la bonne *voie*[b]. » Il faut donc « se tenir sur » un très grand nombre de « *voies* » et en « interroger » un très grand nombre ; d'une part, il y a plus d'une voie assurément qui soit « du Seigneur » et qui soit « éternelle », d'autre part, dans leur nombre, il faut reconnaître quelle est la « *voie* » la meilleure. Nombreuses sont les « *voies* », très nombreux sont les commandements « du Seigneur », nombreux sont les prophètes, qui tous nous font avancer vers la « *voie* » unique ; cependant, en ces voies les *artisans d'injustice n'ont pas marché*. En effet, s'ils étaient restés dans la Loi, ils seraient parvenus jusqu'à la *voie* d'excellence, celle du Nouveau Testament. Il y a une *voie* par Moïse, une par Josué, une par David, une par Isaïe, une par Jérémie, une par les apôtres ; et par toutes, nécessairement, on parvient

3

10. a. cf. *v. 1* ‖ b. Jér. 6, 16

Ego sum uia et nemo uadit ad patrem nisi per me[c]. Simile
20 quiddam sub margaritae nomine dictum esse intellegendum est. Multarum enim *margaritarum negotiatorem*
esse oportet, ut unam *margaritam* multi *pretii* consequatur[d]. De *margaritis* cum fit sermo, sufficit ad honorem
earum quod *margaritae* sunt nuncupatae ; una autem illa
25 *margarita*, quae reperta est, magni esse *pretii* dicitur ; ita
et cum de *uiis* plurimis prophetatur, quod et *Domini* et
aeternales sint dictum est ; cum autem in his *uiis quaeritur*
quae sit utilis *uia*, ea quae reperta est optima praedicatur.
Ergo, quamuis uel illae *uiae aeternales* sunt uel *margaritae*
30 ipso suo nomine honorabiles sunt, *in* multis *uiis standum*
est, ut *bona uia* reperiatur, et *uendendae omnes margaritae*
sunt, ut ea quae multi *pretii* est reperta coematur.

4   **11.** Dehinc consequitur hic uersus : Tv MANDASTI MAN-
DATA TVA CVSTODIRI NIMIS. Superius commemorauimus
aliud significare *mandata*, aliud legem. Et de *lege*, quantum
arbitror, apostolus nobis testis fuit quia *umbra* sit *futu-*
5 *rorum*[a], in qua species *ueritatis*[b] tamquam corpus in *umbra*
describitur. *Mandatum* uero est, quod per obseruantiam
implendum est ; ut illud : *Non moechaberis, non occides*[c].
Non enim in eo species futurae imaginis continetur, sed
praesentem habet operationis effectum : *Tu mandasti*

VL   RC   pA   r   S   mB

10, 19 et > *R* || uadit : uenit *mB Ba. Er.* || 24-25 unam ... illam
margaritam *C pA B¹* || 26 et² > *pA r² B* || 27 dictum est : dictae *Ba.*
Er. || 29 sunt : sint *V C r S Ba. Er. Gi. Mi.* || 30 sunt : sint *C S Ba. Er.*
Gi. Mi.

11, 2 custodire *r m* || 3 de > *L* || 5 umbram *L* || 7 non² : et non *VL r*
S Ba. Er. Gi.

10. c. Jn 14, 6 || d. cf. Matth. 13, 45-46
11. a. cf. Hébr. 10, 1 || b. cf. Rom. 2, 20 || c. Ex. 20, 13-14

23. Commentaire du v. 3 très fidèle à celui d'Origène (*Ch. p.*,
p. 193-194, v. 3, l. 1-12). Même développement d'Hilaire en *In psalm.*
127, 3.

à celui qui a dit : «Je suis la *voie* et personne ne va au Père sinon par moi[c 23].» On doit comprendre de la même façon ce qui est dit sous le nom de la perle. Il faut en effet être «marchand» de nombreuses «perles» pour obtenir la seule «perle» qui soit d'un grand «prix[d]». Lorsqu'on parle de «perles», le nom de «perles» suffit à montrer leur valeur ; mais de cette «perle» seule qu'on a trouvée, il est dit qu'elle est d'un grand «prix» ; de même, lorsque dans le texte prophétique il est question de *«voies»* très nombreuses, il est dit que ce sont celles «du Seigneur» et qu'elles sont «éternelles» ; mais lorsqu'on «cherche» parmi ces *«voies* quelle est la *voie»* utile, celle que l'on a trouvée est présentée comme la meilleure. Donc, bien que ces *«voies»* soient «éternelles» ou que les «perles» tirent leur valeur de leur seul nom, il faut cependant «se tenir sur» beaucoup de *«voies»*, pour trouver la «bonne *voie»* et «vendre toutes les perles» pour acheter du même coup celle de grand «prix» que l'on a trouvée[24].

11. Après, suit ce verset : Tu as donné tes commande-ments à garder extrêmement. Précédemment, nous avons rappelé que les *commandements* avaient une signifi-cation ; la loi, une autre. Concernant la «loi», je pense, l'Apôtre fut témoin pour nous qu'elle est l'«ombre des biens à venir[a]» : en elle se dessine l'image de la «vérité[b]» comme un corps est représenté dans son «ombre». Mais le *commandement* est ce qui doit trouver son accomplissement dans notre observance ; ainsi : «Tu ne commettras pas d'adultère, tu ne tueras pas[c].» Le commandement ne contient pas la représentation d'une image de ce qui viendra, mais implique la réalisation immédiate d'une action : *Tu as donné tes commandements à garder avec force.*

4

24. Le développement sur les perles est absent du commentaire d'Origène transmis par la *Ch. p.*, mais Origène commente *Matth.* 13, 45-46 en *Hom. Ez.*, 8, 2.

10 *mandata tua custodiri ualde.* Nihil igitur dissoluto animo,
nihil incurioso agendum est, sed sollicitos atque anxios
curam *mandatorum Dei* exsequi nos oportet, ut id quod
agimus in profectum fidei nostrae cum reuerentia eius cui
agimus exsequamur[d]. Ceterum si aliquid remissa uoluntate
15 et occupata in res alias cogitatione egerimus, officia
quidem corporis in agendo occupabuntur, sed deuotionis
meritum per neglegentiam non consequemur.

12. Habemus nunc post *mandatorum custodiam* etiam
5   IVSTIFICATIONVM obseruantiam. Et mandata iam superius,
quae esse existimaremus ostendimus. *Iustificationes* autem
sunt plures atque diuersae in obseruandis singulis officio-
5 rum generibus temperandae; ad quorum *custodiam*, nisi
a Deo *dirigamur*, infirmes per naturam nostram erimus.
Adiuuandi igitur per gratiam eius *dirigendique* sumus, ut
praeceptarum *iustificationum* ordinem consequamur. Est
nobis *iustificatio* circa *seruum Hebraeum* distributa[a], est
10 circa filium, est circa patrem, est circa fratres, est circa
fideles uiros, est circa ecclesiae principes, est circa angelos,
est circa Deum ac Dominum nostrum unigenitum Deum
uerbum. In singulis ergo quibusque generibus atque
nominibus *iustificationis* ratio seruanda est; quia nisi haec
15 omnia ex comparibus deuotae uoluntatis officiis reti-

VL RC pA r S mB

11, 10 custodire *C* ‖ igitur : ergo *m* ‖ 12 cura *VL* ‖ 13 reuerentiam
VL ‖ 17 consequemur : consequimur *C*   + utinam dirigantur uiae
meae ad custodiendas iustificationes tuas *pA r S mB Ba. Er. Gi. Mi.*
     12, 5 quarum *r* ‖ 6 infirmi *R²C r S m Ba. Er. Gi.* ‖ nostram > *C pA
mB* ‖ 7 eiusdem *pA mB* ‖ dirigendique > *pA mB* ‖ 9 hebraeum > *pA
B Ba. Er. Mi.* ‖ 11 est circa angelos > *m*

11. d. cf. Col. 3, 17
12. a. cf. Ex. 21, 2-6

On ne doit donc rien faire dans le laisser-aller, rien dans l'indifférence, mais il nous faut être préoccupés et soucieux de prendre en charge les *commandements de Dieu*, pour que, ce que nous faisons, nous l'accomplissions en vue du progrès de notre foi, dans le respect de celui pour qui nous le faisons[d]. Mais si nous faisons quelque chose sans effort de la volonté et la pensée occupée à d'autres choses, certes nos fonctions physiques seront occupées à agir, mais nous n'obtiendrons pas, par notre négligence, le mérite de la piété.

12. Maintenant, nous revient aussi après la *garde des commandements* l'observance des RÈGLES DE JUSTICE. Nous avons déjà montré plus haut ce que nous entendions par commandement. Nombreuses et diverses sont les *règles de justice* qu'il faut concilier, dans l'accomplissement de chaque catégorie de devoirs ; or, si nous ne sommes pas *dirigés* par Dieu, nous serons naturellement incapables de les *garder*[25]. Nous devons donc être aidés et *dirigés* par sa grâce, pour réaliser l'ordre qui régit les *règles de justice* qui nous ont été prescrites. Nous avons une *règle de justice* envers l'«esclave hébreu[a]», une autre envers notre fils, une autre envers notre père, une autre envers nos frères, une autre envers les fidèles, une autre envers les chefs de l'Église, une autre envers les anges, une autre envers notre Dieu et Seigneur, le Verbe Fils Unique de Dieu. Donc, dans chaque cas, pour chaque catégorie, on doit observer ce qui fonde la *règle de justice* ; en effet, si on ne tient pas compte de toutes ces règles de justice qui demandent des devoirs égaux à une volonté pieuse, on ne respectera pas la

25. Voir Origène (*Ch. p.*, p. 196, v. 5, l. 1-8).

neantur, *iustificationem Dei* non tenebimus. Religiosus in
patrem, si oderit filium, modum *iustificationis* amisit.
Religiosus in fratrem, si oderit seruum, perdidit *iustifica-*
tionis Dei ordinem. Religiosus in Dominum, si oderit
20 sacerdotem, quam *iustificationis* obseruantiam in religione
Dei explebit, odia in ipsa ministeria *diuinae iustificationis*
exercens? Iam uero in ipsa fidei ueritate, id est de Dei
patris et Domini intellegentia, per quam maxime *iustifi-*
catio nobis erit prompta, quanta opus est nobis Dei gratia,
25 ut recta sapiamus, ut ex propheticis atque euangelicis
auctoritatibus unum idemque teneamus, ne in uno aut
altero opinio nostra et sermo dissideat, sed uniuersas *Dei*
iustificationes aequa ac pari operum ac doctrinae obseruantia *dirigamus* !

13. Quod cum consequemur, tum dicere id quod conse-
6 quenti uersu continetur licebit : TVNC NON CONFVNDAR,
CVM RESPICIO IN OMNIA MANDATA TVA. Nisi enim attenti *in*
omnibus mandatis eius erimus ac deuersabimur, eruntque
5 alia praeterita, alia pro uoluntate obseruata, iustificationis ordinem non tenemus. Ceterum si *directis uiis* nostris

---

VL RC pA r S mB

12, 16 in iustificatione ... tenebimur *pA mB* ‖ religiosus : *pr.* si
sit *r* ‖ 18 si > *VL R r* ‖ 18-19 perdidit ... ordinem : praedictae ...
ordinem dereliquit *Ba. Er.* ‖ iustificationis dei ordinem : iustificationis
dei *R*   iustificationes dei *Gi.* ‖ 19 domino *r* ‖ 20 nequaquam *pA r²*
mB Mi. ‖ 21 expleuit *pA S mB Ba. Er. Mi.* ‖ odio *pA* ‖ 23
intellegentia : indulgentia *C* ‖ 23-24 iustificatio nobis : iustificationibus *V* ‖ 24 prompta : probata *pA r² S Ba. Er. Gi. Mi.* ‖ 26 aut : atque
in *r* ‖ 27 sed + ad *pA r² S B Mi.* ‖ 29 dirigamur *C pA r S mB Mi.*
13, 1 cum > *B* ‖ consequimur *L A B* ‖ tunc *VL RC pA r m* ‖ 3
cum : quod *C* ‖ omnia > *RC* ‖ 4 fuerimus *S Ba. Er. Gi.* ‖ ac
deuersabimur > *S Ba.* ‖ erint *VL R¹*   fuerint *S Ba. Er.* ‖ 6
tenebimus *S Ba. Er. Gi. Mi.* ‖ directis : derelictis *C*   indeflexis *pA r*
mB ‖ uiis : uitiis *pA r B*   uiribus *m*

règle de justice de Dieu[26]. Qui est plein de piété pour son
père, mais hait son fils, a perdu l'équilibre que demande la
règle de justice. Qui est plein de piété pour son frère, mais
hait son esclave, n'a pas respecté l'ordre qui régit la *règle
de justice de Dieu*. Qui est plein de piété pour le Seigneur,
mais hait son prêtre, quelle observance de la *règle de justice*
pratiquera-t-il dans le culte qu'il rend à Dieu, lui qui
exerce sa haine contre la personne même des serviteurs de
la *règle de justice de Dieu*[27] ? D'autre part, dans la vérité de
la foi, c'est-à-dire celle qui touche à l'intelligence de Dieu
le Père et du Seigneur et qui nous fera le mieux voir la *règle
de justice*, combien grande est la grâce divine dont nous
avons besoin pour avoir une opinion droite, pour tirer de
l'autorité des prophètes et des Évangiles une seule et
même interprétation qui empêche nos pensées et nos
paroles de se disperser[28], mais nous permette de tenir dans
leur *direction* toutes les *règles de justice de Dieu* et de les
observer également et semblablement, qu'il s'agisse de les
mettre en pratique ou de s'en instruire !

13. Lorsque nous obtiendrons ce résultat, il nous sera
alors permis de dire ce qui est contenu dans le verset
suivant : ALORS JE NE SERAI PAS CONFONDU, DU MOMENT   6
QUE JE REGARDE VERS TOUS TES COMMANDEMENTS. En
effet, si nous ne sommes pas et ne restons pas attentifs à
tous ses commandements, si les uns sont laissés de côté, les
autres observés suivant nos désirs, nous ne respectons pas
l'ordre qui est celui de la règle de justice. Mais si, par les
« voies droites » que nous empruntons, nous « gardons »

---

26. Règle de justice envers l'esclave hébreu : *Ex.* 21, 2-6 ; devoirs
envers le père : *Ex.* 21, 15.17 ; envers les frères : *Ex.* 21, 12 ; envers les
prêtres : CYPR., *Eccl. unit.*, 17.

27. Cf. *I Jn* 4, 20 ou *Jac.* 2, 10.

28. L'hérésie est l'interprétation libre et personnelle d'un enseignement reçu : TERT., *Praescr.*, 42.

erit par in omnes aequalisque *custodia*[a], nullo obliuionis
aut neglegentiae pudore *confusi* confidenter *omnium man-*
datorum obseruatione gaudebimus.

7-8a   **14.** Sequitur deinde hic septimus uersus : CONFITEBOR
TIBI IN DIRECTIONE CORDIS MEI, IN EO QVOD DIDICI IVDICIA
IVSTITIAE TVAE. IVSTIFICATIONES TVAS CVSTODIAM. Abi-
cienda ergo est omnis animae peruersitas et *directo* atque
5 in nullam aliam partem deflexo *corde est confitendum*, ne
decidat animus in saeculi curam, ne ex illis doctrinae Dei
semitis in deuia euagetur. Sed *directae* huius *confessionis*
ea causa est quae consequenti uersu continetur : *In eo*
quod didici iudicia iustitiae tuae. Primum igitur orauit *ut*
10 *ad custodiendas iustificationes directae uiae ipsius* fierent[a].
Secundo in nullo *confundendum* se esse subiecit, *cum in*
omnia Dei mandata respiceret[b]. Tertio quoque *in directione*
cordis sui Deo se confessurum spopondit ob id quia *iudicia*
iustitiae eius didicisset, per doctrinam scilicet *directi cordis*
15 cognitaeque *iustitiae* laudem Deo reddens. Sed *iustitiae*
cognitae hic fructus est, ut *iustificationes Dei* retineantur ;
et idcirco subiecit : *Iustificationes tuas custodiam.* Qui enim
didicisse iudicia Dei fructus est, nisi cognitionem nostram
iustificationum obseruantia consequatur ?

VL   RC   pA   r   S   mB

13, 7 erit > *R* ‖ in omnes : in omnibus *pA mB Mi.*   in omnia
Er. Gi   > *C* ‖ nulla *VL* ‖ 8 aut : uel *edd.*
14, 1 dehinc *r* ‖ 2 mei > *RC pA S B Ba. Er. Gi. Mi.* ‖ in eo > *R* ‖ 4
animi *L* ‖ 5 aliam : malam *pA B* ‖ confidendum *VL RC²* ‖ ne : nec *r* ‖
6 decedat *VL pA Mi.*   cedat *S Ba. Er.*   uel cadat *S* ‖ 8-9 in eo
— tuae : iustificationes tuas custodiam *r* ‖ 11 secundum *pA* ‖ 13 sui
> *RC pA S mB Ba. Er. Gi. Mi.* ‖ dei *VL* ‖ 17 quis *C Ba. Er.*
Gi.   quid *R* ‖ 19 obseruantiam *C*

13. a. cf. *v. 5*
14. a. cf. *v. 5* ‖ b. cf. *v. 6*

toutes les règles de la même façon et également[a][29], nous nous réjouirons en toute confiance, au lieu d'être *confondus* par la honte qu'engendrent l'oubli ou la négligence, d'avoir observé *tous les commandements*.

14. Suit ce septième verset : JE TE CONFESSERAI DANS 7-8a
LA DROITURE DE MON CŒUR, PARCE QUE J'AI APPRIS LES
JUGEMENTS DE TA JUSTICE. JE GARDERAI TES RÈGLES DE
JUSTICE. Il faut donc rejeter toute déviation de l'âme et *faire sa confession d'un cœur droit*, qui ne se détourne vers rien d'autre, de peur que l'esprit ne tombe dans le souci du monde, ne s'égare hors des sentiers de l'enseignement divin sur des chemins écartés. Mais la raison de cette *confession droite* est celle qui est contenue dans la suite du verset : *Parce que j'ai appris les jugements de ta justice.* Donc il a d'abord demandé, «afin de garder les règles de justice, que ses propres voies fussent rendues droites[a]». Deuxièmement, il a ajouté qu'il ne serait nullement «confondu, du moment qu'il regardait vers tous les commandements de Dieu[b]». Troisièmement, il s'est aussi engagé à *confesser Dieu dans la droiture de son cœur, parce qu'il avait appris les jugements de sa justice*, ce qui veut dire qu'il rend gloire à Dieu pour avoir trouvé dans l'enseignement reçu la *droiture du cœur* et la connaissance de la *justice*. Mais le fruit de la connaissance de la *justice*, c'est de respecter les *règles de justice de Dieu* ; et c'est pourquoi il a ajouté : *Je garderai les règles de justice.* En effet, quel bénéfice y a-t-il à avoir *appris les jugements* de Dieu, si l'observance des *règles de justice* n'accompagne pas la connaissance que nous en avons eue ?

---

29. Suite du commentaire du v. 5 cité au § 4 et commenté en partie au § 12.

15. Sed meminisse debemus, licet cognitio praestanda a Deo sit, tamen esse semper orandum ut his quae in *custodiendis iustificationibus suis custodire* uolumus faueat, scientes quidem frequenter nos ab eo ob *temptationes*
5 derelinqui, ut per eas *fides* nostra *probabilis* fiat[a]. Verumtamen secundum prophetam, ne nos penitus derelinquat
8b deprecandus est; ait enim : Non me derelinqvas vsqve-qvaqve nimis. Quod et in dominicae orationis ordine continetur, cum dicitur : *Ne derelinquas nos in temptatione,*
10 *quam sufferre non possumus*[b]. Scit apostolus *derelinqui nos ad temptandum,* sed nouit et mensuram infirmitatis nostrae Deum nosse dicens : *Fidelis est Deus, qui non permittat nos temptari super quam possumus*[c]. Iob Deus *temptationi permittens* a iure diaboli potestatem animae eius excerp-
15 sit[d] et secundum modum infirmitatis humanae *templanti* ius *dereliquit.* Infirmitatis suae igitur propheta conscius orat ne ualde *derelinquatur*; ut imbecillitatem eius, tamquam Petri *demergendi* fluctibus[e], Dominus adsumat, ut, quamquam ad *temptandum* sese relicturus sit, non tamen
20 *usquequaque* et ualde, scilicet ne usque animae et fidei periculum *derelinquat.*

VL RC pA r S mB

15, 2 his : *pr.* in *V r* ‖ 3 foueat *VL* ‖ 9 ne : non *C pA edd.* ‖ temptationem *R r S Ba. Er. Gi.* ‖ 10 ferre *L RC pA S mB Ba. Er. Gi. Mi.*   sufficere scilicet *r* ‖ possumus *L C pA S Mi.* ‖ 12 permittet *C* ‖ 13 supra *V r Ba. Er. Gi. Zi.* ‖ 14 ac iuri *pA m* ‖ 15 tentandi *p r B Gi. Mi.*   tentationis *A*   tentari *Ba.* ‖ 16 iure *C* ‖ 19 relictus *r mB Ba. Er.* ‖ 20 et ualde — usque > *R* ‖ usque + ad *pA r mB Mi.* ‖ 21 relinquat *VL pA mB*   derelinquatur *Ba. Er.*

finit littera prima *L C pA*   finit de prima littera *S*   finit *R*   explicit littera prima *r*   finitur aleph *Ba. Er.*

_____

15. a. cf. Jac. 1, 2-3 ‖ b. Matth. 6, 13 ‖ c. I Cor. 10, 13 ‖ d. cf. Job 2, 6-12 ‖ e. cf. Matth. 14, 30

15. Mais nous devons nous souvenir que, même si la
connaissance doit être donnée par Dieu, il faut cependant
toujours demander qu'il encourage les dispositions que
nous voulons *garder en gardant ses règles de justice* ; car nous
savons qu'il nous abandonne fréquemment en vue des
«tentations», afin que, par elles, notre «foi» soit «mise à
l'épreuve[a]». Cependant, suivant le prophète, il faut prier
qu'il ne nous abandonne pas entièrement ; il dit en effet :
NE M'ABANDONNE PAS TROP COMPLÈTEMENT. Cette deman-   8b
de trouve également place dans le déroulement de la prière
du Seigneur, où il est dit : «Ne nous *abandonne* pas dans la
tentation que nous ne pouvons pas supporter[b][30].»
L'Apôtre sait que «nous sommes *abandonnés*» à «la
tentation», mais il sait que Dieu connaît aussi la mesure de
notre faiblesse ; il dit : «Dieu est fidèle, lui qui ne permet
pas que nous soyons tentés au-delà de ce que nous
pouvons[c].» «Livrant» Job à la «tentation», Dieu ôta à la
juridiction du diable tout pouvoir sur sa vie[d] et «*abandon-
na* au tentateur» un droit proportionné à la mesure de la
faiblesse humaine. Donc, conscient de sa faiblesse, le
prophète demande à ne pas être tout à fait *abandonné* ; que
le Seigneur prenne en charge sa fragilité, comme il le fit
pour Pierre prêt à «s'enfoncer» dans les eaux[e], afin que,
tout en voulant le laisser pour le «mettre à l'épreuve», il ne
le laisse cependant pas *complètement* et tout à fait, c'est-à-
dire qu'il ne l'*abandonne* pas jusqu'à mettre en péril sa vie
et sa foi.

---

30. Commentaire du v. 8b et citation augmentée de la sixième
demande du Pater étudiés par J. DOIGNON, «Une addition
éphémère...».

BETH

IN QVO CORRIGET IVNIOR VIAM SVAM? ET RELIQVA.

1. In secunda consequentium octo uersuum littera ipse sibi propheta his quibus responsurus sit proposuit dicens : IN QVO CORRIGET ADVLESCENS VIAM SVAM? Haec ex proponentis persona sunt dicta. Dehinc nunc tamquam respondentis confessio subditur : IN CVSTODIENDO SERMONES TVOS. Contuendum autem est, secundum eum quem in exordio habuimus sermonem, uera atque perfecta timoris Dei instituta sub his elementis litterarum contineri, quibus quasi ad usum confessionis Dei per ipsa infantiae rudimenta formamur. Ergo intellegendus est propheta non otiose locutus esse : *In quo corriget adulescens uiam suam*? Omnem quidem aetatem optabile est ex his corporis sui uitiis ad innocentiae studium transferri, quia sera licet emendatio utilis sit obliuione uitiorum. Sed

9a (line 3) / 9b 5 (line 5) / 10 (line 10)

VL RC pA r S mB

beth > *m*   *pr.* incipit II *L*   *pr.* incipit *A Ba. Er.*   *pr.* incipit secunda *r*   *pr.* incipit de secunda *S*   + littera secunda *C pA*

in quo — proposuit dicens (**1,** 2) > *C pA* ‖ in quo — reliqua > *S* ‖ corrigit *V r mB Mi. Zi.* ‖ adolescens *mB* ‖ et reliqua : et reliqua litterae octo uersuum *V r*   in custodiendo sermones tuos et reliqua *L*   etc usque ibi et considerabo uias tuas *Ba. Er.*   *omnes uersus litterae secundae R Gi. Mi.*

1, 3 corrigit *V pA r S mB edd* ‖ iunior *r* ‖ 4 dicta sunt *r Ba. Er. Gi. Mi.* ‖ 5 subdicitur *C* ‖ 8 timor *R* ‖ 10 infantiae > *R* ‖ 11 elocutus est

BETH

COMMENT UN JEUNE HOMME CORRIGERA-T-IL SA VOIE? ET LA SUITE.

1. Dans la seconde lettre qui correspond aux huit versets suivants, le prophète s'est lui-même proposé une question à laquelle il donnera sa réponse ; il dit : COMMENT UN ADOLESCENT CORRIGERA-T-IL SA VOIE? Ces mots viennent d'une personne qui propose une question. Leur succède maintenant une déclaration qui pourrait être celle de quelqu'un qui répond : EN GARDANT TES PAROLES[1]. Il faut bien voir, conformément aux propos que nous avons tenus dans l'argument[2], que les règles vraies et parfaites de la crainte de Dieu sont comprises dans ces lettres de l'alphabet qui, pour ainsi dire, nous entraînent, par le moyen des connaissances élémentaires mêmes de l'enfance, à la pratique de la confession de Dieu. Il faut donc comprendre que le prophète n'a pas dit sans raison : *Comment un adolescent corrigera-t-il sa voie?* Bien sûr, il est souhaitable que tout âge se porte des vices du corps à la recherche d'une vie sans faute, parce qu'il est profitable de se corriger, même tardivement, en oubliant ses vices. Mais,

9a

9b

V   esse locutum *r* ‖ corrigit *V pA r S mB edd* ‖ adolescentulus
B   adolescentior *S*   iunior *L* ‖ 12 ex > *L* ‖ 13 quia : *pr.* et
C   + et *pA Ba. Er. Gi. Mi.* ‖ 14 obliuionem *VL*   ad o. *r*

1. « L'orateur se répondra à lui-même, comme si on lui posait des questions », figure de pensée citée par CIC., *Orat.*, 40, 137.
2. Cf. exordium, 1.

128   SUR LE PSAUME 118, BETH

15 placiturum Deo uirum propheta conformans non expectat
post longam ac diuturnam criminum consuetudinem
doctrina Dei et praeceptis timoris institui, sed rudes a
peccatis annos et aetatem adhuc criminum nesciam uult
non modo studiis aliquando innocentiae, sed etiam ipsa
20 *adulescentiae* consuetudine imbui. Difficile est enim ab
usitatis desinere, difficile est a familiaribus abstrahi,
magnum in se consuetudo habet uinculum ; et idcirco
optimus ille erit cultor, quem non modo delictorum
remissio sine crimine constituerit, sed ipsa illa praestiterit
25 uitiorum ignoratio innocentem.

2. Nouit Hieremias propheta aetatis huius beatitudinem
dicens : *Bonum*, inquit, *est iuueni uiro, cum auferi iugum
graue in iuuentute sua*; *sedebit singulariter et tacebit*[a]. Non
expectat frigescentes senectute annos nec emortuam iam
5 per aetatem uitiorum consuetudinem. Vult longi proelii
militem ; uult eum Christi seruum, quem ne ipsa quidem
praeteritorum criminum recordatio polluat. Nam in his
qui prouectioris aetatis crediderunt, inest quidem per
donum gratiae praeteritorum indulgentia ; sed non abest
10 per conscientiae naturam gestorum recordatio. *Bonum*,
inquit, *iuueni auferre iugum graue*. Onus istud rudes ad
oboediendum anni aegre ferunt ; ceterum aetas tenera
grauis oneris molestiam per uirtutis incrementa non sentit.

VL RC pA r S mB

1, 15 confirmans C pA r^2 mB ‖ 16 consuetudinum V ‖ 18 et
$> C$ ‖ 19 etiam $> r$ ‖ 21 abstrahere pA ‖ 23 fuerit S $Ba.$ $Er.$
$Gi.$ $Mi.$ ‖ 25 ignorantia C S $Ba.$ $Er.$
2, 2 inquit : quid V quidem L $> r$ ‖ est + quidem r ‖ uero
VL ‖ auferet pA mB $Mi.$ offert r fert $Ba.$ $Er.$ $Gi.$ ‖ 4 mortuam
$V^2 C$ pA mB ‖ 8 qui + iam $Ba.$ $Er.$ $Mi.$ $Zi.$ ‖ inest : in his est R ‖ per
$> V$ r ‖ 9 praeteritorum indulgentiam V per p. i. r ‖ abest :
habent C ‖ 10 recordationem C ‖ bonum + est m ‖ 11 offerre
r ferre $Ba.$ $Er.$ $Gi.$ ‖ graue : gratiae R ‖ rudes : erudi VL r^1 rudi
R maturi S $Ba.$ $Er.$ $Gi.$ crudi $Zi.$

2. a. Lam. 3, 27-28

façonnant l'homme qui plaira à Dieu, le prophète n'attend pas qu'il soit formé, après une longue et durable habitude des fautes, par l'enseignement de Dieu et les préceptes de sa crainte ; mais il veut que les années qui n'ont pas l'expérience des péchés et l'âge encore ignorant des fautes soient formés, non seulement par des aspirations intermittentes à une vie sans faute, mais aussi par l'habitude même prise pendant l'*adolescence*. En effet, il est difficile de renoncer à des habitudes, il est difficile de s'abstraire des choses familières, l'habitude a la valeur d'un lien puissant[3]. Aussi, le meilleur adorateur de Dieu sera non seulement celui que la remise de ses péchés aura rendu sans faute, mais celui dont l'ignorance même des vices aura assuré qu'il est sans faute.

2. Le prophète Jérémie reconnaît le bonheur de cet âge, quand il dit : «C'est une bonne chose pour un jeune homme, lorsqu'il prend le joug pesant dans sa jeunesse ; il s'assiéra à part et gardera le silence[a].» Il n'attend pas que les années se refroidissent à cause de la vieillesse ni que meure, du fait de l'âge, l'habitude des vices. Il veut un soldat pour un long combat[4] ; il veut un serviteur du Christ[5] que ne souille même pas le souvenir des fautes passées. En effet, ceux qui ont cru à un âge avancé ont bien, par un don de la grâce, le pardon des fautes passées ; mais en raison de la nature de la conscience, le souvenir de leur conduite passée ne les quitte pas. «Il est bon, dit-il, pour un jeune de prendre le joug pesant.» Ce poids, les années réticentes à l'obéissance le supportent mal ; au contraire un âge tendre, à travers ses étapes dans la vertu, ne sent pas l'embarras d'un poids «pesant». Mais, chargé

---

3. Force de l'habitude évoquée par Cic., *Tusc.*, 2, 40 ; *Lael.*, 68.
4. Paul demande à Timothée d'être un «bon soldat du Christ» (*II Tim.* 2, 3). Il évoque l'armure du chrétien en *Éphés.* 6, 10 s.
5. Paul emploie pour lui-même cette formule : *Rom.* 1, 1 ; *Phil.* 1, 1 ; *Tite* 1, 1.

Sed suscepto *in iuuentute* onere quid faciet? *Sedebit,*
15 inquit, *singulariter et tacebit.* Rarus iste est, cum quo
perfectio timoris Dei per annorum augmenta concrescat;
et idcirco *singularis sedebit,* lasciuos *adulescentiae* coetus
derelinquens et ab ipso senum nuper credentium consessu
remotus; quia ei non competit dicere : *Delicta iuuentutis*
20 *meae, Domine, ne memineris*[b]. Silebit etiam congruam
fidei et *iuuentuti* existimans *taciturnitatem,* non tumultibus
negotiorum saecularium admixtus, sed per modestiam
tacens, sola diuina sacramentorum cognitione occupatus
et *sermones Dei tacita* rerum atque operum obseruatione
25 *custodiens.*

3. Redit deinde ad personam suam propheta, ut id quod
superius dixerat significasse de se nosceretur, dicens : In
10 TOTO CORDE EXQVISIVI TE ; NE REPELLAS ME A MANDATIS
TVIS. Competere bonitati Dei non uidetur, ut *a mandatis*
5 *suis* quemquam *repellat*; sed sermonum adiectio et uirtus
uerborum, quae ex perfectae caelestis doctrinae ratione
disposita est, nihil dubium, nihil contrarium in se habet.
Qui ergo secundum prophetam mauult *peccatorum paeni-*
tentiam quam *mortem*[a], numquid existimandus est *a*
10 *mandatis suis* quemquam *repellere?* Procul sit istud
existimari. Sed neque hoc nunc propheta sensit, maxime
qui *in toto corde Deum* perquisierit.

VL RC pA r S mB

2, 14 onere : honore *V* ‖ 15 rarus iste : parulus iste rarus *B* ‖
17 lasciuos : lassus *VL* ‖ 18 relinquens *L* ‖ senum *> L* ‖ consensu
pA m ‖ 20 ne memineris domine *L* ‖ domine *> R* ‖ congruam +
igitur *VL C pA r mB¹* ‖ 21 iuuentutis *C* ‖ 23 diuinorum *r* ‖ 24 sermonis *VL.*

3, 3 corde + meo *R r S Ba. Er. Gi. Mi.* ‖ 6 perfecta *C pA mB Gi.*
Mi. Zi. ‖ 11 existimare *pA mB Ba. Er. Gi. Mi.* ‖ sentit *S Ba. Er. Gi.*
Mi. ‖ 12 dominum *C pA mB* ‖ quaesierit *R S*

2. b. Ps. 24, 7
3. a. cf. Éz. 18, 23 ; 33, 11 ; II Pierre 3, 9

de ce poids « dans sa jeunesse », que fera-t-il ? « Il s'assiéra,
dit-il, à part et gardera le silence ». Rare est celui en qui
grandit la perfection de la crainte de Dieu avec le progrès
des années ; c'est pourquoi « il s'assiéra à part », fuyant les
rencontres lascives de l'*adolescence*, se tenant même à
l'écart de l'assemblée des vieillards qui croient depuis peu,
parce qu'il ne lui incombe pas de dire : « Ne te souviens
pas, Seigneur, des péchés de ma jeunesse[b]. » Il ne parlera
pas non plus, pensant que le « silence » convient à sa foi et à
sa « jeunesse » ; il ne se mêlera pas au tumulte des affaires
du monde, mais il « gardera le silence » par retenue, occupé
par la seule connaissance divine des mystères et *gardant les
paroles de Dieu* en les observant « silencieusement » dans ses
actions et ses œuvres[6].

3. Le prophète revient ensuite à sa personne, déclarant,
pour que l'on sache que ce qu'il avait dit plus haut
s'appliquait à lui : De tout cœur, je t'ai cherché ; ne   10
me repousse pas de tes commandements. Il ne semble
pas qu'il convienne à la bonté de Dieu de *repousser* qui que
ce soit *de ses commandements* ; mais les paroles du contexte
et la valeur des mots, disposés suivant le plan d'un
enseignement céleste parfait, n'offrent aucune équivoque,
aucune contradiction. Celui qui, suivant le prophète,
préfère le « repentir » des « pécheurs » à leur « mort[a] »,
faudrait-il donc penser qu'il *repousse* qui que ce soit *de ses
commandements* ? Loin de nous pareille pensée. Mais telle
n'a pas été non plus l'idée du prophète, d'autant plus qu'il
a recherché *Dieu de tout cœur*.

6. Énumération des devoirs du jeune homme rappelant *Sir.*
6, 18.24-31 ; 32, 8 s. Même référence à *Lam.* 3, 27 ; *Ps.* 24, 7a dans le
commentaire d'Origène. Mais il ajoute une autre explication du mot
jeune, celle de « jeune peuple » (*Ch. p.*, p. 204, v. 9, l. 29-34).
Ambroise (*In psalm.* 118, 2, 20) la reprendra.

4. Sed absolutio difficultatum in his ipsis requirenda est, e quibus uidetur existere. Propheta enim quid senserit, in promptu est noscere. Legimus scriptum in Hieremia : *Maledictus, qui facit opera Domini neglegenter*[a]. Legimus
5 et in euangeliis scriptum : *Omni enim habenti dabitur et abundabit*; *et qui non habet, etiam quod habet auferetur ab eo*[b]. Ergo *habens abundabit*; *non habens* uero ipso illo *quod habet* indigebit. Propheta non est obnoxius maledictionis condicioni, quia non *neglegenter opera Dei* egit *eum toto*
10 *corde* perquirens. Deinde confidenter petit ne a *mandatis Dei* apellatur, quia *eum toto corde* perquirat. Secundum euangelia enim *habenti dabitur*, et ei *qui non habet etiam id quod habet auferetur.* Deus igitur non *aufert* nisi *non habenti*, secundum quod *neque repellit* nisi *neglegentem.*
15 Adeo autem bonitate plenus est, ut *habentem abundatia* muneretur; adeo uero non uult quemquam *non habere*, uti *non habenti* ipsum *quod habet* adimat.

5. Neminem igitur nisi obnitentem *repellit*, neminem nisi *neglegentem* reicit. Hanc enim propheta praetulit causam, cur *se non repelli a mandatis Dei* precaretur, quia non ex parte neque per desidiam Deum, sed *toto corde*
5 quaesisset; per quod intellegimus eum *a mandatis repelli,*

VL   RC   pA   r   S   mB

4, 1 absolutius *VL* ‖ requirendum *VL* ‖ 4 dei *L* ‖ 5-6 et abundabit > *V* ‖ 7-8 non habens — indigebit > *C pA* ‖ 8 noxius *C* ‖ 11 appellatur *V¹ R r*   repellatur *C pA S mB Ba. Er. Gi. Mi.* ‖ qui *VL* ‖ 12-13 etiam id quod habet > *V¹ R* ‖ 13 id > *Ba. Er. Gi. Mi* ‖ aufert : auferet *R pA mB Mi. Zi.* ‖ 14 repellet *pA mB Mi.* ‖ 15 adeo autem > *V* ‖ 16 muneret *C pA r mB* ‖ uero : autem *R* ‖ ut *S Ba. Er. Gi. Mi.* ‖ 17 quo *L*
5, 1 obtinentem *C* ‖ pellit *VL r* ‖ 2 protulit *L* ‖ 4 dominum *C pA m* ‖ totum *V*   ex toto *S* ‖ 5 mandatis + dei *r*

4. Mais la solution des difficultés doit être recherchée là même où elle semble se manifester. Il est en effet facile de savoir quelle a été la pensée du prophète. Nous lisons dans Jérémie : « Maudit soit celui qui accomplit avec négligence les œuvres du Seigneur[a]. » Nous lisons aussi dans les Évangiles : « Car à tout homme qui a il sera donné et il aura en abondance ; et qui n'a pas, il lui sera enlevé même ce qu'il a[b]. » Donc « celui qui a, aura en abondance » ; mais « celui qui n'a pas », manquera même de « ce qu'il a ». Le prophète ne tombe pas sous le coup de la clause de malédiction, parce que, recherchant *Dieu de tout cœur*, il n'a pas fait « avec négligence ses œuvres ». Il demande ensuite avec confiance à ne pas être écarté des *commandements de Dieu*, parce qu'il *le* recherche *de tout cœur*. D'après les Évangiles en effet, « à celui qui a il sera donné », et à celui « qui n'a pas, même ce qu'il a sera enlevé ». Donc Dieu n'« enlève qu'à celui qui n'a pas » ; il s'ensuit qu'il ne *repousse* que celui qui est « négligent ». Et il est à ce point plein de bonté qu'il récompense « par l'abondance celui qui a » ; mais il veut si peu que quelqu'un « n'ait pas » qu'il enlève « à celui qui n'a pas le bien » même « qu'il a ».

5. Donc il ne *repousse* personne sinon celui qui résiste, il ne rejette personne sinon celui qui est « négligent ». En effet la raison que le prophète a donnée à sa demande de ne pas être *repoussé des commandements de Dieu*, c'est qu'il n'avait pas cherché Dieu à demi ni dans le relâchement, mais *de tout cœur*. Par là nous comprenons qu'on est *repoussé des*

4. a. Jér. 48, 10 ‖ b. Matth. 25, 29

qui per multam incuriam fuerit indignus admitti ; et extra
inhibentis inuidiam est quod de culpa proficiscitur non
merentis.

11   **6.** Tertius iste secundae litterae uersus est : IN CORDE
MEO ABSCONDI ELOQVIA TVA, VT NON PECCEM TIBI.
Meminimus simile huic dicto legi solere, ubi dicitur :
Mysterium regis bonum est abscondere[a]. Meminimus et
5 Paulum ad Corinthios adhuc in fide paruulos quaedam
Dei eloquia occuluisse, cum dicit : *Lacte uos potaui, non
cibo* ; *nondum enim poteratis, sed neque adhuc potestis*[b].
Legimus et in euangelio in *agro* uberi atque fecundo
repertum *thensaurum* eundemque *empto agro* occultari.
10 Nouimus neque *margaritas ante porcos* proiciendas esse,
neque *sanctum canibus dari* oportere[c]. Ergo intellegimus
quaedam nos *cordis nostri* secreto continere, quae diuul-
gata inexpiabilis *peccati* culpam comparabunt. Ita enim
dixit : *In corde meo abscondi eloquia tua, ut non peccem
15 tibi* ; quia, cum cetera *peccata* secundum differentias rerum
aut in nos ipsos aut in alios exercentur, tamen tum fierent

VL   RC   pA   r   S   mB

5, 7 inhibendis *C*
6, 2 peccarem *C pA Mi.* ‖ 5 paruulos + scribentem *pA Mi.* ‖
quendam *VL* ‖ 6 eloquio *VL* ‖ occultasse *R Zi.* ‖ 11 dare *C pA mB Gi.*
Mi. Zi.   donari *VL* ‖ 14 peccarem *VL C pA Mi.* ‖ 16 exererentur *C*
pA r Mi.

---

6. a. Tob. 12, 7 ‖ b. I Cor. 3, 2 ‖ c. cf. Matth. 13, 44 ; 7, 6

---

7. *Jér.* 48, 10 et *Matth.* 25, 29, versets qui permettent de résoudre le
problème posé par le v. 10b, se trouvent également dans le
commentaire d'Origène (*Ch. p.*, p. 204-206, v. 10, l. 1-18). Hilaire
cependant ne retient pas ce qu'Origène dit, à propos de ce même
verset, sur « le peuple de la circoncision ». Le commentaire d'Hilaire
sur le v. 10 est cité par HINCMAR, *De praedestinatione dissertatio
posterior* (*PL* 125, 227 D - 228 B), depuis le § 3, l. 4 *(competere)*
jusqu'à la fin du § 5 *(merentis)*.

commandements quand on ne mérite pas d'y être admis à cause d'un grand laisser-aller ; et ce qui vient de la faute commise par qui n'en est pas responsable échappe à l'hostilité de celui qui sanctionne[7].

6. Le troisième verset de la seconde lettre est celui-ci : DANS MON CŒUR, J'AI CACHÉ TES PAROLES, POUR NE PAS   11 PÉCHER CONTRE TOI. Nous nous souvenons que l'on a l'habitude de lire une déclaration semblable : « Il est bon de *cacher* le mystère du roi[a]. » Nous nous souvenons aussi que Paul avait caché certaines *paroles de Dieu* aux Corinthiens encore novices dans la foi, en leur disant : « C'est du lait que je vous ai donné à boire, non une nourriture solide ; en effet vous ne pouviez encore la supporter, mais vous ne le pouvez pas davantage à présent[b]. » Nous lisons encore dans l'Évangile qu'un « trésor » est découvert dans un « champ » fertile et fécond et qu'une fois ce « champ acheté » ce même trésor y est caché. Nous savons qu'on ne doit pas jeter les « perles devant les pourceaux » et qu'il ne faut pas « donner aux chiens ce qui est sacré[c] ». Nous comprenons donc que nous tenons certains mystères dans le secret de *notre cœur*, qui, s'ils sont divulgués, nous vaudront la faute du *péché* irrémissible[8]. En effet le prophète a dit : *Dans mon cœur, j'ai caché les paroles, pour ne pas pécher contre toi* ; c'est-à-dire que si, dans les autres cas, les *péchés*, différents selon leur objet, sont commis soit contre nous-mêmes, soit contre les autres, ils sont cependant directement commis contre Dieu[9],

8. Sur le péché irrémissible, cf. *In Matth.*, 5, 15 (*SC* 254, p. 168).

9. Péchés de l'homme « contre son propre corps » : *I Cor.* 6, 18 ; « contre les frères » et « contre Christ » : *I Cor.* 8, 12. La morale classique distingue aussi fautes contre les dieux et fautes contre les hommes : Cic., *Nat. deor.*, 3, 84.

in Deum propria, cum, quae occultorum *cordium* essent
condenda secreto, haec in profanae cognitionis scientiam
proderentur.

    7. Contuendus autem est in quarto hoc qui consequitur
uersu ordo doctrinae. Primus uersus de *custodiendis ab
adulescente* mandatis Dei constitit[a]; sequens, quia *in toto
corde Deum exquisierit*, ne a *mandatis Dei* apelleretur[b];
5 dehinc quod sacramenta *absconsa sapientiae*[c] et occulta
Dei mysteria mentis suae secreto continuerit[d]; quarto
nunc id deprecatur, ut iustificationes eidem ostendat; et
12   deprecatur confessionis honore praelato dicens : BENE-
DICTVS ES, DOMINE; DOCE ME IVSTIFICATIONES TVAS. De
10 *iustificationibus* nonnulla aliqua anteriore sermone com-
plexi sumus, et superfluum est eadem frequenter iterare.
Maximus igitur et praecipuus labor est hanc *iustificationum Dei* scientiam consequi, et humanae naturae
infirmitas difficulter tot tantarumque rerum cognitionem
15 consequitur; atque ob id ut *doceatur* orat, quia diuinae
bonitatis munus est animi humani imperitiam ad congruam atque unicuique generi competentem officiorum
obseruantiam temperare.

VL   RC   pA   r   S   mB

    7, 3 dei : eius *r* ‖ constituit *V r*   consistit *S*   > *L* ‖ 4
dominum *r* ‖ appelleretur *R r*   apellatur *C*   repellatur *pA mB*
Mi.   pelleretur *S Ba. Er. Gi.* ‖ 5 sacramentum *V r* ‖ absconsae *r* ‖ 7
iustificationes + suas *pA mB Ba. Er. Gi. M.* ‖ et > *L* ‖ 8 confessio *C* ‖
9 est *V* ‖ 10 aliqua : *pr.* et *R*   > *S Ba. Er.* ‖ anteriori *S Ba. Er. Gi.*
Mi. ‖ 12 et : ac *C pA mB Mi.* ‖ 15 consequetur *Vr* ‖ 17 generi : tenendi
C pA mB   tenentis *Ba. Er.*

    7. a. cf. *v. 9* ‖ b. cf. *v. 10* ‖ c. cf. Sir. 20,32 ; 41,17 ‖ d. cf. *v. 11*

quand ce qui devrait être déposé dans le secret des *cœurs* voilés est livré au savoir d'une connaissance profane[10].

7. On doit bien voir, à propos du quatrième verset qui vient à la suite, l'ordre suivi dans l'enseignement. Le premier verset reposait sur l'idée qu'il faut «garder» les commandements de Dieu «dès l'adolescence[a]»; le suivant, sur l'idée qu'ayant «cherché Dieu de tout *cœur*», il ne devait pas être écarté des «commandements de Dieu[b]»; l'autre, sur l'idée qu'il a tenu dans le secret de son esprit les vérités mystérieuses et *« cachées »* de la «sagesse[c]» et les mystères voilés de Dieu[d]; en quatrième lieu, il demande ici que Dieu lui montre aussi ses règles de justice; et il fait précéder cette prière de l'hommage d'une confession, en disant : Tu es béni, Seigneur; enseigne-moi tes règles de justice. Concernant les *règles de justice*, nous avons dit quelques mots dans le développement précédent[11] et il serait superflu de répéter la même chose. La plus grande et la principale difficulté est donc d'obtenir la science de ces *règles de justice de Dieu*; or la faiblesse de la nature humaine obtient difficilement la connaissance de tant de réalités si importantes; et s'il demande à être *enseigné*, c'est parce que la bonté de Dieu fait à l'inexpérience de l'esprit humain le don de s'adapter à une observance des devoirs conforme et appropriée à chaque catégorie d'entre eux[12].

12

---

10. Le commentaire d'Origène sur le v. 11 (*Ch. p.*, p. 206, v. 11, l. 1-7) fait aussi allusion à *Matth.* 7, 6. Hilaire avait déjà commenté ce verset de la même façon qu'ici en *In Matth.*, 6, 1 (*SC* 254, p. 170). Mais *Matth.* 13, 44 est commenté différemment en *In Matth.*, 13, 7 (*SC* 254, p. 300 s.), où le trésor dans le champ représente le Christ dans la chair.

11. Cf. 1, 12.

12. Même idée dans le commentaire d'Origène (*Ch. p.*, p. 208, v. 12, l. 5-6).

8. Succedit deinde etiam de iudiciis Dei sermo quo
13   dicit : IN LABIIS MEIS PRONVNTIAVI OMNIA IVDICIA ORIS
TVI. Quanta rerum et nuncupationum differentia est !
Primum *a iuuentute* mandata Dei *custodiuntur*[a], dehinc
5 *Deus toto corde* inquiritur[b], tum *Dei eloquia* occuluntur[c]
et *iustificationes* disci desiderantur[d], nunc *iudicia* praedi-
cantur. Sed propheta forte existimabitur a se excidisse et
uel suorum, uel alienorum dictorum immemor fuisse. In
hoc enim psalmorum libro legimus : *Iudicia tua sicut*
10 *abyssus multa*[e]. Paulus apostolus ait : *Inexscrutabilia iudi-*
cia Dei[f] et rursum propheta : *Magna enim sunt iudicia*
tua et innumerabilia[g]; et quomodo audebit propheta
dicere : *In labiis meis pronuntiaui omnia iudicia oris tui*?
Sed nihil neque contra se, neque contra alium eiusdem
15 spiritus propheta nunc locutus est. Non enim ait : *In labiis*
pronuntiaui omnia iudicia tua, sed ait : *Omnia iudicia oris*
tui, sciens nonnullam differentiam esse *iudiciorum* Dei et
iudiciorum oris Dei. Numquid cum ait : *Iudicia tua sicut*
abyssus multa, dixit : *Iudicia oris tui sicut abyssus multa*?
20 Nunc autem ait : *Iudicia oris tui adnuntiaui.* Ea ergo
quae cognita esse per prophetas uel ex Dei uerbis *iudicia*
esse potuerunt propheta non tacuit ; quae idcirco praedi-
cata sunt, ut docerentur.

VL   RC   pA   r   S   mB

8, 1 qui *C pA r mB* ‖ 4 custodiunt *VL* ‖ 5 tunc *V* ‖ occultentur *R* ‖ 7
existimatur *R* ‖ 9 sicut > *A* ‖ 10 inscrutabilia *RC pA S mB Er. Gi.*
Mi.   scrutabilia *Ba.* ‖ iudicia : *pr.* sunt *pA mB Mi.* ‖ 12 tua +
domine *r* ‖ innumerabilia : inenarrabilia *pA mB Gi. Mi.* ‖ 15 elocutus
C pA[2] *mB Mi.* ‖ labiis + meis *C pA S mB Ba. Er. Gi. Mi.* ‖ 18 cum :
tum *pA*   tunc *mB* ‖ 18-19 iudicia — dixit > *pA mB* ‖ 21 esse > *C* ‖
22 potuerunt + ea *R S Ba. Er. Gi.*   + et *pA mB Mi. Zi.*

---

8. a. cf. *v. 9* ; Lc 18,20-21 ‖ b. cf. *v. 10* ‖ c. cf. *v. 11* ‖ d. cf. *v. 12* ‖ e.
Ps. 35,7 ‖ f. Rom. 11,33 ‖ g. Sag. 17,1

8. Ensuite vient aussi un développement sur les juge-   **13**
ments de Dieu, dans lequel il dit : Sur mes lèvres j'ai
prononcé tous les jugements de ta bouche. Quelle
diversité dans les sujets et dans les mots ! D'abord les
commandements de Dieu sont «gardés depuis la jeunesse[a]», puis «Dieu» est cherché «de tout cœur[b]», les «paroles
de Dieu» sont ensuite cachées[c] et le prophète a le désir
d'apprendre ses «règles de justice[d]», maintenant ses
jugements sont proclamés. Mais on pensera peut-être que le
prophète n'a pas été en accord avec lui-même et ne s'est
pas souvenu ou de ses propres paroles ou d'autres. Dans ce
livre des *Psaumes* nous lisons en effet : «Tes *jugements* sont
comme le vaste abîme[e].» L'apôtre Paul dit : «Insondables
sont les *jugements* de Dieu[f]», et le prophète encore : «En
effet, grands sont tes *jugements* et innombrables[g].»
Comment le prophète osera-t-il dire : *Sur mes lèvres j'ai*
prononcé tous les jugements de ta bouche ? Mais le prophète
n'a rien dit là qui le contredise lui-même ou contredise
quelqu'un d'autre ayant la même inspiration. Il ne dit pas
en effet : *Sur mes lèvres j'ai prononcé tous* tes *jugements*,
mais il dit : *Tous les jugements de ta bouche*, sachant qu'il
existe une différence entre les *jugements* de Dieu et les
jugements de la bouche de Dieu. Est-ce que lorsqu'il dit :
«Tes *jugements* sont comme le vaste abîme», il a dit : «*Les*
jugements de ta bouche sont comme le vaste abîme» ? Ici, il
dit : *J'ai annoncé les jugements de la bouche*. Donc ce sont
les *jugements* qu'il a pu connaître grâce aux prophètes ou
bien par les paroles de Dieu que le prophète n'a pas tus, et
s'ils ont été proclamés, c'est pour être enseignés[13].

---

13. La différence entre «jugements de Dieu» et «jugements de la
bouche de Dieu» vient du commentaire origénien (*Ch. p.*, p. 208-210,
v. 13, l. 4-14) où l'on retrouve les mêmes citations : *Ps.* 35,7 ; *Rom.*
11, 33.

9. Post *iudiciorum* autem *oris Dei* publicam et cons-
tantem praedicationem id sequitur : IN VIA TESTIMO-
NIORVM TVORVM DELECTATVS SVM, SICVT IN OMNIBVS
DIVITIIS. Non timet propheta uitae suae testes, sed in his
5 *delectatur*; et ei conscientia spectantium se et contuentium
iucunda est. Trepidat enim ad omnem intercessionem
pollutae conscientiae metus; ceterum, ubi constans innocentis uitae fiducia est, plurium testium interuentio grata
est. Sed non de communis consuetudine gaudii iucundus
10 propheta est; *delectatur* enim *sicut in diuitiis omnibus*;
non tantum *in diuitiis*, sed *in diuitiis omnibus*. Sunt opes
in auro, sunt in argento, sunt in pecuniis, sunt in ueste,
sunt in domibus, sunt in agris eorumque aut uitibus aut
oleis aut frugibus. Sed Domini propheta doctrinarum
15 fruge perfectus est et legis ac prophetalium institutionum
facultatibus *diues* est et, anterior licet tempore, non
tamen euangelicorum et apostolicorum praeceptorum
ignarus est. Nouit enim et has *diuitias* Paulus ad
Corinthios loquens : *Gratias ago Deo meo semper pro uobis*
20 *super gratia Dei, quae data est uobis in Christo Iesu :*
quoniam in omnibus ditati estis in ipso, in omni uerbo
et omni scientia[a]. In his ergo *diues* est et in his *delectatur*

VL   RC   pA   r   S   mB

9, 1 iudicia *VL RC r*   iudicium *Zi*. ‖ 4 testis *VL* ‖ 5 ei > *R* ‖
conscientia : constantia *VL r* ‖ 9-10 sed non — propheta est > *V r* ‖
10 omnibus diuitiis *VL r* ‖ 11 non tantum — omnibus > *m* ‖ sunt :
sicut *VL* ‖ 12 uestibus *R S edd.* ‖ 15 legis : legalium *pA mB* ‖
institutionem *V* ‖ 16 anteriore *C pA r mB Mi.* ‖ 17 et apostolicorum
> *r* ‖ 18 has : *pr.* in *V* ‖ 20 super gratiam *V¹L¹ R p S Gi. Mi.*   per
gratiam *Ba. Er.* ‖ dei > *r* ‖ est + mihi in *C pA mB* ‖ 21 ditati : diuites
S Ba. Er. ‖ ipso : illo *r* ‖ 22 et¹ + in *L pA S mB Ba. Er. Gi. Mi.*   in
V r Zi. ‖ 22 in² > *A*

9. a. I Cor. 1, 4-5

9. Après la proclamation publique et assurée des *jugements de la bouche de Dieu*, suit ceci : Dans la voie de tes témoignages, je me suis plu, comme au milieu de toutes les richesses. Le prophète ne craint pas les témoins de sa vie, mais *se plaît* au milieu d'eux et la conscience d'être regardé et observé lui est agréable. En effet la peur[14] que ressent une conscience souillée apparaît chaque fois que survient quelqu'un. Mais, dans la confiance assurée d'une vie sans faute, l'intervention de plusieurs témoins fait plaisir[15]. Cependant le prophète n'est pas heureux à la manière de ceux qui éprouvent une joie ordinaire ; il *se plaît* en effet *comme au milieu de toutes les richesses* ; non seulement *au milieu* des *richesses*, mais *au milieu de toutes les richesses*. Les biens matériels sont constitués par l'or, l'argent, la fortune, les vêtements, les maisons, les champs avec leurs vignes, leurs oliviers, leurs moissons. Mais le prophète du Seigneur a fait une parfaite moisson d'enseignements et il est *riche* des moyens que lui donnent la Loi et les leçons des prophètes et, bien qu'il les précède dans le temps, il n'ignore pourtant pas les préceptes des Évangiles et des apôtres. En effet, Paul parlant aux Corinthiens connaît ces mêmes *richesses* : « Je rends grâce toujours à mon Dieu à votre sujet, pour la grâce de Dieu qui vous a été donnée en Christ Jésus : en lui, en effet, vous êtes comblés de toutes les richesses, toute celle de la parole et toute celle de la science[a][16]. » Voilà ce dont le prophète est *riche* et ce au milieu de quoi il

14

---

14. Pour l'expression *trepidat ... metus*, cf. Verg., *Aen.*, 2, 685 ; 6, 491.

15. *Intercessio et interuentio* : termes juridiques, cf. Vlp., *Dig.*, 26, 7, 5, 8 et 4, 4, 7, 3.

16. Même citation de *I Cor.* 4, 5 par Origène (*Ch. p.*, p. 210, v. 14, l. 5-8). Sur le commentaire qu'en donne Origène, cf. Introd., p. 64.

propheta; ceterum non est existimandus saecularium
opum comparatione *delectatus* esse, qui nisi cum con-
25 temptu atque inopia saeculi *diues* in Domino esse non
potuit.

10. *Delectatus* autem *in uiis testimoniorum Dei* opus
delectationis suae agere debebat; et non ambiguum est
15 quin agat. Ait enim in septimo uersu : IN MANDATIS TVIS
EXERCEBOR ET CONSIDERABO VIAS TVAS. *Exercitatione*
5 igitur et adsiduitate opus est, ut usus rerum neces-
sariarum retineatur; quia periculosa est humanarum
mentium et molesta desidia; ac, ne otii consuetudo
subrepat, adsiduitas *exercitationis* adhibenda est. Sed
retentus etiam hic ordo rationis est. Nam prius *exercendus*
10 *est in mandatis Dei*, tum deinde *uiae eius considerandae*;
quia nisi fidelium operum usus praecesserit, doctrinae
cognitio non adprehendetur, et agendum a nobis antea
fideliter est, ut scientiam consequamur. *Vias* ergo, secundum superiorem expositionem, legem, prophetas et omnia
15 euangelia et apostolos esse existimamus; quos *in mandatis
Dei se exercens* propheta *considerauit*, ut nouerit.

11. Conclusit autem octauum numerum hoc uersu :
16 IN IVSTIFICATIONIBVS TVIS MEDITABOR, NON OBLIVISCAR
SERMONVM TVORVM. A doctrinae perfectae ordine propheta

VL RC pA r S mB

9, 24 opum : opus *C* ‖ 25 dominum *R pA mB*
10, 3 in septimo : septimo *VL C pA r S mB Ba. Er.*   > *Mi.* ‖ 4
et > *RC pA* ‖ 7 mentium : gen- *VL r* ‖ 9 exercendum *pA r S mB Ba.
Er. Mi.* ‖ 12 adprehenditur *C pA m* ‖ ante *V r* ‖ 14 et > *C pA mB Mi.* ‖
15 apostolus *C* ‖ quas *C* ‖ 16 considerabit *V*

---

17. Antithèses semblables en *II Cor.* 8, 9; *Jac.* 2, 5, ou dans
certaines *sententiae* de SÉNÈQUE (*Ep.* 20, 10).

se plaît ; mais on ne doit pas penser qu'il *s'est plu* dans l'acquisition des biens du monde, lui qui n'a pu être *riche* dans le Seigneur que par le mépris du monde dont il s'est dépouillé[17].

10. *S'étant plu dans les voies des témoignages de Dieu*, il devait accomplir une œuvre exprimant le *plaisir* qu'il y a trouvé ; et c'est bien ce qu'il fait. Il dit en effet dans le septième verset : Je m'exercerai à tes commandements et considérerai tes voies. *Exercice* et persévérance sont donc indispensables pour garder l'usage des biens nécessaires. En effet, la paresse de l'esprit humain est un danger nuisible et, pour que ne s'insinue pas l'habitude de l'oisiveté, il faut mettre de la persévérance dans l'*exercice*. Mais ici aussi un ordre rationnel a été gardé. En effet le prophète doit d'abord *s'exercer aux commandements de Dieu* et ensuite *considérer ses voies* ; c'est-à-dire que si l'on ne commence pas par pratiquer les œuvres de la foi[18], on n'acquerra pas la connaissance de l'enseignement et, pour obtenir la science, il faut d'abord agir dans la foi. Suivant le développement précédent, nous pensons donc que les *voies* sont la Loi, les prophètes, tous les Évangiles, les apôtres ; ce sont eux que le prophète, en *s'exerçant aux commandements de Dieu*, a *considérés* en vue de les connaître.

11. Il a conclu et atteint le nombre huit par ce verset : A tes règles de justice je m'appliquerai, je n'oublierai pas tes paroles. Le prophète ne s'écarte pas du plan de l'enseignement parfait. Il *s'applique aux règles de justice*

---

18. L'importance de l'*exercitatio* pour les études est soulignée dans *Rhet. Her.*, 3, 24, 40 (cf. Qvint:, *Inst.*, 2, 13, 15), celle de l'*usus* dans la sagesse par Cic., *Rep.*, 1, 2, 2 où est aussi dénoncée l'inaction *(otium)*. Cf. aussi 1, 1, 1 et 1, 5, 9.

non excedit. *In iustificationibus*, quas *doceri* se orauit[a],
5 *meditatur*, sicut *exercetur in mandatis*[b]. *Mandatorum* enim
ea est ratio, quae nos ad obseruantiam atque opus
innocentiae instituunt, ut illud est : *Non occides, non
moechaberis*[c] et cetera his similia. Haec ergo *exercentur*,
quia in his operationis est usus per praesentium se
10 *exercitationem* ad futura confirmans. *Iustificationes* autem
sunt, quibus *Hebraeus puer sexennio seruus liber* deinceps
anno *septimo* fiet[d], et post *sex annorum* fructus *ager*
otiosus relinquendus est[e], et cetera in *iustificationum*
obseruantiam constituta, quae ingentem in se habent
15 futurae spei *meditationem* per negotii praesentis effectum.
Atque ideo *in his meditatur*, ut *in mandatis exercetur*,
quia *exercitatio* usum retinet consuetudinis institutae,
meditatio autem se in id quod nondum obtinuit extendit,
ut per *meditationem* id quod expetit consequatur; quae
20 *meditatio iustificationis* id consequitur, ne *sermonum* et
promissionum subrepat *obliuio*.

VL [ea *(6)*, haec, exercentur *(8)*, exercitationem *(10) non leguntur]*
RC pA r S mB

11, 4 excidit *VL pA r S mB Ba. Er.* ‖ 5 meditatur sicut exercetur :
exercetur sicut meditatur *codd. Mi.*   exercetur sic ut meditetur *Ba.*
Er. Gi. ‖ 6 ea : haec *C pA m Mi.* ‖ quae : quia *pA m Mi.*   qua *r*
S   quo *Ba. Er. Gi.* ‖ 8 haec ... exercentur : in his ... exercetur *pA r*
B Mi. ‖ 10 exercitationum *V C r* ‖ 11 sexenii *V*   sex annis *r S Ba.*
Er. Gi. Mi. ‖ 14 constitutam *L* ‖ 16 ideo + qui *r* ‖ ut > *r* ‖ exerceatur
R S mB Ba. Er. Gi. ‖ 17 exercitationem *C* ‖ usum : *pr.* ad *S Ba.*
Er.   > *C* ‖ pertinet *S Ba. Er.* ‖ 19-20 quae — consequitur > *RC pA*
S m Ba. Er. Gi. ‖ 21 obliuione *r*
    explicit littera secunda *V r*   finit littera II *L*   finit *R*   finit
beth littera secunda *C pA m*   finit de littera secunda *S*

dont il a demandé qu'elles lui soient «enseignées[a]», de même qu'il «s'exerce aux commandements[b]». La raison d'être des «commandements» est de nous former à l'observance et à la réalisation d'une vie sans faute ; ainsi : «Tu ne tueras pas, tu ne commettras pas d'adultère[c]», et autres commandements semblables. On «s'y exerce» donc, ce qui veut dire qu'ils impliquent une expérience et une pratique qui trouvent leur confirmation pour l'avenir dans l'«exercice» fait dans le présent. Les *règles de justice* sont celles par lesquelles un «jeune Hébreu, esclave» pendant «six ans», deviendra ensuite «libre la septième année[d]», un «champ» doit être laissé au repos après «six années» de récolte[e] ; il y a aussi les autres dispositions établies en vue de l'observance des *règles de justice*, qui comportent une vaste *application* à l'espérance future à travers la réalisation présente d'une œuvre. Et s'il *s'applique à elles*, de même qu'il «s'exerce aux commandements», c'est parce que l'«exercice» entretient une habitude prise[19] ; tandis que l'*application* s'étend à ce qu'elle n'a pas encore obtenu, de telle façon qu'il obtienne par l'*application* ce qu'il recherche[20]. Et ce que l'*application à la règle de justice* obtient, c'est que ne s'introduise pas l'*oubli des paroles* et des promesses.

11. a. cf. *v. 12* ‖ b. cf. *v. 15* ‖ c. Ex. 20, 13-14 ‖ d. cf. Ex. 21, 2 ; Deut. 15, 12 ‖ e. cf. Lév. 25, 3

19. La définition de l'*exercitatio* rappelle *Rhet. Her.*, 1, 2, 3.
20. La séquence *exercitatio, consuetudo, meditatio* se rencontre chez Cic., *Tusc.*, 2, 41 : *tantum* exercitatio *gladiatoris*, meditatio, consuetudo *valet*.

GIMEL

RETRIBVE SERVO TVO, VIVAM ET CVSTODIAM SERMONES TVOS, ET RELIQVA.

1. Quibus non est constans emundati cordis conscientia, precari ista prophetae uoce non possunt : RETRIBVE SERVO TVO. Si enim digna secundum opera nostra *retributio* aderit, in peccatorum ac delictorum nostrorum poenis manebimus. Satis autem est, si cui uel haec saltim fiducia gratulandi ad Deum fuerit : *Non secundum peccata nostra fecit nobis, neque secundum iniustitias nostras reddidit nobis. Quia secundum altitudinem caeli a terra elongauit a nobis iniquitates nostras, quia ipse cognouit figmentum nostrum*[a]. Magnum est tantam in se Dei misericordiam recognoscere et scire consuetudinem criminum procul a se abesse et dignum Dei misericordia se esse coepisse. Propheta autem hic, in cuius scilicet corpore habitatio Dei digna est, quia *sancto spiritu plenus*[b] non

17a

5

10

VL RC pA r S mB

gimel : *pr.* incipit littera III feliciter *V*   *pr.* incipit tractatus litterae III *L*   *pr.* incipit *C pA m*   *pr.* incipit tertia *r*   *pr.* incipit de littera III *S*   *pr.* littera III *Mi.*   + littera tertia *C pA m*

uiuam — et reliqua : usque ibi et consolatio mea iustificationes tuae *Ba. Er.*   omnes uersus litterae tertiae *R Gi. Mi.* ‖ et reliqua : et reliqua octo uersuum *Vr*   > *C pA S mB*

1, 1 et mundati *V¹ r* ‖ 3 tuo + et uiuam *R Gi.* ‖ 5 autem : enim *C pA mB Gi.* ‖ si cui : sicuti *VL r*   cui *R* ‖ 6 dominum *pA mB Mi. Zi.* ‖ 8 reddit *C* ‖ secundum : sicut *C* ‖ 9 longauit *R S Ba. Er. Gi.*

GIMEL

RÉTRIBUE TON SERVITEUR, JE VIVRAI ; ET JE GARDERAI TES PAROLES, ET LA SUITE.

1. Ceux qui n'ont pas une conscience assurée de la pureté de leur cœur ne peuvent prier avec ces mots du prophète : RÉTRIBUE TON SERVITEUR. Si, en effet, la *rétribution* est à la mesure de nos œuvres, nous demeurerons dans le châtiment de nos péchés et de nos fautes. C'est déjà bien si l'on a au moins l'assurance qui permet de remercier Dieu ainsi : « Il n'a pas agi envers nous selon nos péchés et ne nous a pas rendu selon nos injustices. En effet de la hauteur qui sépare le ciel de la terre, il a éloigné de nous nos iniquités, parce qu'il a connu lui-même de quoi nous sommes faits[a]. » Il est important de reconnaître une telle miséricorde de Dieu pour soi, de savoir qu'on est à l'abri de l'habitude des fautes et qu'on commence à être digne de la miséricorde de Dieu. Mais notre prophète, c'est-à-dire celui dont le corps est digne d'être l'habitation de Dieu, parce qu'il s'exprime ici « rempli de l'Esprit-

17a

Mi. prolongauit *C pA mB* ‖ a > *pA* ‖ 10 figmentum nostrum : figurationem nostram *L R S Ba. Er. Gi. Mi.* ‖ 10-11 tanta ... misericordia *R* ‖ 12 a se > *R* ‖ a > *Zi.* ‖ et dignum — se esse > *C pA mB* ‖ misericordiam *V* ‖ se esse : sese *VL r* ‖ 13 hinc *V* ‖ cuius : cui uiuus *VL* ‖ 14 quia : qui *RC S Ba. Er. Gi.*

1. a. Ps. 102, 10-11a.12b.14a ‖ b. cf. Lc 4, 1

15 communia nec terrena cogitans haec effatur, libertatis
eius est ut oret : *Retribue seruo tuo.*

2. Sed forte insolentis istud audaciae est, sine aliqua
confessionis modestia meritum *retributionis* optasse, nec
se in corpore situm, id est in uili atque humili sorte esse
meminisse. Exclusit autem propheta omnem de se uani-
5 tatis ac iactantiae opinionem. Nam cum dixisset *retribue*
ex fiducia innocentiae, *seruo tuo* ex *seruitutis* officio et ex
condicionis suae confessione subiecit. Constanter igitur
haec postulat, qui se *Dei seruum*, non *peccati* esse
meminisset; quia *omnis qui peccat seruus est peccati*[a].

17b   **3.** VIVAM, inquit, ET OBSERVABO SERMONES TVOS.
Viuam atque *obseruabo* non praesentis temporis res est,
sed significatio sermonis huius in futuri se tempus
extendit. Scit enim propheta quando beata illa et *uera*
5 *uiuentium uita* sit[a]. Nunc enim et *in puluere mortis*
manemus[b] et in *mortis* corpore sumus, a quo se liberari
apostolus orat dicens : *Miser ego homo, quis me liberabit
a corpore mortis huius*[c]? Habemus autem etiam nunc
admixtam nobis materiam, quae *mortis legi et peccati*
10 obnoxia est[d]; et in huius caducae carnis infirmisque

VL RC pA r S mB

1, 15 cogitat *R pA S mB edd.* || haec : et *RC S edd.* || libertas
C || 16 est : et os *C*   os *pA B*
2, 1 istud : sit ut *V* || audacia VL r || 3 humili : *pr.* in *C pA r² mB
Mi.* || esse > *pA mB* || 9 meminit *C pA mB Mi. Zi.* || peccati > *B*
3, 3 eius *V¹ R¹ Zi.* || futurum *C S Ba. Er. Gi. Mi.* || 5 sit uita *R Zi.* ||
et > *pA mB* || puluerem *V r* || 6 liberare *C* || 8 a : de *r* || 10 infirmaeque
C r S mB Ba. Er. Gi.

2. a. Jn 8,34
3. a. cf. I Tim. 6, 19 || b. cf. Ps. 21, 16 || c. Rom. 7, 24 || d. cf. Rom.
8, 2

Saint[b]», sans avoir de pensées communes ou terrestres, a la liberté de demander : *Rétribue ton serviteur*[1].

2. Mais peut-être est-ce une marque d'insolente audace que d'avoir souhaité, sans aucune modestie dans l'aveu, le prix d'une *rétribution* et de ne pas s'être souvenu de son appartenance à un corps, c'est-à-dire de sa condition vile et humble. Le prophète cependant a écarté à son sujet toute espèce de pensée de vanité et de suffisance. En effet, après avoir dit : *Rétribue*, fort de sa vie sans faute, il a ajouté : *Ton serviteur*, mot justifié par sa fonction de *service* et exprimant l'aveu de sa condition. Il formule donc sa demande avec assurance, puisqu'il s'est souvenu qu'il est *serviteur de Dieu* et non du «péché»; parce que «tout homme qui pèche est *serviteur* du péché[a]».

3. JE VIVRAI, dit-il, ET J'OBSERVERAI TES PAROLES. *Je vivrai* et *j'observerai* : cela ne concerne pas le présent, mais la signification de cette parole s'étend à l'avenir. Le prophète sait en effet quand les *vivants* auront la «*vie*» heureuse et «vraie[a]». Maintenant, en effet, nous demeurons «dans la poussière de la mort[b]» et nous sommes dans un corps de «mort», dont l'Apôtre demande à être libéré, en disant : «Malheureux homme que je suis, qui me libérera de ce corps de mort[c]?» Nous portons maintenant encore, unie à nous, une matière soumise à la «loi de la mort et du péché[d]»; et dans la demeure de cette chair

17b

---

1. Le commentaire du v. 17 suit dans son déroulement et son contenu celui d'Origène (*Ch. p.*, p. 214-216). Les remarques d'Hilaire sur *Rétribue* sont la reprise développée de la phrase simple d'Origène : «S'il vient à nous rétribuer, il nous châtiera pour nos fautes» (p. 214, v. 17a, l. 4-5). Même citation du *Ps.* 102. Comme Origène voyait dans la demande du prophète la marque de sa παρρησία, Hilaire y voit celle de sa *libertas*. Il applique au prophète la formule de *Lc* 4,1 : *sancto spiritu plenus*, et le montre détaché des pensées terrestres suivant *Phil.* 3,19.

domicilio corruptionis labem ex eius consortio mutuamur,
ac nisi glorificato in naturam spiritus *corpore uitae uerae*
in nobis non potest esse natura. Audiamus eum qui se
meminit in *corpore mortis* habitare dicentem quia *Vita*
15 *nostra absconsa est cum Christo in Deo. Cum autem Christus*
apparuerit, uita nostra, tunc et uos apparebitis in gloria[e].
Hanc ergo *retributionem* sibi propheta orat[f], ut *uiuat*,
futurae huius *uitae* tempus in loco altero docens, quo ait :
Et placebo Deo in regione uiuentium[g]. Scit hanc mundi
20 istius sedem *regionem* non esse *uiuentium* ; scit nos adhuc
secundum praefigurationem legis emundandos esse. Nunc
enim admiscemur morticinae ; et in lege : *Quisquis*
mortuum contrectat, immundus est[h].

4. Sed absit istud, ut quicquam horum in lege *corpo-*
raliter intellegatur, tamquam per *contrectationem mortui*
quisquam fiat immundus. Ioseph *ossa* egrediens Aegyptum
Moyses ipse lator legis auexit[a], Eliseus *mortuo*, ut eum
5 *uiuificaret, incubuit*[b], Dominus ipse *mortuum manu* adpre-
hensum in *uitam* retraxit[c] ; et *contrectatio mortui* si
immundum effectura fuisset, nequaquam neque a tantis
uiris neque a Domino uiolata lex esset, ipso dicente : *Non*

VL   RC   pA   r   S   mB

3, 11 corruptionem *V r*   -ne *L* ‖ 12 natura *R* ‖ 15 in > *R* ‖
16 uos apparebitis : + cum ipso *Mi.*   nos apparebimus *pA r*
mB   nos apparebimus cum ipso *S Ba. Er. Gi.* ‖ 19 domino *pA r*
mB Mi.
    4, 1 ut > *V* ‖ quisquam *VL r* ‖ 4 auexit : aduexit *VL r*   euexit
pA m Ba. Er.   abstulit *R S B Gi. Mi. Zi.* ‖ eum > *R* ‖ 5-6 mortuos
... adprehensos *RC pA S edd.* ‖ 7 neque > *S Ba. Er. Gi. Mi.* ‖ a > *V C* ‖
8 uiris : nobis *VL* ‖ deo *C pA mB*

---

3. e. Col. 3, 3-4 ‖ f. cf. *v. 17* ‖ g. Ps. 114, 9 ‖ h. Nombr. 19, 11
4. a. cf. Ex. 13, 19 ‖ b. cf. IV Rois 4, 34 ‖ c. cf. Matth. 9, 25

fragile et faible, nous contractons, du fait de cette cohabitation, la souillure d'une corruption et, si notre «corps» ne passe pas à la gloire de la nature spirituelle, la nature de la «vraie *vie*» ne peut être en nous[2]. Écoutons celui qui se souvient qu'il habite dans un «corps de mort» dire : «Notre *vie* demeure cachée avec le Christ en Dieu. Mais quand le Christ, notre *vie*, sera manifesté, alors vous aussi vous serez manifestés dans la gloire[e].» Ainsi la «rétribution[f]» que le prophète demande pour lui-même à Dieu, c'est de *vivre*[3], et il indique ailleurs le temps de cette *vie* future, quand il dit : «Et je plairai à Dieu dans la région des *vivants*[g].» Il sait que la «région des *vivants*» n'est pas le séjour de ce monde ; il sait que nous devons d'ici là nous purifier suivant ce que préfigure la Loi. Maintenant en effet nous sommes liés à notre condition mortelle, et dans la Loi il est écrit : «Quiconque touche un mort est impur[h].»

4. Mais gardons-nous de penser que tout ce qu'il y a dans la Loi doive être compris au sens «matériel», comme s'il était vrai que «l'on devienne impur au contact d'un mort». Moïse lui-même, le législateur, sortant d'Égypte emporta les «os» de Joseph[a] ; Élisée «se coucha près d'un mort» pour lui rendre la *vie*[b] ; le Seigneur lui-même ramena à la *vie* un «mort» qu'il avait pris par la «main[c]» ; si le «contact d'un mort» avait dû rendre «impur», la Loi n'aurait pas été violée ni par de si grands personnages, ni par le Seigneur qui dit lui-même : «Je ne suis pas venu

2. Ces lignes sur la corruption du corps soumis au péché, puis sa glorification lorsqu'il passe, dans la vraie vie, à une nature spirituelle rappellent celles de *In Matth.*, 10, 19 (*SC* 254, p. 238) qui commentent *Matth.* 10, 29 : les deux oiseaux qui se vendent un as. Sur ce commentaire et ce qu'Hilaire doit à Tertullien, voir J. DOIGNON, *Hilaire*..., p. 381-383.

3. Même commentaire du début du v. 17b, «Je vivrai», par Origène (*Ch.* p., p. 214, v. 17b, l. 1-8). Même citation de *Col.* 3, 3-4.

ueni legem soluere, sed implere[d]. Sed quia *lex umbra* est
10 *futurorum bonorum*[e], idcirco per hanc praeformatam signi-
ficantiam docuit nos in hoc *terreni* et morticini *corporis
habitaculo* mundos esse non posse[f], nisi per ablutionem
caelestis misericordiae emundationem consequamur[g], post
demutationem resurrectionis *terreni corporis* nostri effecta
15 gloriosiore natura.

5. Et forte si quis existimet sibi in sacramento baptismi
perfectam illam innocentiae et caelestis *uitae* dignam
redditam puritatem, Iohannem Baptistam dixisse recolat :
Ego quidem baptizo uos in aqua paenitentiae; *qui autem*
5 *uenit, fortior me est, ipse uos baptizat in spiritu sancto et
igni*[a]; ipsum autem Dominum *baptizatum* a Iohanne,
cum adhuc esset in *corpore*, meminerit locutum : *Adhuc
habeo aliud baptisma baptizari*[b]. Est ergo, quantum licet
existimare, perfectae illius emundatio puritatis etiam
10 post *baptismi* aquas reposita, quae nos *sancti spiritus*
sanctificet aduentu, quae iudicii *igne* nos decoquet, quae
per *mortis* iniuriam a labe morticinae et societate pur-
gabit, quae martyrii passione deuoto ac fideli sanguine
abluet.

VL   RC   pA   r   S   mB

4, 9 adimplere *L pA r² mB Ba. Er. Gi. Mi.* ‖ 10 praeformatum
V ‖ 13 post : per *C pA r mB*
5, 1 si : ne *m*   > *C pA B* ‖ 2 et > *C* ‖ caelesti uita (uitam *V*) *VL*
C pA r mB Mi. ‖ 4 aquam *L* ‖ autem + post me *S Ba. Er. Gi. Mi.* ‖ 5
baptizabit *S Ba. Er. Gi. Mi.* ‖ in > *Mi.* ‖ 8 alio baptismo (baptismate
C) *C pA· mB Ba. Er. Gi. Mi.* ‖ baptizare *VL* ‖ 10 sancti : sui *C pA mB* ‖
11 igni *C pA S Gi. Mi. Zi.* ‖ decoquat *S Ba. Er. Gi. Mi.* ‖ 13 deuota *C
pA mB Mi.*

4. d. Matth. 5,17 ‖ e. cf. Hébr. 10,1 ‖ f. cf. II Cor. 5,1-2 ‖ g. cf.
Hébr. 10,22
5. a. Matth. 3,11 ‖ b. Lc 12,50

abolir la Loi, mais l'accomplir[d].» Mais parce que la «Loi» est l'«ombre des biens à venir[e]», il nous a montré à l'avance par cette parole figurée que nous ne pouvons arriver à être purs dans cette «demeure» d'un «corps terrestre» voué à la mort[f], à moins d'obtenir par l'ablution de la miséricorde céleste la purification[g4], la nature de notre «corps terrestre» étant parvenue à plus de gloire après la mutation de la résurrection[5].

5. Et si l'on pense que cette pureté parfaite d'une vie sans faute, digne de la *vie* céleste, a été rendue dans le sacrement du baptême, qu'on se rappelle les paroles de Jean-Baptiste : «Pour moi, je vous baptise dans l'eau de la pénitence ; or, celui qui vient est plus fort que moi ; il vous baptise lui-même dans l'Esprit-Saint et le feu[a].» Qu'on se souvienne que le Seigneur lui-même, «baptisé» par Jean, alors qu'il était encore dans la «chair», déclara : «J'ai encore à être baptisé d'un autre baptême[b].» Donc, autant qu'on peut le penser, il y a en réserve, même après l'eau du «baptême», une purification apportant la pureté parfaite, celle qui nous sanctifiera par la venue de l'«Esprit-Saint» et nous réduira au «feu» du jugement, celle qui, par le dommage de la «mort», purifiera la souillure de l'union avec un corps de mort, celle qui, par la passion du martyre, lavera dans un sang consacré par la foi[6].

---

4. Définition de la «miséricorde céleste» à l'aide d'un vocabulaire *(ablutio, emundatio)* employé à propos du baptême : *Hébr.* 10, 22 : «abluti *corpus aqua* munda»; TERT., *Bapt.*, 4, 5 : «*aquis* abluamur ... *caro spiritaliter* emundatur»; 6, 1 : «*in aqua* emundati».

5. Depuis *Quia lex* (l. 9) jusqu'à la fin du § 4 : texte cité par AUGUSTIN dans le *Contra Iulianum Pelagianum*, 2, 8, 26 (*PL* 44, 691-692). Sur les textes d'Hilaire cités par Augustin dans ce traité, cf. J. Doignon, «*Testimonia* d'Hilaire ...».

6. Sur le baptême dans l'Esprit-Saint et le feu, voir le commentaire d'Hilaire sur *Matth.* 3, 11 en *In Matth.*, 2, 4 ; 4, 10 (*SC* 254, p. 108 ; 126-128). Sur le baptême par le martyre, cf. TERT., *Bapt.*, 16, 1 ; *Pudic.*, 22, 9 ; *Patient.*, 13 ; CYPR., *Fort.*, 4.

6. Et idcirco sanctus propheta *uicturum* se dicit esse, cum *uiuat*, per hanc scilicet *umbram uitae* ad ueram illam *regionem uiuentium transferendum*[a]. Secundum quod exemplum, ut dixit : *Viuam*, ita et : *Custodiam sermones tuos.*
5 *Custodiuntur* interim secundum apostolum Paulum *pro parte* et *per speculum*[b]. Sunt enim multa saeculi scandala, quae prohibent perfectam in nobis mandatorum esse *custodiam*. Taceo de naturis *corporum*, quae nos interim aut per infirmitatem aut per incentiua uitiorum imper-
10 fectos esse compellunt. At uero *morte uicta* et *aculeo eius* obtuso[c] et cum *facie ad faciem* audiamus atque cernamus[d], tunc uere et *uiuemus* et Dei mandata seruabimus.

7. Ordo intellegentiae qui primo uersu continetur, hic
18   idem in consequentibus est. Ait enim : REVELA OCVLOS MEOS ET CONSIDERABO MIRABILIA DE LEGE TVA. Scit mortalibus *oculis* atque corporeis nubem *obscuritatis* obsis-
5 tere[a]. Scit ea quae corporaliter in *lege* praecepta sunt *umbram* esse et *speculum futurorum*[b]. *Legem* quidem legit, sed optat *legis mirabilia* contueri. Meminit *sancta* esse *sabbata*, sed in aeternorum *sabbatorum requie* esse desiderat[c]. Vtitur quidem *azymis* panibus, sed *fermentum*
10 eicere naturae *ueteris* festinat[d]. *Immolat* paschae *ouem*[e], sed adsistere ei qui per Iohannem reuelatur *agno* concupiscit[f]. *Septimi anni legi* satisfacit[g], sed ipse exactis septem

---

[l] *VL   RC   pA   r   S   mB*

6, 1 sanctus : spiritus *C* ‖ 2 haec *C* ‖ 5 paulum > *V r* ‖ 7 prohibet *V* ‖ 11 obtunso *RC* ‖ audiemus ... cernemus *S Ba. Er. Gi. Mi.*

7, 2 consequenti *m* ‖ 7 optat : apta *C* ‖ contueri : *pr.* orat *C* ‖ esse sancta *R Zi.* ‖ 8 aeternarum sabbatarum *VL* ‖ 11 reuelatur : agnus ostensus est *C* ‖ concupiscit agno *C* ‖ 12 legis *C*

---

6. a. cf. Ps. 114,9 ; Col. 1,13 ‖ b. I Cor. 13,9.12 ‖ c. cf. I Cor. 15,55-56 ‖ d. cf. I Cor. 13,12

7. a. cf. Ps. 68,24 ; Rom. 11,10 ‖ b. cf. I Cor. 13,9.12 ; Hébr. 10,1 ‖ c. cf. Ex. 20,8 ; Lév. 23,3 ‖ d. cf. Ex. 12,15 ; I Cor. 5,7 ‖ e. cf. Ex. 12,3-6 ‖ f. cf. Jn 1,29 ‖ g. cf. Ex. 23,11

6. Et si le saint prophète dit qu'il *vivra*, alors qu'il *vit*, cela veut dire qu'il sera «transféré» à travers l'«ombre» de cette *vie* vers la vraie «région des *vivants*[a]». C'est sur ce modèle que, comme il a dit : *Je vivrai*, il dit aussi : *Je garderai tes paroles.* Elles sont *gardées*, pour le moment, suivant l'apôtre Paul, «partiellement» et «au travers d'un miroir[b7]». Nombreux en effet sont les scandales dans le monde qui empêchent que soient parfaitement *gardés* en nous les commandements. Je ne parle pas de la nature de notre «corps», qui, pour le moment, soit en raison de sa faiblesse, soit par la brûlure de nos vices, nous réduit à être imparfaits. Mais quand la «mort» aura été «vaincue» et que «son aiguillon» aura été émoussé[c], quand nous entendrons et verrons «face-à-face[d]», alors vraiment nous *vivrons* et observerons les commandements de Dieu.

7. L'ordre d'intelligibilité contenu dans le premier verset est aussi celui des suivants. Il dit en effet : Ouvre mes yeux et je considérerai les merveilles de ta loi. Il sait que devant des *«yeux»* mortels et de chair se dresse un nuage d'«obscurité[a]». Il sait que les préceptes matériellement donnés dans la *«Loi»* sont l'«ombre» et le «miroir des biens à venir[b]». Il lit bien la *Loi*, mais il souhaite voir les *merveilles de la Loi*. Il se souvient que les «sabbats» sont «sacrés», mais il désire connaître le «repos» des «sabbats» éternels[c8]. Il prend bien des pains «azymes», mais il a hâte de rejeter le «ferment» de l'«ancienne» nature[d]. Il «immole la brebis» à Pâques[e], mais il aspire à se présenter devant l'«agneau» révélé par Jean[f]. Il se plie à la *loi* de la «septième année[g]», mais lui-même demande, une fois

18

---

7. Origène cite également *I Cor.* 13, 12 (*Ch. p.*, p. 216, v. 17b, l. 10-11).
8. Cf. *In psalm.* 91, 10.

milibus saeculi esse liber expostulat. *Iubelaei quinquagesimi anni legem* explet, sed Pentecostadis *remissionem*
15 ac renouationem obtinere festinat[h]. Scit ex praecepto Dei
secundum caeleste *exemplar* et altarium a Moyse institutum[i] et Aaron sacerdotali habitu ornatuque uestitum[j],
sed principis sacerdotum, in cuius exemplum haec fiebant,
interesse ministeriis properat. Induci quoque in terram
20 sanctam, *terram fluentem lac et mel*[k], tamquam totius huius
orbis *peregrinus* orat[l]. Vniuersa quidem ista Iudaei
corporaliter gerunt, sed hoc Paulus aliter intellegit dicens :
Scimus enim, quia lex spiritalis est[m]. Haec igitur *legis
mirabilia*, quae uelatis *oculis* adumbrantur, propheta orat
25 ut cernat; scilicet ut caduco atque infirmo corpore
absolutus haec quae per corporalem obseruantiam *legis*
magna et *mirabilia* in caelis praefigurantur aspiciat.

8. Non demutatur adfectus orantis. Post haec enim ait :
19   ADCOLA SVM IN TERRA ; NE ABSCONDAS A ME MANDATA
TVA. *Adcola* non iuris sui *terram* incolit, sed *aduena atque
peregrinus* fructum ex ea temporariae operationis expec-
5 tat[a]. Nouit incolatus huius apostolus ordinem dicens
peregrinandum a corpore et cum Christo manendum esse[b].

VL   RC   pA   r   S   mB

7, 13 liber esse *C pA* ‖ iubelaei : iubet legi *VL r*   iubente
lege *R* ‖ 14 anni + satisfieri ipse *VL r* ‖ pentecostes *C pA r mB
Mi.* ‖ 16 caelestem *VL* ‖ exemplare *C* ‖ et > *C pA* ‖ 17 uestium
L ‖ 19-20 sanctam terram *pA* ‖ 20 terram > *r* ‖ lacte et melle *R pA
mB Gi. Mi. Zi.* ‖ tamquam : iam *R Zi.* ‖ totus *r* ‖ 22 haec *pA* ‖ 24
adumbratur *VL r* ‖ 25 caduca ... infirma corpora *VL* ‖ 26 per > *m*
8, 1 demutantur *V* ‖ adfectus : aspectus *L* ‖ 2 ne : non *R* ‖ 3 non +
in *VL* ‖ aduena atque : alienam neque *C pA r mB Mi.* ‖ 4 temperiae
C   corporariae *R*

7. h. cf. Lév. 25, 10 ‖ i. cf. Ex. 38 ; Hébr. 8, 5 ‖ j. cf. Ex. 39 ‖ k. cf.
Ex. 3, 8. 17 ‖ l. cf. Hébr. 11, 13 ‖ m. Rom. 7, 14

accomplis les sept mille ans, à être affranchi du monde[9]. Il accomplit la *loi* du «jubilé» de la «cinquantième année», mais il a hâte d'obtenir le «pardon» et le renouvellement de la Pentecôte[h]. Il sait que, d'après le précepte de Dieu, suivant le «modèle» céleste, un autel a été construit par Moïse[i], qu'Aaron a revêtu l'habit et l'ornement des prêtres[j], mais il est pressé d'être au milieu des serviteurs du prince des prêtres qui servait de modèle à ces réalisations. Il demande aussi à être porté dans une terre sainte, une «terre ruisselant de lait et de miel[k]», lui qui n'est qu'un «pèlerin» sur toute cette terre[l]. Les Juifs accomplissent tout cela de façon matérielle, mais Paul le comprend autrement, lui qui dit : «Nous savons en effet que la *Loi* est spirituelle[m].» Telles sont donc les *merveilles de la Loi*, cachées à des *yeux* voilés, que le prophète demande à voir ; c'est-à-dire qu'il veut être libéré de son corps fragile et faible pour apercevoir les grandeurs et les *merveilles* qui sont aux cieux et que préfigure l'observance matérielle de la *Loi*.

8. Les dispositions de celui qui prie ne changent pas. Après, il dit en effet : JE SUIS UN COLON SUR LA TERRE ; NE ME DISSIMULE PAS TES COMMANDEMENTS. Un *colon* n'habite pas une *terre* sur laquelle il a un droit, mais, comme «voyageur et étranger[a]», il espère d'elle le revenu d'un travail temporaire[10]. Dans cette forme d'habitat, l'Apôtre voit un plan, quand il dit qu'il faut être «étranger à son corps» et demeurer avec le Christ[b]. C'est pourquoi le

19

---

8. a. cf. Gen. 23,4 ; Ps. 38,13 ; Hébr. 11,13 ‖ b. cf. II Cor. 5,8

9. Sur le millénarisme chez Hilaire, voir A. LUNEAU, *L'histoire du salut chez les Pères de l'Église*, Paris 1964, p. 235-239.

10. Les remarques sur le mot *adcola* ont pu être suggérées à Hilaire par le commentaire d'Origène sur les mots πάροικος, παροικεῖν, κατοικεῖν (*Ch. p.*, p. 218, v. 19, l. 1-5). Les glossaires définissent ainsi *adcola* : *accola qui aliena(m) terra(m) colit* (*Corpus Glossariorum latinorum* : Goetz, t. 4, p. 203, l. 8).

Propheta itaque quasdam imagines *caelestium conuersa-*
tionum fide cernens[c], licet *corpus* incolat, tamen rem non
suam incolit oculis in caelum mentis erectis. Scit *in caelo*
10 *thensauros* conlocandos, quia *ubi thensaurus sit, illic et cor*
futurum sit[d]. Non erat ille sensu suo *terrae adcola*, qui in
euangelica comparatione *horrea* extruit capacia ingentium
fructuum et *animam suam* per praesentium copiam ad
delicias adhortatus, *stultus anima* ipsa *eadem nocte* priuan-
15 dus[e]!

9. Ergo *adcolam* se propheta confitens orat ne *manda-*
ta Dei a se occulantur. Nemo enim, nisi *peregrinus corporis*
sui, cognitione *mandatorum Dei* dignus est. Quod *manda-*
tum Dei cum *lucidum* sit et *inluminans oculos*[a], absurde
5 nunc uidebitur dixisse ne sibi *mandata Dei* occulantur,
quae hoc naturae in se habent, ut et *lucida* sint et
inluminent. Sed neglegentia aurium adfert sensus difficultatem. Illic enim *mandatum lucidum* et *inluminans* est,
hic *mandata absconsa sunt*. *Lucidum mandatum* est per
10 quod ad contuendum lumen *mandatorum inluminamur*.
Per *mandatum*, quod in lege primum est, quo *Deum ex*
tota anima et ex tota uirtute amare praecipimur[b], dignique
inluminatione cognitionis efficimur. Et sicut *de gloria in*
gloriam transibimus[c], sic et *in lumine uidebimus lumen*[d],

VL   RC   pA   r   S   mB

8, 7 quandam *r* ‖ imaginum *VL r* ‖ conuersationem *V r* ‖ 10
conlocandos + esse *V* ‖ et : quoque *B* ‖ 11 sit > *R* ‖ illo *pA*
Mi. ‖ suae *pA Ba. Er. Gi. Mi.* ‖ 12 conpatione *V* ‖ 14 adhortatur
pA S mB edd.

9, 2 occultentur *R* ‖ 3 cognitionem *VL* ‖ 7 adferet *VL* ‖ sensuum *R*
S Ba. Er. Gi. ‖ 11 quo : quod *VL pA r mB*   > *C* ‖ dominum *VL C*
pA r mB ‖ 12 et > *C pA S Ba. Er.* ‖ dignique : digni *S Ba. Er. Gi.*
Mi.   digni quoque *Zi.* ‖ 14 transiuimus *C*   transimus *pA* ‖ sic
et : sicut *VL R¹ r*   sic *S*   et *Ba. Er. Gi.*

8. c. cf. Phil. 3, 20 ‖ d. cf. Matth. 6, 20-21 ‖ e. cf. Lc 12, 18
9. a. cf. Ps. 18, 9 ‖ b. cf. Deut. 6, 5 ‖ c. cf. II Cor. 3, 18 ‖ d. cf. Ps.
35, 10

prophète qui discerne par la foi certaines représentations
de la «vie céleste[c]», tout en habitant son «corps», n'habite
cependant pas un bien qui lui appartient, car il lève les
yeux de son esprit vers le ciel. Il sait que c'est «dans le
ciel» que doivent être mis en dépôt les «trésors», car «là où
sera son trésor, là aussi sera son cœur[d]». Il n'avait pas ce
sentiment d'être *colon sur la terre* celui qui, dans la
parabole de l'Évangile, construit des «greniers» pour ses
immenses «récoltes» et qui, ayant invité «son âme» à
prendre son plaisir en raison de l'abondance de ses biens,
devait perdre, «le sot, sa vie cette nuit-là» précisément[e]!

9. Donc le prophète, confessant qu'il est un *colon*,
demande que les *commandements de Dieu* ne lui soient pas
cachés. Personne en effet, à moins d'être «étranger à son
propre corps», n'est digne de la connaissance des *commandements de Dieu*. Or, comme le *commandement de Dieu* est
«brillant» et «illumine le regard[a]», il semblera ici absurde
que le prophète ait demandé que les *commandements de
Dieu* ne lui soient pas cachés, puisqu'ils ont la propriété
naturelle d'être «brillants» et d'«illuminer». Mais c'est
notre façon négligente de prêter l'oreille qui crée la
difficulté de sens. Dans un cas en effet, c'est le *commandement* qui est «brillant» et qui «illumine», dans l'autre ce
sont les *commandements qui sont dissimulés*[11]. Le *commandement* «brillant» est celui qui nous «illumine» pour nous
faire voir la lumière des *commandements*. Par l'effet du
commandement, premier dans la Loi, qui nous prescrit
d'aimer «Dieu de toute notre âme et de toute notre
force[b]», nous sommes aussi rendus dignes de
l'«illumination» de la connaissance. Et de même que nous
passerons «de la gloire à la gloire[c]», de même «dans la
lumière nous verrons la lumière[d]», de même, «au travers

11. Cf. commentaire d'Origène (*Ch. p.*, p. 218, v. 19).

15 sic et *per speculum faciem* ipsam aliquando cernemus[e].
Per hoc enim nunc *corporalis* uitae *mandatum* sacramento
baptismi et *praecepto Dei inluminamur* et *lumine* utimur
et in *gloria* manemus. Per hoc rursum ex *mandato* et
mandata cernemus, per hoc ex *lumine lumen uidebimus*,
20 per hoc *ex gloria in gloriam* transferemur.

10. Scit autem *in caelis* propheta plura *Dei* esse
mandata, scit per diuersitatem ministeriorum diuersas esse
praeceptorum obseruantias, angelorum, archangelorum,
thronum, dominationum, potestatum et *principatuum*[a].
5 Quos utique necesse est, ut nominibus, ita et officiis
esse diuersos, perpetuam tamen *mandatorum* custodiam
pro naturae suae firmitate retinentes. Atque ob id reuelari
sibi *caelestium mandatorum* sacramenta orat, quia sciat
se in *terrae* huius *corpore* esse *peregrinum*.

20   **11.** Quartus hic tertiae litterae uersus est : Concvpivit
anima mea, vt desiderem ivdicia tva in omni tempore.
Non est prophetae huius communis cum ceteris uel saeculi
sermo ; altius sub significatione familiarium uerborum
5 intellegentiae suae extulit sensum dicens : *Concupiuit
anima mea, ut desiderem iudicia tua in omni tempore.*
Multis enim uidebitur rectius dictum fuisse : *Desiderat
anima mea iudicia tua in omni tempore.* Et forte quidam
existimant id ipsum sub his dictis contineri.

VL RC pA r S mB

9, 15 ipsam : psalmi *R* ‖ quando *R*   quandoque *Er. Gi.* ‖ 18 et[2] :
et in *r*   > *pA S mB Ba. Er. Mi.* ‖ 19 cernimus *A* ‖ 20 transfe-
rimur *A*
10, 2 diuersas : -sa *V* ‖ 4 thronorum *C pA mB Ba. Er. Gi.
Mi.*   throni *r* ‖ 7 firmitatem *V*
11, 1 tertiae litterae : l. t. *mB*   > *C pA* ‖ 2 ut desiderem :
desiderare *r* ‖ iudicia tua : iustitiam tuam *R* ‖ 3 cum ceteris communis
C pA mB Mi. ‖ saeculi : solus *m* ‖ 6 ut desiderem : desiderare *R r Gi.* ‖
iudicia tua : iustificationes tuas *R Gi.*

d'un miroir», nous verrons un jour sa «face» elle-même[e].
En effet, sous l'effet de ce *commandement* qui s'applique à
la vie «corporelle» de maintenant, par le sacrement du
baptême et le «précepte de Dieu», nous sommes «illuminés», nous avons la «lumière» et demeurons dans la
«gloire»[12]. Sous son effet, à partir du *commandement*, nous
verrons à leur tour les *commandements*, sous son effet, à
partir de la «lumière, nous verrons la lumière», sous son
effet, nous serons transférés «de la gloire dans la gloire».

10. Le prophète sait que, «dans les cieux», nombreux
sont les *commandements de Dieu* ; il sait qu'en raison de la
diversité des ministères il y a diversité dans l'observance
des préceptes de la part des anges, des archanges, «des
trônes, des dominations, des puissances, des principautés[a]». Assurément, comme ils sont divers par les noms, ils
doivent l'être aussi par les fonctions, bien qu'ils assurent
une garde éternelle des *commandements* conforme à la
stabilité de leur état. Et s'il demande que lui soient révélés
les mystères des *commandements* «célestes», c'est parce
qu'il sait qu'il est un «étranger» dans ce «corps *terrestre*».

11. Le quatrième verset de cette troisième lettre est :
MON ÂME A ASPIRÉ À DÉSIRER TES JUGEMENTS EN TOUT   20
TEMPS. Les paroles de notre prophète n'ont rien de
commun avec celles entendues généralement ou dans le
monde ; il a dépassé la signification des mots ordinaires et a
étendu en profondeur la portée de son idée, en disant :
Mon âme a aspiré à désirer tes jugements en tout temps. Pour
beaucoup en effet, il aurait été plus simple de dire : *Mon
âme désire tes jugements en tout temps.* Et peut-être certains
pensent-ils que c'est précisément là le sens de ces paroles.

9. e. cf. I Cor. 13, 12
10. a. cf. Col. 1, 16

12. Sur l'illumination conférée par le baptême, cf. CYPR., *Donat.*,
4.

12. Sed meminit propheta arduum esse et naturae
humanae periculosissimum *Dei desiderare iudicia.* Cum
enim nemo uiuens in conspectu ipsius *mundus* sit[a],
quomodo *desiderabile eius* potest esse *iudicium*? An cum
5 *ex omni otioso uerbo rationem simus praestituri, diem
iudicii concupiscemus*[b], in quo nobis est ille indefessus
ignis obeundus[c], in quo subeunda sunt grauia illa expian-
dae a peccatis animae supplicia? Beatae Mariae *animam
gladius pertransibit, ut reuelentur multorum cordium cogi-*
10 *tationes*[d]. Si in *iudicii* seueritatem capax illa Dei uirgo
uentura est, *desiderare* quis audebit a *Deo iudicari*?
Iob omni humanarum calamitatum militia et uictoria
perfunctus, qui cum temptaretur, ait : *Dominus dedit,
Dominus abstulit, sit nomen eius benedictum in saecula*[e],
15 *cinerem* se esse confessus[f] et audita *de nube* Dei *uoce*[g]
non loquendum sibi ultra esse decreuit[h]. Et quis erit
ausus *Dei desiderare iudicia,* cuius *uocem* de caelis nec
tantus propheta sustinuit, neque apostoli consistentes in
monte cum Domino ferre potuerunt[i]?

13. Tenuit itaque propheta humanae et naturae et
conscientiae modum dicens : *Concupiuit anima mea, ut
desiderem iudicia tua in omni tempore.* Non enim *iudicium
desiderat,* sed *ut desideret concupiscit : desiderii* eum

VL   RC   pA   r   S   mB

12, 2 desiderare dei *R* ‖ 3 conspectum *L* ‖ ipsius : eius *V r* ‖ 4 eius
— iudicium : eius iudicium *C* iudicium eius *pA mB Mi.* ‖ 5 uerbo
otioso *R Zi.* ‖ diem : in diem *VL*   in die *r* ‖ 6 concupiscimus *R S Ba.
Er.*   concupisceremus *C* ‖ 7 obeundus : subeundus *R pA mB Mi.* ‖
grauia : gladia *VL* ‖ 9 pertransiuit *VL R² r mB Er. Gi.* ‖ 10 si : ubi *C
pA mB* ‖ 12 omnium *C pA Ba. Er. Gi. Mi.* ‖ militiam *L* ‖ 14 eius :
domini *r* ‖ 15 confessus + est *Zi.* ‖ et > *S Ba. Er. Gi. Mi.* ‖ 17 iudicia
+ tua *R* ‖ huius *VL*
13, 1 et ¹ > *r B* ‖ 2-3 ut desiderem : desiderare *r*

12. a. cf. Job 4, 17 ; 15, 15 ‖ b. cf. Matth. 12, 36 ‖ c. cf. I Cor. 3, 13 ‖

12. Mais le prophète se souvient qu'il est difficile et très dangereux pour la nature humaine de *désirer les jugements de Dieu*. En effet, comme aucun homme vivant sous son regard n'est «pur[a]», comment *son jugement* peut-il être *désirable*? Alors que «nous devrons rendre compte de toute parole oiseuse», allons-nous *aspirer* au «jour du *jugement*[b]», où il nous faudra affronter un «feu» inextinguible[c], où il nous faudra subir de terribles supplices pour purifier notre âme de ses péchés? «Une épée traversera de part en part l'âme» de la bienheureuse Marie, «afin que soient révélées les pensées de bien des cœurs[d]». Si cette vierge qui a eu l'audience de Dieu doit se présenter à la rigueur d'un *jugement*, qui osera *désirer* être *jugé* par *Dieu*[13]? Job qui avait remporté tous les combats et toutes les victoires sur les malheurs qui frappent l'homme, qui, dans la tentation, dit: «Le Seigneur a donné, le Seigneur a repris, que son nom soit béni dans les siècles[e]», après avoir confessé qu'il était «cendre[f]» et entendu la «voix» de Dieu «du haut d'un nuage[g]», jugea qu'il n'avait plus rien à dire[h]. Et qui aura osé *désirer les jugements d'un Dieu* dont un si grand prophète n'a pas soutenu la «voix» venue du haut des cieux et que les apôtres non plus, debout sur la «montagne» avec le Seigneur, n'ont pu supporter[i]?

13. C'est pourquoi le prophète est resté dans les limites de la nature et de la conscience humaines en disant: *Mon âme a aspiré à désirer tes jugements en tout temps*. En effet, il ne *désire* pas le *jugement*, mais il *aspire à le désirer*: c'est

d. Lc 2,35 ‖ e. Job 1,21 ‖ f. cf. Job 30,19 ‖ g. cf. Matth. 17,5 ‖ h. cf. Job 39,34-35 ‖ i. cf. Matth. 17,1.6

13. Sur l'épée, symbole de la «rigueur du jugement», cf. *In Matth.*, 10,23 (*SC* 254, p. 242). Jugement, chez Hilaire, n'équivaut pas nécessairement à condamnation, mais signifie plutôt enquête en vue d'apprécier le bien comme le mal: cf. *In psalm.* 2,44, d'après TERT., *Apol.*, 48,4. Aucune des raisons du «jugement» de Marie dans ORIG., *Hom. Lc*, 17,6-8, n'apparaît ici.

5 cupiditas, non *iudicii* continebat. *Concupiscit* enim *desi-*
derare, scilicet ut in tanta innocentia maneat ut tuto
iam et sine metuendi *iudicii* terrore *desideret*, rem ipsam
nondum per conscientiam humanae condicionis *desiderans*,
sed eius *desiderium*, ex conscientia perfectae si proueniat
10 innocentiae, *concupiscens*. Scit uero continentem et indefessam *desiderii* huius *concupiscentiam* esse oportere;
atque ideo adiecit : *In omni tempore*, nullum scilicet docens
otium nobis esse debere, quin semper *desiderii* huius
cupiditate teneamur.

21   **14.** Deinde sequitur : INCREPASTI SVPERBOS ; MALE-
DICTI, QVI DECLINANT A MANDATIS TVIS. O infelix *superbia*,
quae dedignatur sub praeceptis caelestibus uiuere, quae
mandata diuina animi infidelis tumore fastidit! Plurima
5 sunt humanorum uitiorum crimina, et diuersae atque
innumerabiles peccatorum operationes; sed nulla magis
prouocandae in nos Dei irae quam *superbiae* causa est.
Increpasti enim non auaros, non lasciuos, quibus utique
increpatio debita est, sed *superbos*; quia plures per
10 *superbiam*, qua humana contemnunt, etiam Deo obsequi
spernunt.

15. Sed sint licet praeclara cetera fidei opera et in
omni diuinorum praeceptorum custodia deuotio immore-
tur, tamen subrepente *superbia* memoria eorum quae recte
operamur abolebitur. Quanto euangelicus ille *pharisaeus*
5 labore se in uitae uiam statuit, ne alienae rei *rapax*

VL   RC   pA   r   S   mB

    13, 7 metu *pA* *r²* *mB* ‖ terrorem *pA* *r²* *mB* ‖ 7-8 rem — condi-
cionis : non rem ipsam *C pA mB* ‖ 9 ex : et *C pA Mi.* ‖ conscientiae
V ‖ si : ut *C pA mB Mi. Zi.* ‖ perueniat *C mB* ‖ 13 otium :
etiam *V* ‖ debere : derelictum *VL* ‖ 14 cupiditatem *V*
    14, 4 plura *C* ‖ 7 prouocandi ... iram dei *S Ba. Er.* ‖ 8 increpat *r*
    15, 2 iam moretur *C* ‖ 4 quanta *VL* ‖ 5 laborare *C* ‖ uia *C r m* ‖
alienae rei : in alienam rem *C pA mB Mi.*

l'aspiration au *désir*, non au *jugement* qui l'occupait. Il *aspire à désirer*, entendons qu'il aspire à demeurer dans une vie si parfaitement exempte de faute, qu'il *désirera* en toute sécurité et sans être effrayé par la crainte du *jugement*, ne *désirant* pas encore sa réalisation elle-même, conscient qu'il est de sa nature humaine, mais *aspirant à son désir*, conscient que sa vie sans faute doit être parfaite, pour le cas où le jugement se réaliserait. Mais il sait qu'il convient que l'*aspiration à* ce *désir* soit continue et sans relâche ; c'est pourquoi, il a ajouté : *En tout temps*, montrant par là que nous ne devons pas connaître l'inaction qui nous empêche d'être toujours occupés par l'envie de ce *désir*[14].

14. Suit alors : Tu as menacé les orgueilleux ;   21
maudits, ceux qui s'écartent de tes commandements.
Ô malheureux *orgueil* qui juge indigne de vivre sous les préceptes célestes, qui, avec la morgue d'une âme sans foi, repousse avec dédain les *commandements* divins ! Très nombreuses sont les fautes imputables aux vices des hommes, divers et innombrables sont les actes peccamineux. Mais il n'y a pas de raison qui appelle davantage sur nous la colère de Dieu que l'*orgueil*. *Tu as menacé*, en effet, non pas les cupides, non pas les débauchés, auxquels, de toute façon, est réservée une *menace*, mais *les orgueilleux*. Beaucoup en effet, à cause de l'*orgueil* qui leur fait mépriser les choses humaines, se refusent aussi à obéir à Dieu.

15. Quand bien même toutes les autres œuvres de notre foi seraient remarquables et la piété s'attacherait à garder les préceptes divins, cependant, si l'*orgueil* s'insinue, le souvenir de nos actions droites sera effacé. Au prix de quel effort le « pharisien » de l'Évangile n'a-t-il pas engagé sa vie

---

14. Voir l'explication du v. 20 par Origène (*Ch. p.*, p. 220, l. 1-12).

esset, ne in quemquam *iniuriosus* existeret, ne *adulteriis*
dissolueretur! Laborauit *bis in sabbato ieiunans* et infelix
hoc vitiosumque corpus per abstinentiam cibi ingentis
patientiae uirtute confecit. Quanto deinde labore auaritiae
10 uincendae *decimas* substantiae suae in usum egentium
intulit! Quid his praeclarius? Quid eorum opere diffi-
cilius? Sed incidit in *superbiae* laqueum dicens : *Quia non
sum sicut peccator iste* et *publicanus*. Ex ingentibus
operibus cecidit in crimen et insolens per hanc uirtutum
15 suarum gloriam factus *iustificato* magis *publicano* recessit[a].

16. Sed quid de pharisaeo dicimus? *Apostolus non ab
hominibus neque per hominem, sed per Iesum Christum*[a],
aduersus quem diabolus omni uirtutis suae arte luctatus
est, *angelum satanae, qui se colaphizaret*[b], accepit, ut per
5 passionum omnium indefessas molestias nulla *superbiendi*
occasio per otium temporis posset inrepere. Ipse quoque
eligendi et constituendi sacerdotis quandam legem ferens,
cum iam eum in quibus episcopum dignum est uirtu-
tibus conlocasset, neophytum eligi uetuit, ne *super-
10 biret*, dicens : *Non neophytum, ne inflatus incidat in
iudicium diaboli*[c]; id est, ne per recens adeptam regene-

VL RC pA r S mB

15, 7-8 et infelix hoc > *pA r² mB Mi. Zi.* ‖ 8 uitiosumque :
uitio suum *R*   uitiosum *S Ba. Er.*   uitiorumque *C*   uitiorum
Gi.   suumque *pA mB Zi.*   et suum *r* ‖ ingenti *pA r mB
Mi.* ‖ 9 laborare *C* ‖ 10 uicendae *C* ‖ decimus *V* ‖ 11 contulit *V r
Zi.* ‖ eorum opere : ea re *V r* ‖ 13 iste : ipse *C* ‖ publicanus + et
infelix hoc uitio *pA r² mB Mi. Zi.* ‖ 15 iustificato : glorificato *R*
16, 1 apostolus + ait *VL* ‖ 3 omnis *r* ‖ 5 passionem *A* ‖ 6 possit *R* ‖
7 elegendi *L* ‖ 9 conlocasse *VL* ‖ elegi *L R* ‖ superbiat *VL*

---

15. a. Lc 18,11 ; cf. 18,10-14
16. a. Gal. 1,1 ‖ b. II Cor. 12,7 ‖ c. I Tim. 3,6

---

15. L'attaque contre la *superbia* s'inscrit dans une tradition morale
qui, des auteurs classiques (CIC., *Rep.*, 1, 37, 58 ; 1, 40, 62 ; 2, 25, 46 ;
HOR., *Ep.* 4,5 ; 15,18), s'est transmise aux auteurs chrétiens (CYPR.,

sur une route qui le détourne de « ravir » le bien d'autrui, de
se montrer « injuste » à l'égard de quiconque, d'être
corrompu par les « adultères » ! Il a fait l'effort de « jeûner
deux fois par semaine », et le courage d'une énorme
patience est venu à bout de son malheureux corps affaibli
par la privation de nourriture. Au prix de quel effort
ensuite, pour vaincre la cupidité, n'a-t-il pas mis le
« dixième » de ses revenus au service des pauvres ! Qu'y a-t-
il de plus remarquable ? Qu'y a-t-il de plus difficile à
réaliser ? Mais il est tombé dans le piège de l'*orgueil* en
disant : « Je ne suis pas comme cet homme, pécheur » et
« publicain ». Du haut de ses puissantes réalisations, il est
tombé dans la faute et, rendu arrogant par cette gloire
qu'il tirait de ses vertus, il a cédé le pas au « publicain,
justifié » plutôt que lui[a][15].

16. Mais nous parlons du pharisien ? « L'Apôtre, non de
par les hommes ni par un homme, mais par Jésus-Christ[a] »,
contre qui le diable a lutté avec toute l'habileté de sa
puissance, a reçu « un ange de Satan chargé de le
souffleter[b] », afin que les inlassables tourments causés par
toutes les souffrances ne lui donnent subrepticement
aucune occasion de *s'enorgueillir* à la faveur d'un temps
d'inaction. C'est encore l'Apôtre qui, proposant une sorte
de loi sur le choix et la nomination d'un évêque, après
avoir fixé par quelles vertus on est digne d'être épiscope,
interdit de choisir un néophyte de peur qu'il ne
s'enorgueillît. Il dit : « Que ce ne soit pas un néophyte, de
peur que, gonflé d'orgueil, il ne tombe sous le jugement du
diable[c] » ; il veut, pour éviter que la faveur trop tôt

Domin. orat., 26 ; *Donat.*, 3 ; *Mort.*, 4 ; *Demetr.*, 10). Pour dénoncer
l'orgueil, Hilaire fait un portrait-charge de l'*homo superbus*, conformément aux préceptes de la rhétorique (cf. Rvtilivs, *Schemata lexeos*,
2, 7) et dans la tradition de la satire latine (cf. Hor., *Sat.*, 2, 3). Le
style de l'invective rappelle celui des déclamations de Quintilien :
comparer *O infelix superbia* (§ 14, l. 2) et Qvint., *Decl.*, 19, 3, 1 :
Infelix senectus, misera patientia !

rationis gratiam insolescat, uult illum multo *passionum*
bello ante temptari[d], uult multis humilitatis et fidei
stipendiis prouehi. *Cor enim humiliatum Deus non spernit*
15 *et sacrificium optimum cor contribulatum*; *quia qui se*
exaltat, humiliabitur; *et qui se humiliat, exaltabitur*[e].

17. Et idcirco *maledicti, qui declinant a mandatis tuis,*
quia *increpantur superbi*; quia per *superbiam* animi
insolentis et humana despicimus et diuina neglegimus.
Sed uirtus uerbi hic conlocati non neglegenter est
5 audienda. Promptum enim fuerat dicere : *Maledicti, qui*
non obtemperant *mandatis tuis.* De uno et de plurimis
mandatis in superiore uersu competentia diximus. *Male-*
dicti autem sunt, *qui* per hanc prophetiae doctrinam
eruditi *a mandatis Dei declinant,* id est per uitiorum
10 praesentium desideria a spe aeternorum *mandatorum* deci-
dunt. *Qui* enim *declinat,* id in quo est deuitat et ex
alia parte in aliam deducitur et deflexu quodam de
itinere decedit. Vel leuiter ergo *declinantem a mandatis*
Dei maledictionis sententia comprehendit, ut intelle-
15 geremus quanti periculi res esset, ea omnino ignorare
nos, a quibus *declinare maledictum est.*

22   **18.** Avfers a me obprobrivm et contemptvm, qvia
testimonia tva exqvisivi. Peccata *obprobrio* sunt digna ;

VL   RC   pA   r   S   mB

16, 13 fide *L* ‖ 16 et qui — exaltabitur > *r*
17, 2 increpati sunt *m* ‖ 3 dispicimus *L R* ‖ 4 hic > *VL* ‖ conlati *R* ‖
7 in : ut *B* ‖ superiori *S Er.* ‖ 10 a : ab *S m Er. Gi. Mi. Zi.*   > *CA* ‖
decedunt *VL* ‖ 11 deuiat *C pA mB* ‖ 13 decidit *codd. Ba.* ‖ 15 quanta
VL C pA ‖ ea > *C*
18, 1 aufer *RC pA r S mB Ba. Er. Gi. Mi.*

16. d. cf. Hébr. 10,32 ‖ e. Ps. 50,19; Lc 14,11 ; Matth. 23,12

obtenue d'une régénération ne le rende insolent, que
l'épiscope soit d'abord éprouvé par une longue guerre dans
les «souffrances[d]», il veut qu'il soit promu à ce rang en
payant le lourd salaire de l'humilité et de la foi. «En effet
Dieu ne méprise pas un cœur qui s'est humilié et le plus
beau sacrifice, c'est un cœur brisé; car qui s'élève sera
abaissé; et qui s'abaisse sera élevé[e].»

17. Si *ceux qui s'écartent de tes commandements* sont
maudits, c'est parce que *les orgueilleux* sont *menacés*; en
effet l'*orgueil* d'un esprit insolent nous fait dédaigner nos
devoirs envers les hommes et négliger nos devoirs envers
Dieu. Mais la valeur du mot employé ici ne doit pas être
perçue d'une oreille négligente[16]. Il aurait été en effet
facile de dire : *Maudits, ceux qui* n'obéissent pas à *tes
commandements*. Sur le commandement unique et les
commandements très nombreux, nous avons dit ce qui
convenait à propos d'un verset précédent[17]. *Maudits ceux
qui*, formés par l'enseignement de la parole du prophète,
s'écartent des commandements de Dieu, c'est-à-dire ceux qui,
désirant les vices de ce monde, renoncent à l'espérance des
commandements éternels. En effet, celui qui *s'écarte* évite le
lieu où il est, d'un endroit se détourne vers un autre et,
faisant une sorte de détour, s'éloigne de sa route. Ainsi la
formule de *malédiction* s'applique même à *celui qui s'écarte*
légèrement *des commandements de Dieu*[18], pour que nous
comprenions quel grand danger il y aurait à ignorer
complètement ce dont il y a *malédiction* à *s'écarter*.

18. Écarte de moi l'opprobre et le mépris, parce   22
que j'ai recherché tes témoignages. Les péchés sont

---

16. Sur l'importance de la *uirtus uerbi*, cf. QVINT., *Inst.*, 8, 2, 22.
17. V. 19 (3, 9-10).
18. Même commentaire d'Origène (*Ch. p.*, p. 222, v. 21, l. 13-14).

et idcirco peccatores *exsurgent in obprobrium aeternum*[a].
Quod autem peccata omnia *obprobrio* sint digna, in
5 euangeliis discamus, tum cum Dominus *exprobrare ciuita-
tibus* illis *coepit, in quibus plures uirtutes eius effectae
essent nec paenituissent, Chorazain et Bethsaida*[b]. Quod
ab illis *coeptum*, necesse est ut in omnes eiusdem criminis
pares fiat, et tunc humano generi *exprobret non paenitenti*
10 neque in uiam euangelicam pergenti id quod psalmo continetur : *Quae utilitas in sanguine meo, dum descendo in
corruptionem*[c]? *Exprobrat* enim *superbis* atque *maledictis*[d]
cur nihil in sacramento *sanguinis sui* atque mortis
utilitatis esse existimauerint, cum ille nostri causa et natus
15 et passus et mortuus sit.

19. Tenuit etiam propheta rationem infirmitatis humanae. Scit inesse quaedam quae per misericordiam Dei
auferenda a nobis sint. Scit Deum tali peccatorum
nostrorum confessione orandum, ut, etsi digna arguitione
5 habeamus, non tamen arguamur; confitendum enim
crimen est, ut obtineatur et uenia. Scit deinde post
arguitionem in *contemptum*, id est in nihilum gentes
aestimari ; quia scriptum est : *Omnes gentes nihil sunt,
et omnia quae a malitia sunt in nihilum aestimata sunt*[a].
10 Sed secundum prophetae exemplum *auferri a nobis
obprobrium et contemptum* hac spe, hac fiducia deprecari

VL RC pA r S mB

18, 3 et > *A* ‖ exsurgunt *L* ‖ 5 tunc *VL pA B* ‖ 6 eius > *R* ‖
7 chorozain *R*   chorozaim *pA S mB*   corozaim *Ba. Er. Gi.
Mi.* ‖ et > *C pA* ‖ betsaida *V*   bessaida *L*   bethsaide *pA*
bethsaidae *Mi.* ‖ 9 par *R* ‖ 10 peragenti *mB* ‖ 11 utilitatis *pA* ‖
12 corruptione *V* ‖ 14 utilitatis + suae *R Mi.*
    19, 2 scit : *pr.* et *C* ‖ inesse : commissa *m* ‖ per > *A* ‖ 4-5 digni ...
habeamur *r Ba. Er.* ‖ 5 enim : ergo *C* ‖ 6 obtineatur : contineatur *r* ‖ 8
existimari *C mB*   existimare *pA* ‖ sit *C pA mB Mi.* ‖ 10 profetiae
VL R S Ba. Er. ‖ 11 hac² : ac *C pA Ba. Er. Gi. Mi.*   et hac *B*

dignes d'*opprobre* ; c'est pourquoi les pécheurs «ressusciteront pour un *opprobre* éternel[a]». Que tous les péchés sont dignes d'*opprobre*, c'est ce qu'il faut lire dans les Évangiles, lorsque le Seigneur «se mit à faire des reproches aux cités dans lesquelles avaient eu lieu plusieurs de ses miracles et qui ne s'étaient pas repenties, Chorozaïn et Bethsaïde[b]». Le malheur «survenu d'abord» à ces cités arrivera nécessairement à tous ceux qui sont coupables de la même faute et le Seigneur «fera» au genre humain «qui ne se repent pas» et ne persévère pas dans la voie de l'Évangile le «reproche» contenu dans le psaume : «Quelle utilité dans mon sang, lorsque je descends dans la corruption[c]?» Il «reproche» en effet aux «orgueilleux» et aux «maudits[d]» d'avoir pensé qu'il n'y avait aucune «utilité» dans le mystère de «son sang» et de sa mort, alors que c'est pour nous qu'il est né, qu'il a souffert et qu'il est mort[19].

19. Le prophète a aussi tenu compte de la faiblesse humaine. Il sait que nous portons des souillures telles qu'il faut la miséricorde de Dieu pour les *écarter de nous*. Il sait que nous devons prier Dieu en confessant nos péchés de telle manière que, même si nous méritons une accusation, nous ne soyons pas pour autant accusés ; il faut en effet confesser sa faute pour en obtenir aussi le pardon[20]. Il sait ensuite qu'après l'accusation les nations sont tenues dans le *mépris*, c'est-à-dire pour rien, parce qu'il est écrit : «Toutes les nations ne sont rien, et tout ce qui vient de la méchanceté a été tenu pour rien[a].» Mais, suivant l'exemple du prophète, il convient que nous demandions instamment que soient *écartés de nous l'opprobre et le mépris* au nom de

---

18. a. cf. Dan. 12, 2 ‖ b. cf. Matth. 11, 20 ‖ c. Ps. 29, 10 ‖ d. cf. *v. 21*
19. a. Is. 40, 17

---

19. Même début du commentaire du v. 22 par Origène (*Ch. p.*, p. 224, v. 22, l. 1-4).
20. Sur l'importance de la confession du péché pour le pardon, cf. Tert., *Paen.*, 9, 2.

172   SUR LE PSAUME 118, GIMEL

nos oportet, ut addamus ad id quod dicitur : *Aufers a me
obprobrium et contemptum* id quod sequitur : *Quia testimonia tua exquisiui*. Et *testimonia Dei exquirit*, et uerecun-
15 diam non derelinquit ; esse quidem in natura sua confessus
arguitionis et *obprobrii* causam, quam *a se* deprecatur
auferri, sed per deuotionem *exquisitorum testimoniorum*
eam sperat *auferri*.

20. *Exquirit* autem *testimonia Dei* propheta non in otio,
neque in insolentia rerum secundarum, sed *exquirit* multis
aduersum se residentibus, multis aduersum se conloquenti-
23a   bus dicens : ETENIM SEDERVNT PRINCIPES ET ADVERSVM
5 ME DETRAHEBANT. Scit omnem prophetiae fidem mundi
huius perosam esse *principibus* ; scit et apostolos cunctis
futuros *propter* christianum *nomen odiosos*[a]. *Sedent aduersus prophetam principes et detrahunt* tunc, cum audiunt
Esaiam dicentem : *Audite uerbum Domini principes
10 Sodomum, attendite legem Dei populus Gomorrae*[b]. Ex
consilio enim talium Esaias *sectus* est[c], Hieremias quoque
carcere clauditur[d], Daniel *leonibus* fame ad saeuitiam
incitatis obicitur[e], *Zacharias inter templum et altare occi-
ditur*[f], apostoli caeduntur, desecantur, crucifiguntur, ut

VL RC pA r S mB

19, 12 ad > *mB* ‖ aufer *R pA r S mB Ba. Er. Gi. Mi.* ‖ 13
id : *pr.* et *C pA Ba. Er. Gi. Mi.* ‖ 14 exquirit et : exquirit ut argui
non debeat, et auferri a se obprobrium contemptumque precatur ut
pA r² S mB edd. ‖ 15 dereliquit *R²*   relinquit *VL*   derelinquat
pA r² S mB edd. ‖ 16 et > *VL¹* ‖ opprobrium *V* ‖ 17-18 sed —
auferri > *S*
20, 2 in > *r Ba. Er.* ‖ insolentiam *L* ‖ 3 residentibus multis
aduersum se > *VL r¹* ‖ 5 detrahebant : loquebantur *C pA mB* ‖ 5-6
huius mundi *C* ‖ 6 perosam : periculosam *pA S m*   opertam
R   deesse *Ba. Er. Gi.* ‖ esse > *Ba. Er. Gi.* ‖ et > *C pA mB Mi.* ‖ 9
eseiam *VL C*   ysaiam *S*   ad se etiam *pA*   etiam *Mi.* ‖ 10
sodomorum *R pA mB Ba. Er. Gi. Mi.* ‖ attendite : et intendite *V r
Zi.*   audite *R* ‖ populi *pA m Mi.* ‖ 11 eseias *VL*   isaias
pA   ysaias *S* ‖ ieremias *VL A S Mi.* ‖ 12 famae *V*

l'espérance, de la confiance qui nous font ajouter à ce qui est dit : *Écarte de moi l'opprobre et le mépris*, ce qui suit : *Parce que j'ai recherché tes témoignages.* Dans le même temps, *il recherche les témoignages de Dieu* et ne perd pas sa modestie ; il a certes confessé qu'il y avait dans sa nature un motif d'accusation et d'*opprobre*, dont il demande instamment qu'il soit *écarté de lui*, mais c'est grâce à sa *recherche* religieuse *des témoignages* qu'il espère le voir *écarté*.

20. Le prophète *recherche les témoignages de Dieu* non dans la tranquillité ni l'assurance orgueilleuse que donnent les succès, mais il les *recherche* tandis que beaucoup prennent position contre lui, que beaucoup complotent contre lui ; il dit : En effet les princes ont siégé et me calomniaient. Il sait que toute marque de confiance donnée à la parole du prophète est détestée des *princes* de ce monde ; il sait aussi que les apôtres seront «haïs» de tous «à cause de leur nom» de chrétien[a][21]. *Les princes siègent contre le prophète et le calomnient*, quand ils entendent Isaïe qui dit : «Écoutez la parole du Seigneur, *princes* de Sodome et prêtez attention à la loi de Dieu, peuple de Gomorrhe[b].» Tels sont les juges par la décision desquels Isaïe est «scié[c][22]», Jérémie aussi enfermé en «prison[d]», Daniel jeté aux «lions» enflammés de cruauté par la faim[e], «Zacharie tué entre le temple et l'autel[f]», les apôtres

23a

---

20. a. cf. Matth. 10, 22 ‖ b. Is. 1, 10 ‖ c. cf. Hébr. 11, 37 ‖ d. cf. Jér. 37, 15 ‖ e. cf. Dan. 14, 31 ‖ f. cf. II Chr. 24, 20-22 ; Matth. 23, 35

21. Le seul nom de chrétien est un motif de haine et d'accusation : cf. Tert., *Apol.*, 2, 18-20.
22. Même allusion d'Hilaire au supplice d'Isaïe en *In Const.*, 4. Elle pourrait provenir de Lact., *Inst.*, 4, 11, 12.

15 praedicatio Dei auferatur, ut doctrina prophetiae inhi-
beatur, ut uitae aeternae uia obsaepiatur. Sed hos *princi-
pum* consessus et haec obtrectationum eloquia spreuit fides
23b   constans. Consequitur enim : SERVVS AVTEM TVVS EXER-
CEBAR IN IVSTIFICATIONIBVS TVIS. Obstrepentibus illis
20 uidelicet et totis poenarum armis inhibentibus, in *exerci-
tationibus iustificationum Dei* spiritus perseuerat.

21. Sed, ut iam superius tractauimus, *exercitatio iusti-*
24a   *ficationum* et MEDITATIO TESTIMONIORVM illa est, quia,
cum legis opera per corporales efficientias *exerceantur,*
exercitatione iustificationum[a], tamen et *testimoniorum*
5 *meditatione* bonorum aeternorum per praesentium *medita-*
tionem quaedam praeparatio comparatur. Sed *testimonio-*
24b   *rum meditatio* unde oriatur, ostendit. Adiecit enim : ET
CONSILIA MEA IVSTIFICATIONES TVAE, omnem scilicet uitae
curam, omnes *consiliorum* uarios diuersosque motus
10 intentos esse *iustificationibus* confitens *Dei* in Christo Iesu,
cui est gloria in saecula saeculorum. Amen.

VL   RC   pA   r   S   mB

20, 15 praedicatio : deprecatio *C* ‖ prophetae *C* ‖ inhibeantur
R ‖ 16 ut : tet *r* ‖ hoc *V* ‖ 18 enim > *C pA mB* ‖ exercebatur *R*
pA r S mB Ba. Er. Gi. Mi. ‖ 19 in tuis iustificationibus *R* ‖ 21 dei > *C*
pA mB ‖ spiritu *VL*
   21, 2 qua *S Ba. Er. Gi. Mi.* ‖ 7 enim + et testimonia tua meditatio
mea est *r* ‖ 9 motus : mores *VL* ‖ 10-11 in christo — amen > *S* ‖ 11 est
gloria : gloria est *VL C*   gloria *pA mB*   gloria et honor *Ba. Er.*
Gi. Mi. ‖ amen > *V r*
   explicit littera III *V*   finit litterae III tractatus *L*   finit
gimel littera tertia *C pA*   explicit tertia *r*   explicit gimel *S*

massacrés, mutilés, crucifiés, pour que l'enseignement de
Dieu soit supprimé, l'enseignement de la prophétie entra-
vé, la voie de la vie éternelle fermée. Mais ces *princes* qui
siègent et ces paroles de dénigrement, la foi, dans sa
constance, les a méprisés. On trouve en effet après : Mais   23b
moi, ton serviteur, je m'exerçais à tes règles de
justice. C'est-à-dire : en dépit de l'opposition des princes
et de la dissuasion suscitée par l'arsenal des peines, l'esprit
persévère dans l'*exercice des règles de justice de Dieu*.

21. Mais, comme nous en avons déjà parlé plus haut[23],
exercice des règles de justice et APPLICATION AUX TÉMOIGNA-   24a
GES[24] veulent dire que, si l'on «accomplit» les œuvres de la
Loi dans des actions matérielles en «s'exerçant aux règles
de justice[a]», cependant, par l'*application aux témoignages*,
on se prépare aussi d'une certaine façon aux biens éternels
par une *application* qui commence dès ici-bas. Mais il
montre d'où vient cette *application aux témoignages*. Il a
ajouté en effet : Et mes décisions, ce sont tes règles   24b
de justice, confessant ainsi que tout le souci de sa vie, les
différents et divers mobiles de ses *décisions* ont tous pour
direction les *règles de justice de Dieu*, dans le Christ Jésus, à
qui est la gloire pour les siècles des siècles. Amen.

21. a. cf. *v. 23*

23. Cf. 2, 11.
24. Allusion au v. 24a qu'Hilaire ne cite pas textuellement : «En
effet tes témoignages sont l'objet de mon application».

DALETH

ADHAESIT PAVIMENTO ANIMA MEA; VIVIFICA
ME SECVNDVM VERBVM TVVM, ET RELIQVA.

1. Multiplex intellegentia non potest in se habere dictorum difficultatem, cum amota omni obscuritate intellegendi magis abundet electio, ut in primo quartae
litterae uersu contuemur. Ait enim : ADHAESIT PAVIMENTO
5 ANIMA MEA ; VIVIFICA, ME SECVNDVM VERBVM TVVM. Potest
istud et de adsiduitate orationis intellegi, tamquam ex
peccatorum confessione in terram propheta prostratus
adhaeserit pauimento. Sed ut altius aliquid sub his dictis
intellegamus, perspecta diligentius uerborum uirtute, ne-
10 cessarium ducimus. Non enim ait : *Adhaesi pauimento*,
sed ait : *Adhaesit pauimento anima mea*, et admonemur
intellegere hic eum esse de *animae* et corporis societate
conquestum. Et multa sunt quae nos ut hoc potius
probabile existimemus admoneant. Dixit enim apostolus :

DALETH

MON ÂME S'EST ATTACHÉE AU SOL; FAIS-MOI VIVRE SELON TA PAROLE, ET LA SUITE.

1. La pluralité des interprétations ne saurait impliquer des difficultés dans l'expression : toute obscurité étant écartée, un grand choix de sens est offert, comme nous le voyons dans le premier verset de la quatrième lettre. Il dit en effet : MON ÂME S'EST ATTACHÉE AU SOL; FAIS-MOI VIVRE SELON TA PAROLE. On peut voir là une allusion à son application à la prière, comme si, en raison de la confession de ses péchés, le prophète, prosterné sur la terre, s'était *attaché au sol*[1]. Mais nous estimons nécessaire de pénétrer plus à fond ce qu'il y a dans cette formule, en examinant avec plus de soin la valeur des mots. Il ne dit pas en effet : Je me suis *attaché au sol*, mais il dit : *Mon âme s'est attachée au sol*, et nous sommes invités à comprendre qu'il regrette ici la solidarité de l'*âme* et du corps. Il y a bien d'autres raisons encore qui nous font penser que ce sens est recevable. L'Apôtre a en effet parlé du «corps de notre

25

---

suauitate orationis *C*   suae uitae ratione *pA mB* ‖ 7 confessionem *L* ‖ 8 adhaesit *R* ‖ pauimento + anima mea *R* ‖ 9 necessario *VL R* ‖ 10 non : nunc *R* ‖ 10-11 adhaesi — ait > *R* ‖ 11 ait > *C pA mB* ‖ 12 societatem *L* ‖ 14 admoneat *V*

---

1. Importance de la prostration dans le repentir : Tert., *Paen.*, 9, 3-4.

15 *Corpus humilitatis nostrae*[a], dixit et propheta : *Humiliata
est in puluere anima mea*[b], dixit rursum : *Et in puluerem
mortis deduxisti me*[c]. Igitur, uel quia in terrae huius
solo commoremur, uel quia ex *terra* instituti conforma-
tique sumus, *anima*, quae alterius originis est, *terrae*
20 *corporis adhaesisse* creditur[d], maximum ipsa certamen
suscipiens, ut se, manens in eo, ab eius societate diuellat,
ut tamquam *peregrina* incolatu eius utatur[e].

2. Non ignarus est autem propheta, licet anterior aetate, apostolici tamen dicti quia *qui adhaerent Domino, in
uno spiritu sunt*[a]. Scit etiam a se praedicatum : *Adhaesit
post te anima mea*[b]. Quin etiam legit in lege : *Post
5 Dominum Deum tuum ambulabis et adhaerebis ipsi*[c].
Adhaerere igitur huic magis quam illi concupiscit. Sed
quia meminit ex consortio eius nonnullam se labem
contraxisse peccati, orat ut per *uerbum Dei*, quamuis
admixta *terrenae mortali*que naturae *anima* eius sit, ipse
10 tamen in *uitam uitae* caelestis *animetur*. Scit enim se nunc
pauimento adhaerere, non *uiuere* ; sed *secundum uerbum
Dei, cui mortui uiuunt*[d], orat ut *uiuificetur* in *uitam*.

VL   RC   pA   r   S   mB (usque ad 1,16 : rursum*)*

1, 15 humilitatis : humiliationis *L RC pA S mB edd.* ‖ 16
puluere : -rəm *L* ‖ mea : nostra *A* ‖ 17 deduxit *L C pA m²* ‖
18 commoretur *C* ‖ ex : in *R* ‖ confirmatique *VL¹ R pA r m* ‖
20 credetur *VL* ‖ 21 se : *pr.* in *C* ‖ manens : *pr.* etsi *pA r² S m Mi.*
immanens *Ba. Er. Gi.* ‖ 22 ut : ui *VL*
2, 1 anteriora *VL*   -re *C* ‖ aetate : et ante *VL r* ‖ 2 apostolicis ...
dictis *C* ‖ adhaeret *VL R r* ‖ deo *r* ‖ 2-3 in uno spiritu : unus spiritus *S*
‖ 3 a se + esse *pA m Mi.* ‖ 4 postea *V* ‖ 5 ambulatis *R* ‖ adhaerebitis *R*
‖ 7 ex : et *V* ‖ nullam *r* ‖ 10 uitam : uita *V r*

1. a. Phil. 3, 21 ‖ b. Ps. 43, 25 ‖ c. Ps. 21, 16 ‖ d. cf. Gen. 2, 7 ‖ e. cf.
II Cor. 5, 8 ; Hébr. 11, 13
2. a. I Cor. 6, 17 ‖ b. Ps. 62, 9 ‖ c. Deut. 13, 4 ‖ d. cf. Lc 20, 38

misère[a]»; le prophète a dit aussi : «*Mon âme* est humiliée dans la poussière[b]»; il a dit encore : «Et dans la poussière de la mort tu m'as déposé[c].» Donc, soit qu'il veuille dire que nous demeurons sur le sol de cette terre, soit parce que nous avons été formés et façonnés à partir de cette «terre[2]», l'*âme* qui a une autre origine[3], est considérée comme *attachée* à la «terre» du «corps[d]»; elle mène elle-même un très grand combat pour se désolidariser de celui en qui elle demeure[4] et traiter en «étrangère» son lieu de séjour[e].

2. Bien qu'il le précède dans le temps, le prophète n'ignore cependant pas la parole de l'Apôtre selon laquelle «ceux qui s'*attachent* au Seigneur n'ont avec lui qu'un seul esprit[a]». Il sait encore qu'il a lui-même fait cette déclaration : «Mon âme s'est *attachée* à toi[b].» Bien plus, il lit dans la Loi : «A la suite du Seigneur ton Dieu tu marcheras et tu t'*attacheras* à lui seul[c].» Donc, il désire s'*attacher* à lui plutôt qu'au sol. Mais, parce qu'il se souvient que par sa condition qui l'unit au sol il a contracté une souillure pécheresse[5], il demande, bien que *son âme* soit unie à la nature «terrestre» et «mortelle», à être cependant *animé* par la *parole de Dieu* pour la *vie* qui est celle du ciel[6]. Il sait en effet qu'ici-bas il est *attaché au sol*, et qu'il ne *vit* pas; mais il demande à Dieu, «pour qui *vivent* ceux qui sont morts[d]», de le *faire vivre selon sa parole* de ce qui est la *vie*.

2. Cf. 10, 7-8.
3. Cf. 10, 7.
4. Combat de la «chair» et de «l'esprit», cf. *Gal.* 5, 17; Cypr., *Domin. orat.*, 16.
5. A propos de l'âme souillée par suite de son contact avec le corps, cf. 3, 3; Tert., *Anim.*, 40, 1; Cypr., *Zel.*, 14.
6. Processus de spiritualisation du corps analysé en *In Matth.*, 10, 19; 10, 24; 24, 11 (*SC* 254, p. 238; 246; *SC* 258, p. 178). Sur l'exégèse d'ensemble de ces textes, cf. J. Doignon, *Hilaire...*, p. 381-390.

26   **3.** Dehinc sequitur : VIAS MEAS PRONVNTIAVI, ET EXAV-
DISTI ME ; DOCE ME IVSTIFICATIONES TVAS. Qui secundum
uoluptates corporis uitam agunt, in *uiis suis* ambulant.
Qui autem omni uitiorum carnalium consuetudine dere-
5 licta in praeceptis Dei degunt, iam illis non in *sua*, sed
in *uia* Dei iter est. Et hoc audiamus in Deuteronomii
praecepto : *Sed nunc Israhel quid Dominus Deus tuus
poscit a te, nisi ut timeas Dominum Deum tuum et ambules
in omnibus uiis eius et diligas eum et seruias Domino
10 Deo tuo ex toto corde tuo et ex tota anima tua et custodias
praecepta Domini Dei tui et iustificationes eius, quae ego
praecipio tibi hodie, ut bene sit tibi*[a]? Ergo *Deo adhaerens*[b]
in Dei *uia* est.

     4. Et qua ratione prophetam hic locutum existima-
bimus dicentem : *Vias meas pronuntiaui, et exaudisti me* ;
doce me iustificationes tuas? Si enim *uias suas* praedicat,
necesse est peccati *uias* praedicet, quia in *uia* peccati sit
5 quisque in *uia* Dei non sit. Sed huic praesenti dicto
consentiens illud uidetur, quod dictum est : *Pronuntiabo
aduersum me iniustitias meas, Domine*[a], et rursum :
Iustus in exordio sermonis sui ipse sibi accusator est[b].
Ergo hic *pronuntiatio*, quae dicitur, non laudatio est, sed
10 confessio *uiarum suarum* id est peccatorum suorum
paenitens professio ; et propheta, ut esset dignus spiritu
prophetiae, *uias suas*, id est peccati, ante confessus est,
ut post hanc *pronuntiationem* eorum *doctrinae iustificationum Dei* capax esset. Quod utrumque absolute docetur.

VL   RC   pA   r   S   m

    3, 3 uoluptates : uolun- *R* ǁ 4 relicta *L* ǁ 5 degunt : uiuunt *pA*
Mi.   agunt *Ba. Er. Gi.* ǁ 7 praecepta *VL* ǁ 8 tuum > *VL C pA r m* ǁ
9 et² : ut *S* ǁ 10 et¹ > *R* ǁ 12 deo > *C*
    4, 1 hinc *VL* ǁ 5 quisquis *m Er. Gi. Mi.* ǁ in dei uia *R Zi.* ǁ sed > *r* ǁ
huic : hoc *VL*   > *r* ǁ praesenti > *m* ǁ 7 domino *pA r m Gi. Mi.* ǁ 8
iustum *V* ǁ sibi : sui *V r Zi.* ǁ 9 quae : quod *R* ǁ 12 peccata
C   peccata sua *S Ba. Er. Gi. Mi.* ǁ 13 earum *Zi.* ǁ 14 esse *V*

3. Vient ensuite : J'AI DÉCLARÉ MES VOIES, ET TU M'AS   26
EXAUCÉ ; ENSEIGNE-MOI TES RÈGLES DE JUSTICE. Ceux qui
vivent suivant les plaisirs du corps marchent dans *leurs
propres voies*. Mais ceux qui renoncent absolument à
l'habitude des vices de la chair pour passer leur vie dans
les préceptes de Dieu, ceux-là ne font plus route dans *leur*
voie personnelle, mais dans la *voie* de Dieu. Apprenons-le
dans le précepte du Deutéronome : « Mais maintenant,
Israël, qu'est-ce que le Seigneur ton Dieu te demande
sinon de craindre le Seigneur ton Dieu, de marcher dans
toutes ses *voies*, de l'aimer, de servir le Seigneur ton Dieu
de tout ton cœur et de toute ton âme, de garder les
commandements du Seigneur ton Dieu et *ses règles de
justice*, que je te prescris aujourd'hui, pour que tu aies du
bonheur[a] ? » Donc, en s'« attachant à Dieu[b] », on est dans la
voie de Dieu.

4. Pour quelle raison penserons-nous que le prophète
s'est ici exprimé en ces termes : *J'ai déclaré mes voies et tu
m'as exaucé ; enseigne-moi tes règles de justice.* En effet, si ce
sont *ses voies* qu'il annonce, ce sont nécessairement les
voies du péché, parce qu'est dans la *voie* du péché
quiconque n'est pas dans la *voie* de Dieu. Mais de cette
déclaration présente on peut rapprocher cette autre
parole : « Je *déclarerai* contre moi mes injustices,
Seigneur[a] », et encore : « Le juste, au commencement de
son discours, est son propre accusateur[b]. » Donc, ici, le mot
déclaration ne veut pas dire éloge, mais confession par le
prophète de *ses voies*, c'est-à-dire aveu repentant de ses
péchés ; et, pour être digne de l'esprit de prophétie, le
prophète a commencé par confesser *ses voies*, c'est-à-dire
celles du péché, afin de pouvoir accueillir, après cette
déclaration, l'*enseignement* des *règles de justice de Dieu*. Ces
deux points sont montrés sans équivoque. En effet,

3. a. Deut. 10, 12-13 ‖ b. cf. Deut. 13, 4
4. a. Ps. 31, 5 ‖ b. Prov. 18, 17

15 Nam cum dicit : *Pronuntiaui*, confessionem hanc prae-
teriti temporis esse demonstrat; cum dicit : *Doce me*,
oratio est ex futuro, quia confitendum ante est de peccatis
et exacta confessione discendum.

5. Manens autem propheta in lege non ex his *doceri*
se postulat, quae corporali tunc ministerio gerebantur,
sed ex his quae per speciem praesentium futuri erant
27   sacramenta complexa. VIAM IVSTIFICATIONVM TVARVM FAC
5 VT INTELLEGAM, ET EXERCEBOR IN MIRABILIBVS TVIS.
Sermo praesens discreuisse cognoscitur *iustificationes* a
uia eorum. Et quantum re ipsa intellegitur, omne quod
est, ad quod per *uiam* tenditur, non idem est quod et
uia ipsa, qua pergitur. Quaerenda igitur causa est, cur
10 propheta praestari sibi, *ut uiam iustificationum intellegat*,
potius quam ut ipsas *iustificationes* cognoscat, orauerit.
Meminit etenim omnes *iustificationes legis umbram* in
se sanctarum *iustificationum* continere[a] : cum post *sexen-
nii seruitutem Hebraeus puer liber* est[b], cum *septimi*
15 *anni* fructus indigentibus et *pecoribus* terrae relincuntur[c],
cum post *quinquagesimum annum* omnia in ius familiae
eius unde decesserint reuertuntur[d]. Et quia haec quae in
lege sunt constituta *uia* eorum est quorum in his prae-
formatur exemplum, *uiam harum iustificationem ut intelle-*

VL   RC   pA   r   S   m

4, 17 est[1] > VL r ǁ 18 et + de V r
5, 1 docere C ǁ 3 futura C ǁ 7 earum *m²* Mi. Zi. ǁ res r ǁ 7-8 quod
est : quidem *pA r* Mi. Zi. ǁ 9 qua : quae C *pA* Mi. ǁ 10 intellegatur VL
ǁ 11-12 cognoscat — iustificationes > V ǁ 12 enim C *pA* Mi. ǁ 15
relinquitur S Ba. Er. ǁ 16-17 eius familiae R Zi. ǁ 17 reuertantur VL
RC r Ba. Er. Gi. ǁ quae : qui C ǁ 18 est eorum R S edd. ǁ 19 uiam : *pr.*
ut *pA m* Mi. ǁ ut > R *pA m* Mi.

5. a. cf. Hébr. 10, 1 ǁ b. cf. Ex. 21, 2; Deut. 15, 12 ǁ c. cf. Lév.
25, 4-7 ǁ d. cf. Lév. 25, 10-13

lorsqu'il dit : *J'ai déclaré*, il montre que cette confession concerne le passé ; quand il dit : *Enseigne-moi*, sa prière est tournée vers le futur, parce qu'il faut d'abord confesser ses péchés et, s'étant acquitté de cette confession, se laisser enseigner[7].

5. Demeurant dans la Loi, le prophète demande à être *instruit* non de ce qui alors était l'œuvre d'un service matériel, mais de ce qui, s'appliquant en apparence au présent, contenait les mystères de l'avenir[8]. Fais que je comprenne la voie de tes règles de justice, et je m'exercerai à tes merveilles. On le voit, les présents propos ont fait une distinction entre les *règles de justice* et *leur voie*. Et comme on peut effectivement s'en rendre compte, ce vers quoi l'on se dirige par une *voie* n'est jamais la même chose que la *voie* elle-même, dans laquelle on avance. Il faut donc chercher pourquoi le prophète a demandé qu'il lui soit donné plutôt de *comprendre la voie des règles de justice* que de connaître les *règles* mêmes *de justice*. C'est qu'il se souvient que toutes les *règles de justice* de la « Loi » portent en elles l'« ombre » des *règles* saintes *de justice*[a] : le « jeune hébreu » est « libre » après un « esclavage » de « six années[b] », les récoltes de la « septième année » sont laissées aux indigents et aux « bêtes » de la terre[c], au terme de la « cinquantième année » tous les biens redeviennent la propriété de la famille d'où ils sont sortis[d]. Et puisque les dispositions de la « Loi » sont la *voie* des réalités dont le modèle est préfiguré dans les premières, il demande à *s'exercer aux merveilles de Dieu en comprenant la voie de* ces

27

---

7. Même opposition dans le commentaire d'Origène (*Ch. p.*, p. 232, v. 26) entre les voies de l'homme et les voies (ici *la* voie : *Matth.* 22, 16) de Dieu. Mêmes citations : *Ps.* 31, 5 ; *Prov.* 18, 17.

8. Origène (*Ch. p.*, p. 232, v. 27, l. 2) dit de même que les règles de justice contiennent des « mystères ».

20 *gens in mirabilibus Dei exerceatur* orat, id est in *legis*
operibus uersetur ; quia *lex* sit ad *futurorum bonorum*
speculum constituta[e].

6. De consequenti uersu comperi multos uaria sensisse,
eo quod non eadem proprietate a ceteris translatoribus
ex hebraeo demutatus esset, ut ab his septuaginta inter-
pretantibus conscriptus est. Nonnulli enim pro eo quod ab
5 illis dictum est : ἐνύσταξεν ἡ ψυχή μου, posuerunt : ἔσταξεν
ἡ ψυχή μου. Quidam autem ex illis non ἐνύσταξεν, sed
κατέσταξεν transtulit. Et aliud ἐνύσταξεν, aliud ἔσταξεν,
aliud κατέσταξεν significare intellegitur. Sed nobis neque
tutum est translationem septuaginta interpretum trans-
10 gredi, et sane ratio et sensus dictorum ita admonet, ut
recte ac probabiliter uersum translatum intellegamus.
28a   Est enim cum illis et nobiscum ita : DORMITAVIT ANIMA
MEA PRAE TAEDIO. Et superior omnis sermo et consequens
humilitatis et infirmitatis confessionem in se habet : cum
15 *pauimento anima adhaesit*[a], cum peccatorum *uiae* confi-
tentur[b], cum *intellegentiam uiae iustificationum* orat[c].
Consequens ergo est ut nunc *animam suam prae taedio*
mortalis habitaculi *dormitare* conquestus sit, quae nondum
iustificationum uiam intellegat, quae etiam nunc *pauimento*
20 *adhaeserit*. Atque ob id in uiis Dei confirmandum sese
orat, quia *prae taedio dormitet*.

VL   RC   pA   r   S   m

6, 1 uarie *VL r* ‖ 2 a : cum *L* ‖ 3 interpretibus *m* ‖ 5-8 ἐνύσταξεν —
intellegitur > *Ba*. ‖ ἡ ψυχή μου — intellegitur : distillauit uerte-
runt *Er. Gi.* ‖ 6 ἐνύσταξεν > *pA m* ‖ 7 transtulerunt *r* ‖ aliud
ἔσταξεν > *VL* ‖ 8 aliud κατέσταξεν > *L* ‖ 10 ita > *L* ‖ 14 confessione
VL ‖ 16 intellegentiae *V* ‖ uiae > *V* ‖ iustificationem *V*

5. e. I Cor. 13, 12
6. a. cf. *v. 25* ‖ b. cf. *v. 26* ‖ c. cf. *v. 27*

9. Origène (*Ch. p.*, p. 234, v. 28, l. 1-4) cite les différentes
interprétations du v. 28a et nomme avec précision les auteurs des

règles de justice, c'est-à-dire à se consacrer aux œuvres de la
«Loi»; en effet, la «Loi» a été établie comme «miroir des
biens à venir[e]».

6. Sur le verset suivant, je sais que beaucoup ont eu
des avis divers, parce que les autres traducteurs n'en
avaient pas donné, à partir de l'hébreu, une transposition
aussi exacte que celle qu'ont consignée ici les Soixante-Dix
Interprètes. Quelques-uns en effet, à la place de la formule
de ces derniers : Ἐνύσταξεν ἡ ψυχή μου (Mon âme s'est
endormie), ont mis : Ἔσταξεν ἡ ψυχή μου (Mon âme est
tombée en gouttes). L'un d'eux a traduit non : ἐνύσταξεν
(s'est endormie), mais : κατέσταξεν (est tombée entièrement
en gouttes). Et l'on voit bien que ἐνύσταξεν, ἔσταξεν,
κατέσταξεν ont des significations différentes. Mais d'une
part, il y a un risque pour nous à transgresser la traduction
des Soixante-Dix Interprètes, d'autre part, il est vrai, la
logique et l'idée de la phrase nous invitent à voir que le
verset a été traduit avec exactitude et comme il faut.
Nous trouvons en effet chez eux comme chez nous : MON   28a
ÂME S'EST ENDORMIE DE LASSITUDE. Tout le développement précédent et celui qui suit contiennent une confession d'humilité et de faiblesse : «Son âme s'est attachée au
sol[a]», les «voies» des péchés sont confessées[b], il demande
«l'intelligence de la voie des règles de justice[c]». Il est donc
logique qu'il se soit plaint maintenant que *son âme
s'endorme par lassitude* de sa demeure mortelle, elle qui ne
«comprend» pas encore la «voie des règles de justice», elle
qui maintenant encore «est attachée au sol». Et s'il
demande à être affermi dans les voies de Dieu, c'est parce
qu'il *s'endort de lassitude*[9].

variantes, qu'Hilaire désigne ici seulement par des indéfinis. Les
cinquième et sixième traductions (*nonnulli* dans le texte d'Hilaire)
donnent ἔσταξεν; Symmaque *(quidam)*, κατέσταξεν. Quant à la leçon
ἐνύσταξεν, sans la présenter comme celle de la Septante, Origène
l'interprète comme une correction introduite par «quelqu'un qui

7. Sed hic ea ratio seruata est, ut *dormitare* se, non dormire dicat; quia qui dormit, in ipso somni opere est, qui autem *dormitat, dormitat,* antequam dormiat. Quae et in alio loco ratio seruata est, cum dicit : *Ecce non dormit*
5 *neque dormitabit qui custodit Israhel*[a]. Sed et illic, ubi meminit : *Si dedero somnum oculis meis et palpebris meis dormitationem*[b], *dormitationem palpebrarum, somnum* uero esse dixit *oculorum*, quia *palpebrarum* officium est ut *somnum* ex *dormitatione* concilient. Propheta igitur, etsi
10 *dormitat*, non tamen *dormit*; atque ob id, ne *dormitans*
28b obdormiat, subiecit : CONFIRMA ME IN VERBIS TVIS, id est ut per omnium *iustificationum*, quas superius memorauit, *intellegentiam confirmatus*[c] non modo non *dormiat*, sed iam sine aliqua *dormitatione* peruigilet.

29   **8.** Ait autem post haec : VIAM INIQVITATIS AMOVE A ME ET LEGE TVA MISERERE MEI. Promptum fuerat dicere : *Iniquitatem amoue a me*; sed licet infirmitatis suae conscius, cum meminerit in corpore suo *uiam* inesse
5 peccandi, tamen per timorem Dei peccati omnis alienus est. *Viam* igitur peccati, qua ad peccatum pergere

---

VL   RC   pA   r   S   m

7, 2 somni : omni *V* ‖ 3 dormitat antequam dormiat : antequam dormiat dormitat *r Ba. Er. Gi.* ‖ dormiat + somno languescit *R² Gi.* ‖ et. > *pA m* ‖ 8 dixit esse *L r* ‖ palpebrarum : *pr.* per *r* ‖ 13 intellegentia *L* ‖ 14 iam : etiam *S Ba. Er. Gi. Mi.*
8, 1 autem : enim *S Ba. Er. Gi.* ‖ 2 lege : *pr.* in *L² R Gi.* ‖ mihi *L R* ‖ 4 meminit *C pA Mi.* ‖ 5 peccati : *pr.* a peractione *S Ba. Er. Gi. Mi.* ‖ peccati omnis : peccationis *pA* ‖ 6 quia *V R*   quam *m*

---

7. a. Ps. 120, 4 ‖ b. Ps. 131, 4 ‖ c. cf. *v. 27*

---

n'avait pas compris 'a coulé en gouttes' et supposait que son exemplaire était fautif»; il explique ensuite ἔσταξεν pour qui est «respectueux du texte adopté par la plupart des traductions» (AMBROISE, *In psalm.* 118, 4, 15, reprendra les mêmes explications et retiendra *stillauit*, traduction de ἔσταξεν). On notera la différence

7. Mais ici il a suivi une idée en disant qu'il *s'endort* et non qu'il dort ; en effet, celui qui dort est effectivement dans le sommeil, tandis que celui qui *s'endort, s'endort* avant de dormir[10]. Ailleurs encore, il a suivi cette idée en disant : « Voici qu'il ne dort ni ne *s'endormira*, celui qui garde Israël[a]. » Mais aussi lorsqu'il mentionne : « Je ne donnerai pas le sommeil à mes yeux ni à mes paupières la *somnolence*[b] », il a dit que la *« somnolence »* se rapportait aux « paupières », alors que le « sommeil » se rapporte aux « yeux », parce que le rôle des « paupières » est de favoriser le passage de la *« somnolence »* au « sommeil ». Donc, même s'il *s'endort*, le prophète ne « dort » cependant pas. Et, pour ne pas tomber dans le sommeil alors qu'il *s'endort*, il a ajouté : AFFERMIS-MOI DANS TES PAROLES. Il veut, *affermi* par « l'intelligence » de toutes les « règles de justice » qu'il a rappelées plus haut[c], non seulement ne pas « dormir », mais demeurer en éveil, sans même céder à aucune *« somnolence »*.   28b

8. Il dit après cela : ÉCARTE LOIN DE MOI LA VOIE DE L'INJUSTICE ET, PAR TA LOI, AIE PITIÉ DE MOI. Il aurait été   29 facile de dire : *Écarte loin de moi l'injustice* ; mais, bien qu'il soit conscient de sa faiblesse, comme il se rappelle que la *voie* du péché est dans son corps, cependant, en raison de sa crainte de Dieu, il est indemne de tout péché. Il demande donc que soit *écartée loin de lui la voie* du péché,

---

entre les commentaires d'Origène et d'Hilaire. Origène explique et discute les variantes du texte, Hilaire les cite pour mémoire. Origène voit dans la leçon ἐνύσταξεν une correction introduite « pour se débarrasser de la difficulté présentée par 'mon âme a coulé en gouttes' » ; Hilaire retient ἐνύσταξεν parce que c'est la leçon des Septante, dont la traduction est la seule qui fasse « autorité » (cf. *In psalm.* 2, 3 ; 118, 5, 13 ; 133, 4). Sur Hilaire et les Septante, voir notre article « Un texte d'Hilaire de Poitiers sur les Septante ... ».

10. Sur la valeur inchoative de *dormito*, cf. CONSENT., *Gramm.* (Keil, t. 5, p. 376, l. 30 s.).

promptum est, *amoueri a se* deprecatur, id est omnia
corporalium uoluptatum desideria auferri, nec temptationem aliquam concupiscentiae aut ignorantiae, qua
10 tamquam per *uiam* ad peccatum itur, ingruere. Nec
solum id orat Deum, sed etiam ut per *legem suam
misereatur eius.* Per *legem* autem hoc modo misericordiam
consequitur, quia, ut superius ostendi, ita in *lege* sit
scriptum : *Et nunc Israhel quid Dominus Deus tuus poscit
15 a te, nisi ut timeas Dominum Deum tuum et ambules in
omnibus uiis eius et diligas eum et seruias Domino Deo
tuo ex toto corde tuo et ex tota anima tua et custodias
praecepta Domini Dei tui et iustificationes eius, quae ego
praecipio tibi hodie, ut bene sit tibi*[a]! Ergo cum *lex*
20 doceat *in uiis Dei ambulandum, ut ambulanti in his bene*
in posterum *sit,* et nunc forte propheta oret *uias* iniustitiae
a se amoueri sibique ut *Deus misereatur* ex *lege,* id orat,
quod *lege* conclusum est, ut *in uiis Dei ambulans* in
beatitudine collocetur.

30   **9.** Dehinc sequitur : Viam veritatis dilexi et ivdicia
tva non svm oblitvs. *Viam* multi *diligunt,* sed non omnes
diligunt ueritatis. Et quicumque aut uoluptatum aut
diuitiarum aut honorum *uiam* ineunt, sed et qui haere-
5 ticorum doctrinis uagi et incerti et impii differuntur, in
uia quidem sunt, sed non sunt in *uia ueritatis.* Sed
propheta ex spiritu eius loquitur, qui adsumpto corpore

VL   RC   pA   r   S   mB *(inde ab 8,14 :* israhel)

8, 13 consequetur *VL S Ba. Er.* ‖ est *R S Ba. Er. Gi. Zi.* ‖
14 tuus > *pA m* ‖ 15-19 nisi — ut bene sit tibi > *r* ‖ 16 domino
> *R Gi.* ‖ deo > *VL* ‖ 18 quas *L R pA S mB Ba. Er. Gi.* ‖
21 forte > *pA S m Mi. Zi.* ‖ orat *mB* ‖ 23 lege : *pr.* de *VL r* ‖ in² :
ad *V* ‖ 24 beatitudinem *VL*

9, 1 et > *R* ‖ 2 diligunt multi *R Zi.* ‖ 3 aut¹ > *B* ‖ uoluntatum *VL* ‖
4 et > *VL* ‖ 5 deferuntur *m*

---

8. a. Deut. 10, 12-13

par laquelle il est facile d'aller droit au péché, c'est-à-dire
que soient enlevés tous les désirs des plaisirs corporels et
que ne l'assaille aucune tentation de concupiscence ou
d'ignorance, qui mène comme une *voie* au péché. Et il ne
demande pas seulement cela à Dieu ; il lui demande aussi
d'avoir, par *sa loi, pitié de lui*. Or, par la *loi*, il obtient la
miséricorde de Dieu, parce que, comme je l'ai montré plus
haut, il est écrit dans la *Loi* : «Et maintenant, Israël,
qu'est-ce que le Seigneur ton Dieu te demande sinon de
craindre le Seigneur ton Dieu, de marcher dans toutes ses
voies, de l'aimer, de servir le Seigneur ton Dieu de tout ton
cœur et de toute ton âme, de garder les commandements
du Seigneur ton Dieu et ses règles de justice, que je te
prescris aujourd'hui, pour que tu aies du bonheur[a] ? »
Donc, comme la *Loi* enseigne qu'il faut «marcher dans les
voies de Dieu pour que celui qui marche en elles ait» à
l'avenir «le bonheur», et comme le prophète demande
maintenant que les *voies* de l'injustice soient *écartées loin
de lui* et que, selon sa *loi, Dieu ait pitié de lui*, il demande
ce qui est contenu dans la *Loi* : être établi dans le bonheur
en «marchant dans les *voies* de Dieu».

9. Vient ensuite : J'AI AIMÉ LA VOIE DE LA VÉRITÉ ET JE   30
N'AI PAS OUBLIÉ TES JUGEMENTS. Beaucoup *aiment* une
voie, mais tout le monde n'*aime* pas celle de la *vérité*. Tous
ceux qui prennent la *voie* des plaisirs, des richesses ou des
honneurs, mais aussi ceux qui sont emportés, au hasard,
sans but et impies, par les doctrines hérétiques, sont bien
dans une *voie*, mais ne sont pas dans la *voie de la vérité*[11].
Mais le prophète parle, animé par l'esprit de celui qui,
incarné, devait dire plus tard : «Je suis la *voie*, la *vérité*, la

---

11. A propos du v. 30, Origène, qui fait aussi allusion à «celui qui
se soucie de la richesse d'ici-bas et des gloires terrestres» (*Ch. p.*,
p. 240, v. 30, l. 5), n'évoque pas ceux qui se laissent entraîner par «les
doctrines des hérétiques».

dicturus postea erat : *Ego sum uia, ueritas, uita*[a]. Et
quia hoc *iudicium* est, secundum quod in euangeliis
10 continetur : *Hoc enim iudicium est, ut qui credit in me
habeat uitam aeternam*[b], merito propheta ait : *Viam
ueritatis dilexi et iudicia tua non sum oblitus.* Nobis enim
haec ad cognitionem posterius dicta sunt ; sed propheta
in his et *uiuit* et loquitur.

10. Cohaeret autem sibi doctrinae et confessionis pro-
31   pheticae sermo ; ait enim : ADHAESI TESTIMONIIS TVIS,
DOMINE, NOLI ME CONFVNDERE, quia ueterum et anterio-
rum peccatorum ueniam *testimoniis Domini adhaerendo*
5 sit meritus. Scit enim uerbis Dei dictum esse : *Ecce
deleam ut nubem iniustitias tuas et tamquam nebulam
peccata tua*[a]. Dominus potens est omnia ea quae in
nobis pudoris et *confusionis* sunt amouere, si et nos
dicere cum libertate possimus : *Adhaesi testimoniis tuis.*
10 *His* enim *adhaerentes* a *confusione* pudendorum et ante-
riorum criminum liberamur.

11. Sed concluduntur omnia suo ordine, suis rebus.
Superius enim ait : *Viam iniustitiae amoue a me*[a], deinde
subiecit : *Viam ueritatis dilexi*[b], tertium id sequitur :
32   *Adhaesi testimoniis tuis*[c], nunc deinde ita finit : IN
5 VIA PRAECEPTORVM TVORVM CVCVRRI, CVM DILATASTI COR
MEVM. Per gradus ad id uentum est. *Viae iniquitatis
amotae*[a], *uiae ueritatis dilectae testimoniorum* indiuisibili

VL   RC   pA   r   S   mB

9, 8 postea : sponte *VL r* ‖ uita : *pr.* et *R pA r S mB Ba. Er.
Gi. Mi.* ‖ 9 est > *C* ‖ quod > *C* ‖ in > *C pA Mi.* ‖ 10-11 credunt ...
habeant *L* ‖ 12 et > *R Gi.* ‖ 13 haec : et *VL* ‖ cogitationem
VL r

10, 2 et sermo *L* ‖ adhaesi testimoniis tuis > *VL RC pA mB* ‖ 6
nebula *L R* ‖ 7 ea > *V C* ‖ in > *C pA mB Mi.* ‖ 8 pudori et confusioni
pA² mB Mi. ‖ sint *V* ‖ 10 a > *VL R S Ba. Er. Gi.* ‖ confusionem *VL*

11, 2 iustitiae *r* ‖ a me + et in lege tua miserere mei *R Gi.* ‖ 4
adhaesit *C* ‖ tuis > *C* ‖ 6 uiam *C* ‖ iniquitati *r*

vie[a].» Et comme le *jugement*, suivant ce qui est contenu
dans les Évangiles, est celui-ci : «Voici mon *jugement* :
celui qui croit en moi a la vie éternelle[b]», le prophète a
raison de dire : *J'ai aimé la voie de la vérité et je n'ai pas
oublié tes jugements.* En effet, s'ils ont été portés plus tard à
notre connaissance, le prophète trouve cependant en eux la
«vie» et la parole.

10. Il y a cohérence entre la parole d'enseignement et la
parole de confession du prophète; il dit en effet : JE ME   31
SUIS ATTACHÉ À TES TÉMOIGNAGES, SEIGNEUR, NE ME
CONFONDS PAS, ce qui veut dire qu'en *s'attachant aux
témoignages du Seigneur*, il a mérité le pardon de ses vieux
et premiers péchés. Il sait en effet que les paroles de Dieu
ont dit : «Voici que je détruis comme un nuage tes
injustices et comme une nuée tes péchés[a].» Le Seigneur a le
pouvoir d'écarter tout ce qui nous remplit de honte et de
confusion, si nous pouvons avoir de notre côté la liberté de
dire : *Je me suis attaché à tes témoignages.* En nous attachant
en effet *à eux*, nous sommes libérés de la *confusion* des
fautes déshonorantes du passé[12].

11. Mais la conclusion de l'ensemble de la lettre est
conforme à son plan, à son sujet. Plus haut, en effet, il a
dit : «Écarte loin de moi la voie de l'injustice[a]», ensuite il
a ajouté : «J'ai aimé la voie de la vérité[b]», en troisième
lieu, suit : *Je me suis attaché à tes témoignages[c]* ; maintenant, il finit en ces termes : SUR LA VOIE DE TES PRÉCEPTES   32
J'AI COURU, LORSQUE TU AS DILATÉ MON CŒUR. On est
arrivé là par paliers. «Il a écarté les *voies* de l'injustice[a]»,

9. a. Jn 14,6 ‖ b. Jn 3,15.19
10. a. Is. 44,22
11. a. *v. 29* ‖ b. *v. 30* ‖ c. *v. 31*

12. Même citation d'*Is.* 44, 22 dans le commentaire du v. 31 par
Origène (*Ch. p.*, p. 240-242).

societate[b], ut *in uia* mandatorum *Dei curreretur*. Sed *uia
quae ad uitam ducit*, et *angusta* et tribulata est ; *angusta*,
10 quia diligenter et caute in ea ingrediendum est[d] ; tribulata,
quia *per multas tribulationes* et passiones aditur[e]. Et
insolens propheta existimabitur, qui se hanc *uiam currere*
glorietur ?

12. Meminit autem inter innocentiae studium et humilitatis confessionem sermonum suorum moderandam esse
uirtutem. Idcirco, posteaquam dixerat : *In uia mandatorum tuorum cucurri*, hoc addidit : *Cum dilatasti cor*
5 *meum*. *Dilatatum est cor*, quod per fidem capax doctrinae
Dei panditur. Et hoc de credentibus dictum est : *Et
inhabitabo et inambulabo in his*[a]. *Cor* igitur *dilatatur*,
in quo sacramentum patris et filii residet, in quo capaci
habitatione sanctus spiritus delectatur. Meminit et
10 Salomon dicens : *Sapientia in exitibus canitur, in plateis
cum libertate agit*[b]. Verbi utriusque huius latinitas nostra
uel obscuritatem nobis adfert uel alterius intellegentiae
opinionem praebet. Nam quod nos *in exitibus* dicimus,
graecitas ex hebraeo ἐξόδους transtulit. Et exodum proprie
15 est, ubi ex multis angustis *uiis* in unam patentem *uiam*
coitur. Quod uero nos *plateas* nuncupamus, eodem nomine
graecitas nuncupauit. Sed *plateas* latitudines esse graecus
sermo designat, et nos putamus has esse urbium *uias*.

VL   RC   pA   r   S   mB

11, 9 ducit ad uitam *R A¹ Zi*. ‖ angusta² > *R* ‖ 13 gloriatur *r*
12, 7 eis *pA r m Mi*. ‖ 8 resedit *R Gi*. ‖ 9 spiritus sanctus *r S Ba. Er.
Gi. Mi*. ‖ 10 solomon *VL* ‖ 11 huius > *R* ‖ latinitatis *A* ‖ 12 aufert *pA* ‖
14 ἐξόδους : ἐν ἐξόδοις *Er. Gi. Mi*.   > *Ba*. ‖ exodus *S Er. Gi. Mi*. ‖
proprium *V r* ‖ 15 angustiis *V* ‖ 16 cogitur *r* ‖ nuncupamus : uocamus
r ‖ 17-18 graeco sermone *A* ‖ 18 signat *r*

11. d. cf. Matth. 7,14 ‖ e. cf. Act. 14,21
12. a. II Cor. 6,16 ‖ b. Prov. 1,20

«il a aimé les *voies* de la vérité[b]» en s'associant indissolu-
blement aux «témoignages», pour *courir sur la voie* des
commandements *de Dieu*. Mais la «*voie* qui conduit à la
vie» est «étroite» et tourmentée ; «étroite», parce qu'il faut
s'y engager avec soin et précaution[d] ; tourmentée, parce
qu'on y accède «au milieu de beaucoup de tourments» et
de souffrances[e]. Pensera-t-on alors que le prophète est
insolent, en se glorifiant de *courir* dans cette *voie*?

12. Mais il se souvient que la portée de ses propos doit
exprimer un équilibre entre son désir d'une vie sans faute
et la confession de son humilité. Aussi, après avoir dit :
Sur la voie de tes commandements j'ai couru, il a ajouté :
Lorsque tu as dilaté mon cœur. Un *cœur dilaté* est un cœur
qui, par la foi, s'ouvre pour accueillir l'enseignement divin.
D'ailleurs, concernant les croyants, il a été dit : «J'habiterai et marcherai en eux[a].» Donc, le *cœur* qui se *dilate* est
celui qui est le siège du mystère du Père et du Fils, celui où
l'Esprit-Saint aime à être accueilli pour habiter. Salomon
lui-même le rappelle, en disant : «La sagesse est louée aux
sorties, sur les places elle va librement[b].» Notre traduction
latine, pour ces deux mots, ou bien nous met dans
l'obscurité, ou bien nous donne une autre idée du sens. En
effet, ce que nous exprimons par «*exitus*», le grec, d'après
l'hébreu, l'a traduit par ἐξόδους et, au sens propre, il y a
«*exodum*», lorsque beaucoup de *voies* étroites se regroupent
pour former une seule et large *voie*[13]. D'autre part, ce que
nous appelons «*plateae*» est désigné en grec de la même
façon. Toutefois, le grec indique par «*plateae*» de larges
espaces[14] alors que, pour nous, ce sont les *voies* des villes.

---

13. Le rapprochement ἔξοδος-*exitus* et la correction apportée à la
traduction de ἔξοδος ont été étudiés par J. DOIGNON, *Hilaire...*,
p. 534-535.
14. L'équivalence *plateae-latitudines* est signalée dans les glossaires ; cf. *Glossarium leidense* (Goetz, t. 3, p. 409, l. 55) : πλατεῖα = *lata
plataea*.

194   SUR LE PSAUME 118, DALETH

Ergo *sapientia*, quae Christus est[c], in *uia* illa, in quam
20 nobis ex multis egressus est, *canitur*; in latitudinibus
autem *cum libertate agit*, in quibus non solum habitare,
sed etiam deambulaturam se esse promisit. Ergo *uiam*
Domini propheta *libere currit*, posteaquam *dilatato corde*
esse coepit. Non enim ante potuit *uiam* Dei *currere*, quam
25 ipse ille digna et ampla Deo efficeretur habitatio.

VL RC pA r S mB

12, 19 uiam illam *VL* ‖ 22 ambulaturam *C pA mB* ‖ 25 illi *C*
illa *Ba. Er. Gi.* ‖ dei *R Zi.*   > *S* ‖ habitatio + amen *R Gi. Zi.*
   littera IIII explicit *V*   explicit littera IIII *L r*   finit deleth
IIII *C*   finit deleth littera quarta *pA*   explicit deleth *S*

Donc, la «sagesse», qui est le Christ[c], est «louée» sur la *voie*
qui, pour nous, est un aboutissement de plusieurs autres ;
elle «va librement» sur les larges espaces où elle a promis
non seulement d'habiter, mais encore d'aller marcher.
Donc, le prophète *court* «librement» *dans la voie* du
Seigneur, après avoir commencé par avoir un *cœur dilaté*.
Il n'aurait pu en effet *courir dans la voie* de Dieu, avant
d'avoir fait de lui-même une vaste habitation digne de
Dieu.

12. c. cf. I Cor. 1, 24

HE

LEGEM PONE MIHI, DOMINE, VIAE IVSTIFICA-TIONVM TVARVM, ET RELIQVA.

1. Inusitatam ac nouam deprecationem prophetae in primo quintae litterae uersu inuenimus. Ita enim coepit :
33a LEGEM STATVE MIHI, DOMINE, VIAM IVSTIFICATIONVM
TVARVM ; sed rationem consequi uersus huius ex latina
5 interpretatione difficile est. Per condicionem enim communis sermonis nostri non ita absolute potuit uirtus uerbi
et hebraici et graeci explicari. Graeci namque ex hebraeo
transtulerunt : νομοθέτησόν μοι, Κύριε, τὴν ὁδὸν τῶν δικαιωμάτων σου. Orat enim in hoc uersu ut *sibi lex statuatur*
10 *iustificationum* ; et quod graece est νομοθέτησον, ad eiusdem
sensus intellegentiam latinitas explicare non potuit. Propheta ergo orat ut *uiae iustificationum suarum legem sibi*

VL RC pA r S mB

he : incipit littera V feliciter *V*   *> m*   *pr.* incipit littera V
L   *pr.* incipit V *C r*   *pr.* incipit *pA S*   *pr.* littera V *Mi.*   **+**
littera quinta *pA* **+** tractatus *S*
legem — et reliqua : legem pone mihi domine etc. usque ibi in
aequitate tua uiuifica me *Ba. Er.*   *omnes uersus litterae quintae R*
Gi. Mi.   *> S* ‖ pone : statue *pA r mB Mi. Zi.* ‖ uiam *RC r Mi. Zi.* ‖
tuarum **+** et exquiram eam semper *L C pA mB* ‖ et reliqua : et
reliqua litterae octo uersuum *L*   *> C pA mB*
1, 2 quartae *pA m* ‖ uersu > *VL* ‖ 5 interpretatione : interrogatio-
ne *V* ‖ prae *L* ‖ 5-6 sermonis nostri communis *pA Mi.* ‖ 7 et[1] : ex
V   *> r* ‖ graeci et hebraici *S Er. Gi.* ‖ 8-9 νομοθέτησον — σου > *C*

HÉ

FIXE-MOI, SEIGNEUR, LA LOI DE LA VOIE DE TES RÈGLES DE JUSTICE, ET LA SUITE.

1. Au premier verset de la cinquième lettre, nous trouvons une prière du prophète inhabituelle et inattendue. Il commence en effet ainsi : ÉTABLIS POUR MOI, 33a SEIGNEUR, UNE LOI, LA VOIE DE TES RÈGLES DE JUSTICE ; mais il est difficile de rendre compte de ce verset d'après sa traduction en latin. En effet, en raison de l'usage de notre langue, on n'a pu rendre de façon aussi exacte le sens des mots hébreux et grecs. Les Grecs, en effet, ont traduit d'après l'hébreu : νομοθέτησόν μοι, Κύριε, τὴν ὁδὸν τῶν δικαιωμάτων σου. C'est-à-dire qu'il demande dans ce verset que soit établie pour lui *une loi concernant des règles de justice* ; et ce que le grec exprime par νομοθέτησον, le latin n'a pu le rendre de manière à faire comprendre la même idée[1]. Le prophète demande donc que le Seigneur établisse *pour lui une loi de la voie de ses règles de justice*, c'est-à-dire

---

pA mB Ba. ‖ 10 graeci *mB* ‖ est > *pA mB* ‖ νομοθέτησον + dicitur *m* ‖ eius *VL r*

---

1. Même remarque au § 7, à propos de la traduction de τρίβος par *semita*, sur l'imperfection de la traduction latine. L'équivalence νομοθέτησον-*legem statue* a pu être suggérée à Hilaire par la consultation d'un glossaire gréco-latin (cf. *Glossae graeco latinae* : Goetz, t. 2, p. 376, l. 65), comme le pense J. DOIGNON, *Hilaire...*, p. 540.

Dominus constituat, id est, ut qua *lege uiam iuslifica-
tionum Dei* adeat, et intellegat et sciat. Non enim *uiae*
15 tantum ait, sed *iustificationum uiae* postulat *legem*.

2. Et quae tandem *iuslificationis uiae lex* erit? Nam
in communibus et in terrenis *uiis legem* meminimus esse in
spatii mensuris, cum passuum mille interuallo quaedam
legis uiae signa statuuntur, cum mansionum requies
5 disponitur, cum usque ad urbem refectioni uiantium
congrua rursum mansionum interualla dimensa sunt. Sed
etiam tum, cum ex Aegypto populus per rubrum mare
pedes transiit, *legem* quandam *uiae* fuisse meminimus
ei non humani arbitrii iudicio, sed diuini constitutam[a]
10 *in columna ignis et nubis*. Nam cum oporteret populum
iter agere, *columna ignis* nocturno tempore anteibat,
de die uero *columna nubis*. At cum placitum Deo fuisset
diu in iisdem castris populum contineri, *columna* neque
ignis noctu prouehebatur neque *nubis de die* anteibat[b].
15 *Legem* itaque hanc *uiae statuit*. Et si diligenter stationes
eas mansionesque castrorum et condiciones locorum, quae
Exodo continentur, retractemus, magna in ipsis caelestis
itineris mirabilia cernemus. Ob quod frequenter propheta
orauit dicens : *Considerabo mirabilia de lege tua*[c]. Sed iam

VL   RC   pA   r   S   mB

   1, 13 ut $> r$ ‖ uiae *V r* ‖ 14 et[1] $> pA$ *S mB Mi. Zi.* ‖ intellegere
L ‖ et[2] $> R$ *Er.*
   2, 1 iustificationum *pA r mB Ba. Er. Mi. Zi.* ‖ 2 in[1] $> Gi.$ ‖ in[2]
$> pA$ *mB Ba. Er. Mi.* ‖ in[3] $> V r$ ‖ 3 spatiis *C pA r*[2] *mB Ba. Er. Gi.
Mi.* ‖ mensuras *pA r*[2] *mB Ba. Er. Gi. Mi.* ‖ 4 uia *V* ‖ statuantur *C pA
mB* ‖ 4-5 cum — disponitur $> C$ *pA mB* ‖ 5 refectione *R S Ba. Er.
Gi.*   -nis *C* ‖ 6 sint *pA mB* ‖ 7 tunc *S m Ba. Er.* ‖ 8 uiae $> pA B$ ‖ 9
ei : et *VL RC Ba. Er. Gi.* ‖ iudicii *r* ‖ constituta *R* ‖ 10 columnam *VL* ‖
10-11 et nubis — columna ignis $> R$ ‖ 10 populo *C pA mB* ‖ 12 de $> S$
Ba. Er. Gi. Mi. ‖ placito *R* ‖ fuisset deo *r* ‖ 13 diu in : et diuino *C* ‖ 14
prouehibatur *VL* ‖ nubes *V mB* ‖ 15 uia *V r* ‖ 17 magna $> C pA B$ ‖ 18
cernimus *A m* ‖ propheta frequenter *C* ‖ 19-20 non iam *C pA r S B Ba.
Er. Gi. Mi.*

LETTRE 5, 1-2

qu'il demande à comprendre et à savoir suivant quelle *loi* aborder la *voie des règles de justice de Dieu*. En effet il ne dit pas seulement une loi de la *voie*, mais il demande une *loi de la voie des règles de justice*.

2. Et que sera donc cette *loi de la voie de la règle de justice*? Concernant les. *voies* ordinaires sur terre, nous savons qu'il existe une *loi* pour les mesurer : à un intervalle de mille pas, on place des marques de la *loi de la voie*[2], on aménage le repos dans des gîtes, on mesure encore, jusqu'à la ville, des distances entre les gîtes pour permettre aux voyageurs de reprendre des forces. Mais nous savons aussi que, lorsqu'il traversa à pied la mer Rouge, le peuple qui sortait d'Égypte reçut une sorte de *loi de la voie* qui avait été établie pour lui par un jugement non pas humain mais divin[a] ; elle était matérialisée «dans une colonne de feu et de nuée». En effet, lorsqu'il fallait que le peuple fît route, une «colonne de feu» le précédait pendant la nuit, tandis que, «de jour», c'était une «colonne de nuée». Mais lorsque Dieu avait décidé que le peuple resterait longtemps dans le même camp, ni la «colonne de feu» ne s'avançait la nuit, ni la «colonne de nuée» ne le précédait «de jour[b]». Telle était la *loi de la voie qu'il établit*. Et si nous reprenons avec soin les arrêts et les étapes du camp ainsi que ses conditions d'installation, définis dans l'*Exode*, nous y verrons précisément les grandes merveilles d'un itinéraire céleste. C'est pourquoi le prophète a fréquemment prié en disant : «Je considérerai les merveilles de ta *loi*[c].» Mais ce n'est plus dans les merveilles de

---

2. a. cf. Nombr. 33,1-2 ‖ b. cf. Ex. 13,21-22 ; 14,24 ‖ c. *v. 18*

---

2. Allusion aux milliaires dont «les plus récents ont été mis en place à la fin du IVe siècle ou dans les premières années du Ve» (G. LAFAYE, art. «*Milliarium*», *DAGR* 3², 1904, p. 1897).

20 non istis se *uiae legis* contineri propheta orat; non enim
uiae legem, sed *uiae iustificationum* poposcit.

3. Scit esse *uiam* testimoniorum, cum dicit : *In uia
testimoniorum tuorum delectatus sum*[a]. Scit esse *uiam*
praeceptorum, cum ait : *In uia praeceptorum tuorum
cucurri*[b]. Nouit esse *uiam legis*, cum *beati* sint *qui*
5 *ambulant in lege Domini*[c]. Scit esse hanc *uiam iustificationum* de qua nunc deprecatur. Scit etiam esse *uiam* in
prophetis, scit esse *uiam* in euangeliis, scit esse *uiam* in
apostolis, de quibus saepe testatus est. Vult ergo per
legem uiae huius usque in perfectam illam uitae *uiam*
10 tendere. Plures enim sunt haereticorum qui *uiam legis*
improbant, plures qui prophetarum, multi qui euangeliorum, multi qui apostolorum. Scimus enim quosdam
non omnibus his *uiis* esse contentos. Sed *scriba doctus*
nouit diuitis *patrisfamilias* exemplo *de thensauris proferre*
15 *uetera et noua*[d]. Hanc igitur *iustificationum uiae legem*
propheta desiderat. *Lex* enim *iustificationum* quibusdam
religiosi cordis disciplinis continetur et intra fines nos
constitutionis suae, quibus se uteremur, artauit, ne
excedentes eos ad opiniones haereticae intellegentiae
20 euagaremur. Non uult igitur ab ea *lege* excedere, quam
constitui sibi orat.

VL   RC   pA   r   S   mB (usque ad 3,14 : patris-*)*

2, 20 istius *r* ‖ legibus *pA S mB edd.*   lege *r* ‖ 21 uiae[2] : uiam
R Ba. Er. Gi.   > *V r* ‖ poscit *R Mi. Zi.*
3, 1 testimoniorum : iustificationum *R* ‖ 2 tuorum > *R* ‖ 3 ait :
dicit *C* ‖ in uiam *L*   uiam *pA S mB Ba. Er. Gi. Mi.* ‖ tuorum > *RC*
‖ 4 sunt *pA mB Ba. Er. Gi. Mi.* ‖ 5 hanc > *S* ‖ 6 precatur *V r* ‖ uiam +
iustificationum *V r* ‖ 10 teneri *C* ‖ 11 probant *C pA S Ba. Er. Mi.* ‖ 12
enim : etiam *S Ba. Er. Gi. Mi.* ‖ 14 exemplo : *pr.* se *C pA S Ba. Er. Gi.*
‖ thensauris + suis *r* ‖ 15 noua et uetera *V r* ‖ 19 excidentes *L R* ‖
opinionis *VL* ‖ 20 excidere *L*

3. a. *v. 14* ‖ b. *v. 32* ‖ c. *v. 1* ‖ d. cf. Matth. 13,52

cette *loi de la voie* que le prophète demande à être retenu ; car il n'a pas demandé la *loi de la voie*, mais la loi *de la voie des règles de justice*[3].

3. Il sait qu'il y a une *voie* des témoignages, lorsqu'il dit : «Dans la *voie* de tes témoignages, je me suis plu[a].» Il sait qu'il y a une *voie* des préceptes, lorsqu'il dit : «Sur la *voie* de tes préceptes, j'ai couru[b].» Il connaît l'existence d'une *voie* de la *loi*, puisque sont «heureux ceux qui marchent dans la *loi* du Seigneur[c]». Il sait qu'il y a cette *voie des règles de justice*, pour laquelle il prie maintenant. Il sait encore qu'il y a une *voie* chez les prophètes, il sait qu'il y a une *voie* dans les Évangiles, il sait qu'il y a une *voie* chez les apôtres ; et à ce sujet, il a souvent porté témoignage. Il veut donc, par la *loi* de cette *voie*, tendre jusqu'à cette *voie* parfaite de la vie. En effet, parmi les hérétiques, plusieurs condamnent la *voie* de la *Loi*, plusieurs celle des prophètes, beaucoup celle des Évangiles, beaucoup celle des apôtres. Nous savons en effet que certains ne se satisfont pas de toutes ces *voies*. Mais le «scribe instruit» sait, à l'exemple du «père de famille» riche, «tirer de ses trésors de l'ancien et du nouveau[d]». Voici donc la *loi de la voie des règles de justice* que désire le prophète : la *loi* des *règles de justice* consiste en certaines règles observées par un cœur religieux ; elle nous a retenus à l'intérieur des limites qui la constituent et que nous devons respecter, de peur qu'en les franchissant nous nous laissions entraîner à une interprétation hérétique. Le prophète ne veut donc pas s'écarter de la *loi*, qu'il demande qu'on établisse pour lui[4].

---

3. Plus qu'Hilaire, Origène (*Ch. p.*, p. 246-248, v. 33) insiste sur le sens spirituel de la sortie d'Égypte : itinéraire du chrétien à la suite du Sauveur.

4. Sur l'importance des *disciplinae*, cf. Tert., *Pudic.*, 6,3. Là foi est protégée par les *disciplinae*, que les hérétiques voudraient renverser (cf. *Praescr.*, 41,3).

4. Sed in quam causam hanc *legem* orat institui ? Scilicet
ut exquirat eam. *Lex* erat *iustificationum* per Moysen
scripta, et hanc propheta operibus exercebat. Non ergo
hanc *statui sibi* orat, quae iam *statuta* erat et ab eo
5 religiose agebatur, sed eam quam optat inquirere. Quid
ergo optat inquirere ? finem scilicet *legis*. Et quis erit finis
legis ? Apostolum audiamus : *Finis enim legis Christus
est*[a]. Sed per has *iustificationum uias*, quibus *statuta lex*
fuerit, *finem legis* optat exquirere, neque solum exquirere,
33b 10 sed semper exquirere. Ita enim ait : Exꝗviram eam
semper. Officium *exquirendi* non suffecerat per uoluntatem, nisi etiam indefessa ab eo temporis continuatione
gereretur.

5. In prouerbiis Salomonis scriptum meminimus : *Inin-
tellegenti sapientiam interroganti sapientia deputatur*[a]. Quo
sensu id ostendi uidetur, quod, qui non intellegat et
sapienter interroget, sapere credatur. Hoc itaque eo proficit,
5 quia propheta in *lege* manens et secundum apostolum
Hebraeus ex Hebraeis octauo die circumcisus[b] et secundum
genus ex tribu Iuda[c] et secundum gratiam corporeae
unctionis et *rex* electus et Christus[d] et secundum sacramentum dominicae natiuitatis dignus cuius filius Iesus
34 10 Christus esset[e], tamquam peregrinus *legis* orat : Da mihi

VL RC pA r S m

4, 2 moyse *VL* ‖ 4 erat > *R* ‖ 5 agebatur : celebrabatur *r* ‖ 6 qui *C* ‖
7-8 est christus *r* ‖ 9 exquirere¹ : perquirere *VL r* ‖ 10 ait enim ita *R*
Zi. ‖ exquiram : ut quiram *C*   et exquiram *pA m Ba. Er. Gi. Mi.* ‖
11 uoluntatum *V*
5, 1 in : *pr.* da mihi intellectum et scrutabor legem tuam et
seruabo eam in toto corde meo *pA S mB Ba. Er. Gi. Mi.* ‖ solomonis
VL ‖ inintellegendo (-dum *C*) *RC Mi.*   intelligendo *pA r m*   i-
gnorando *S Ba. Er. Gi.* ‖ 2 interroganti : roganti *C*   sapienter
roganti *p¹A m*   sapienter interroganti *p² S*   sapienter interro-
gantibus *Ba. Er. Gi.* ‖ 4 profecit *VL* ‖ 6 octaui diei *VL C*   octaua
die *Ba. Er. Gi. Mi.* ‖ circumcisio (-ciso *C*) *VL C* ‖ 7 gratia *R* ‖ 8-10 et

4. Mais en vue de quoi demande-t-il que soit instaurée
cette *loi*? Évidemment en vue de la rechercher. Une *loi* des
règles de justice avait été rédigée par Moïse et le prophète la
mettait effectivement en pratique. Il demande donc que
soit *établie pour lui* non pas une loi qui était déjà *établie* et
qu'il observait pieusement, mais celle qu'il souhaite
chercher. Que souhaite-t-il donc chercher? Évidemment la
fin de la *Loi*. Et quelle sera la fin de la *Loi*? Écoutons
l'Apôtre : «En effet, la fin de la *Loi*, c'est le Christ[a].» Mais
par ces *voies des règles de justice*, pour lesquelles une *loi
aura été établie*, il souhaite rechercher la «fin de la *Loi*», et
non seulement la rechercher, mais la rechercher toujours.
Il dit en effet : QUE JE LA RECHERCHE TOUJOURS. Ce devoir　　33b
de *recherche* ne pouvait être accompli par la seule volonté,
qu'à la condition d'être aussi soutenu par une inlassable
persévérance de la part du prophète.

5. Dans les *Proverbes* de Salomon, nous nous souvenons
qu'il est écrit : «A qui ne comprend pas la sagesse mais
pose des questions la sagesse est reconnue[a]», pensée qui
semble montrer que qui ne comprend pas et «pose des
questions avec sagesse», passe pour sage. Ce rappel nous
sert ici pour expliquer que le prophète qui demeure dans la
Loi, qui, suivant l'Apôtre, est «un Hébreu né des Hébreux
circoncis le huitième jour[b]», qui, suivant la race, appartient à la tribu de Juda[c], qui, suivant la grâce de
l'«onction» corporelle, a été choisi pour «roi», est l'oint[d], et
qui, suivant le mystère de la naissance du Seigneur, a été
digne d'avoir pour fils Jésus-Christ[e], demande comme s'il
était étranger à la *Loi* : DONNE-MOI LA COMPRÉHENSION,　　34

secundum — christus > *L* ‖ 8-9 secundum sacramentum : sacramento
C pA m Ba. Er. ‖ 9 iesus > *R*

4. a. Rom. 10, 4
5. a. Prov. 17, 28 ‖ b. Phil. 3, 5 ‖ c. cf. I Sam. 17, 12 ‖ d. cf. I Sam.
16, 1.13 ‖ e. cf. Matth. 1, 1 ; Lc 3, 31

INTELLECTVM, ET SCRVBATOR LEGEM TVAM ET SERVABO
EAM IN TOTO CORDE MEO. Nondum ergo *seruat*, nondum
scrutatus est, nondum *intellegit*. Non ergo de ea *lege*
loquitur, in qua natus est, eruditus est, operatus est,
15 propheta. Sciens itaque primam partem esse prudentiae,
ut quis, quod non *intellegit, sapienter interroget*[a], ut,
quod ignorat, *intellegat*, idcirco *intellectum* ut accipiat
rogat. Sciens uero adepto spiritu *intellegendi* studio opus
esse *scrutandi* ait : *Et scrubator legem tuam. Scrutationis*
20 autem fructum in repertae rei custodia esse cognoscens
dixit : *Et seruabo eam. Intellegens* uero perfectam custodiae
diligentiam *in toto* esse *cordis* officio consummauit omnem
sermonis sui ordinem dicens : *Da mihi intellectum et
scrutabor legem tuam et seruabo eam in toto corde meo.*

6. Sed quid tandem istud est, quod *intellegere* optat,
quod *scrutaturum se et seruaturum toto corde* promittit?
Meminit namque non otiosos dies sex Moysi libro in mundi
huius operatione monstari[a]. Scit non superfluam esse *diei*
5 *septimi requiem*[b]. Recordatur in *mensis noui* religione[c]
sacramentum festiuitatis caelestis tamquam in speculo
figurari. Nouit annum illum quo post *sex annorum
seruitutem liber Hebraeus* est[d], quo post multam operationem terra *requiescit* fructibus eius relictis proselyto
10 *pauperi* et *bestiis* terrae[e], quo et *debita* uniuersa Hebraeis

---

VL RC pA r S m

5, 11 scrutabo *VL r Zi.* ‖ 13 scrutans *S* ‖ lege : re *L* ‖ 14 eruditus
est : *pr.* in qua *VL r* ‖ 15 propheta : profetat *VL R*   > *S* ‖
16 quisque *VL* ‖ 16-17 ut quod : et quod *pA r Ba. Er. Gi. Mi.*   et
quae *m* ‖ 17 ignorabit *V*   -rabat *r* ‖ 19 et > *VL r* ‖ scrutabo
VL Zi. ‖ 20 fructus *C* ‖ in repertae rei custodia : huius rei custodiam
C pA S m Ba. Er.   repertae rei custodiam *Mi.* ‖ 21 dixit : ait *r* ‖
seruabo : scrutabo *L*   -tabor *R* ‖ perfecta *V* ‖ 22 consummabit
R ‖ omnis *C* ‖ 23-24 da mihi — seruabo eam > *S* ‖ 24 scrutabo
VL Zi.

JE SCRUTERAI TA LOI ET LA GARDERAI DANS TOUT MON
CŒUR. C'est donc qu'il ne la *garde* pas encore, qu'il ne l'a
pas encore *scrutée*, qu'il ne la *comprend* pas encore. Le
prophète ne parle pas par conséquent de la *Loi* dans
laquelle il est né, fut formé, a agi. Aussi, sachant que le
commencement de la sagesse consiste à «poser de»
judicieuses «questions[a]» sur ce que l'on ne *comprend* pas
pour *comprendre* ce que l'on ignore, le prophète demande à
recevoir la *compréhension*. Sachant qu'une fois qu'on a
reçu l'esprit de *compréhension*, il faut s'appliquer à *scruter*,
il dit : *Et je scruterai ta loi.* Reconnaissant que le fruit de
l'*examen* consiste à garder ce que l'on a découvert, il a dit :
Et je la garderai. Comprenant que l'attention portée à la
garder est parfaite si elle est l'office de *tout le cœur*, il a
résumé l'enchaînement de ses propos en disant : *Donne-
moi la compréhension, je scruterai ta loi et la garderai dans
tout mon cœur.*

6. Mais que souhaite-t-il donc *comprendre*, que promet-il
de *scruter* et de *garder de tout cœur* ? Il se souvient en effet
que le livre de Moïse n'évoque pas sans raison six jours
employés à la création de ce monde[a]. Il sait que le «repos»
du «septième jour» n'est pas sans objet[b]. Il se rappelle que
dans le rite du «mois nouveau» se trouve figuré[c], comme
dans un miroir, le mystère de la fête céleste. Il connaît
l'année où, après un «esclavage de six ans, l'Hébreu» est
«libre[d]», où, après avoir beaucoup produit, la terre, dont
les fruits sont laissés au «pauvre» prosélyte et aux «bêtes»
de la terre, «se repose[e]», où toutes les «dettes sont remises»

6, 3 sex > *C pA S m Ba. Er.* ‖ 4 operationem *L m* ‖ monstrare *VL r*
‖ 5 in > *R* ‖ noui > *R Gi.* ‖ religionem *VL R m Ba. Er. Gi.* ‖ 6 caelestes
R ‖ 7 illum : septimum ‖ post quo *R* ‖ 9 requies scit *R*

---

6. a. cf. Gen. 1 ‖ b. cf. Gen. 2, 2 ; Lév. 23, 3 ‖ c. cf. Ex. 23, 15 ‖ d. cf.
Ex. 21, 2 ‖ e. cf. Ex. 23, 11

omnibus *remittuntur*[f]. *Quinquagesimi* quoque *anni leges*
concupiscit *scrutari*[g]; uult, quae sit in *primo mense decimi*
diei *usque in quartam decimam* et deinde *usque in
uicesimam primam* religio[h]. Illam quoque *septimi mensis*
15 cogitat sollemnitatem, cuius memoriale in *tubis* est[i],
decimi quoque *diei* in eo placationem[j] et post *quintam
decimam* in tabernaculis dierum octo laetitiam[k], quomodo
ex his et *sancta prima* et *octaua* sit *sancta*[l]. Scit *circumcisionem* primam fuisse[m], scit et *iteratam* per Iesum esse
20 gestam[n]. Azyma sancta desiderat, laetari pascha concupiscit, de qua in agni ipsius immolatione scriptum est :
Haec est pascha Domini[o]. *Terram repromissionis*[p], *terram
fluentem lac et mel*[q] scit nondum uere a populo, qui *secundo
est circumcisus*[r], obtentam. Ob haec igitur *intellectum*
25 orat ; haec *intellegens scrutaturum* se pollicetur ; haec
scrutans seruaturum se professus est ; haec *seruans in toto
corde* custodiet.

5   **7.** Post quae sequitur : DEDVC ME IN SEMITA MANDA-
TORVM TVORVM ; QVIA IPSAM VOLVI. Et in hoc nunc uersu
sermonis uirtus non proprie per condicionem translationis
expressa est. Nam id quod nostri ita dixerunt : *Deduc me
5 in semita*, graecitas sic locuta est : ὁδήγησόν με ἐν τρίβῳ.
Et id quod cum illis τρίβος dicitur, trita et frequentata
discursibus *semita* intellegitur ; nobiscum autem *semita*
dici potest et esse *semita* et esse non trita. Ergo quia

VL RC pA r S m

6, 11 legis *VL R¹ C*   legem *Ba. Er.* ‖ 12 scrutari : scire *m* ‖
13 in² : ad *r* ‖ 16 eo : quo *r* ‖ 18 scit > *R* ‖ 20 gestam : testam
V¹   sextam *r* ‖ azima *RC pA S mB*   anima *L* ‖ azymam
sanctam *r* ‖ laetare *pA*   litare *S Ba. Er. Gi. Mi.* ‖ 21 quo
C pA r S Ba. Er. Gi. Mi. ‖ igni *V* ‖ 22 hoc *C pA r S Ba. Er. Gi.
Mi.* ‖ terram¹ : *pr.* in *C*   terrae *R* ‖ 23 lacte et melle *R* ‖ 24 haec :
hoc *R m* ‖ intellectu *R* ‖ 25 haec¹ : hoc *m* ‖ haec² : hoc *m* ‖ 26
scrutatus *pA m Ba. Er. Gi. Mi.* ‖ haec : hoc *m* ‖ seruans : scrutans *C*

7, 1 quae > *C pA r² S m Ba. Er.* ‖ semitam *R S Gi.* ‖ 2 tuorum > *C*
‖ ipse *V* ‖ et > *VL* ‖ 4 expressum *VL* ‖ 5 semitam *R r S Gi.* ‖ 6
quodcumque *C* ‖ discitur *V¹*   ditur *R* ‖ 8 dici > *pA*

à tous les Hébreux[f]. Il souhaite aussi *scruter les lois* de la
«cinquantième année[g]»; il veut savoir en quoi consiste au
«premier mois» la solennité du «dizième jour jusqu'au
quatorzième jour» et ensuite «jusqu'au vingt et unième[h]».
Il songe aussi à la fête du «septième mois», dont le
souvenir est rappelé par les «trompettes[i]», à l'expiation au
«dixième jour» de ce mois[j], à la liesse de huit jours dans les
tentes après le «quinzième jour[k]», à la manière dont, parmi
ces jours, le «premier» est «saint» et le «huitième» est
«saint[l]». Il sait qu'il y a eu une première «circoncision[m]», il
sait aussi qu'une «seconde» a été accomplie par Josué[n]. Il
désire les saints azymes, il souhaite connaître la joie de
Pâques; à ce sujet, il est écrit à propos de l'immolation de
l'agneau lui-même : «C'est la Pâque du Seigneur[o].» La
«terre promise[p]», la «terre ruisselant de lait et de miel[q]»,
n'a pas été encore vraiment atteinte, il le sait, par le
peuple qui a été «circoncis une deuxième fois[r]». C'est donc
pour toutes ces prescriptions qu'il demande la *compréhension*; les *comprenant*, il promet qu'il les *scrutera*; les
scrutant, il s'est engagé à les *garder*; les *gardant*, il les
retiendra *dans tout* son *cœur*.

7. Après quoi vient : Conduis-moi dans le sentier de
tes commandements, parce que je l'ai voulue. Dans ce
verset non plus, qui nous intéresse maintenant, le sens des
propos n'a pas été rendu exactement du fait des impératifs
de la traduction. En effet, ce que les nôtres ont dit de cette
façon : *Deduc me in semita*, le grec l'a exprimé ainsi :
ὁδήγησόν με ἐν τρίβῳ. Et ce qui chez les Grecs se dit τρίβος
s'entend d'un *sentier* battu et fréquenté par suite de
beaucoup d'allées et venues. Or, pour nous, il peut être

35

6. f. cf. Deut. 15,1 ‖ g. cf. Lév. 25,10 ‖ h. cf. Ex. 12,2.3-6.18 ‖
i. cf. Lév. 23,24 ; 25,9 ‖ j. cf. Lév. 23,27 ‖ k. cf. Lév. 23,34 ‖ l. cf.
Lév. 23,35-36 ‖ m. cf. Gen. 17,10 ‖ n. cf. Jos. 5,2 ‖ o. Ex. 12,11 ‖
p. cf. Hébr. 11,9 ‖ q. cf. Ex. 3,8.17 ‖ r. cf. Jos. 5,2; Col. 2,11

graecitas utrumque eadem nuncupatione complexa est,
10 nos quoque ita sentiamus et *semitam* eandem sciamus
esse quae trita est.

8. Et obseruandum est quod hic non legis, sed *manda-*
torum semitam esse dicat. Via enim legis a Moyse
gradientes, postquam ipsa constituta est, habuit. Ceterum
mandatorum idcirco *semita* est, quia in *mandatis Dei* iam
5 a saeculi institutione percursum sit. In hac enim *semita*
et Abel cucurrit et Seth institit[a] et *Enoch placuit*[b] et Noe
reseruari meruit et Melchisedech et *benedicere* potuit et
decimas accepit[c] et Abraham *amicus Dei* est[d] et Isaac
heres est[e] et Iacob Israhel est[f] et ex Iuda *expectatio*
10 *gentium* est[g] et Ioseph *in testimonio positus est*[h] et Iob a
lege liber de hoste legis triumphat et Hebraeum Moyses
uindicat[i] et Iesus *secundo* Israhel *circumcidit*[j] et Samuel
dignus in *unguendo rege* deligitur[k].

9. Et nunc in hac orat se hic et *unctus* et *rex* et propheta
deduci. Scit enim imbecillam sibi esse naturam, neque se
posse hanc *semitam* sine *duce* adgredi. *Dux* enim est
omnibus hac *semita* pergentibus Deus. *Dux* enim est, cum
5 dicitur : *Retro post Dominum tuum ambulabis et ad eum*

VL   RC   pA   r   S   m

7, 9 graecitatis *VL* ‖ nuncupatio *VL* ‖ amplexa *R Zi.*   completa
Mi.
8, 2 a moyse : moysi *pA r*² *m Ba. Er.*   a moysi *Gi. Mi.* ‖ 3
gradienda est *pA r*²*S Ba. Er.* ‖ habuit > *r*²*S m Ba. Er.* ‖ 3-4 habuit —
semita est > *C pA Ba. Er.* ‖ 5 a > *C* ‖ percussus *C*   perrectum *pA*
m Ba. Er. Gi. Mi.   erectum *r* ‖ 6 abel : *pr.* in *L* ‖ 8-9 et isaac —
israhel est > *C pA Ba. Er.* ‖ 10 ioseph : iosue *C pA m* ‖ testimonium
pA m Ba. Er. Gi. Mi. ‖ et² > *C pA S m Ba. Er. Gi. Mi.* ‖ 13 diligitur *V*
R r Gi.   diri- *m*
9, 1 hanc *VL R S Ba. Er. Gi.* ‖ 3-4 dux enim — pergentibus deus
> *pA S m Ba. Er.* ‖ 4 hac : ac *VL R r* ‖ 5-6 retro post — et rursum
> *C pA r*²*S m Ba. Er.* ‖ 5 ambula *L R Gi. Mi.*

question de *sentier* et il peut y avoir un *sentier* sans qu'il soit battu[5]. Donc, puisque le grec a englobé les deux notions dans un même mot, partageons ce point de vue et sachons que *sentier* veut dire «sentier battu».

8. Et il faut observer qu'il parle ici du *sentier*, non de la Loi, mais des *commandements*. En effet, la voie de la Loi a reçu, depuis qu'elle a été établie, ceux qui, depuis Moïse, avancent en marchant, alors qu'il est question d'un *sentier des commandements*, parce que les *commandements de Dieu* sont fréquentés depuis la création du monde. Dans ce *sentier* en effet, Abel a couru, Seth s'est arrêté[a], «Enoch a plu[b]», Noé a mérité d'être protégé, Melchisedech a pu «bénir» et a reçu la «dîme[c]», Abraham est l'«ami de Dieu[d]», Isaac est son héritier[e], Jacob est Israël[f], sur Juda repose «l'attente des nations[g]», Joseph a été «érigé en témoignage[h]», Job, libre à l'égard de la Loi triomphe de l'ennemi de la Loi, Moïse venge l'Hébreu[i], Josué «circoncit» Israël «pour la seconde fois[j]», et Samuel est choisi comme l'homme digne de donner l'«onction» au «roi[k]».

9. Et celui qui a reçu l'«onction», celui qui est «roi» et prophète, demande ici à être *conduit* dans ce sentier. Il sait en effet qu'il a une nature faible et qu'il ne peut s'engager dans ce *sentier*, sans *guide*. Dieu est en effet un *guide* pour tous ceux qui persévèrent dans ce *sentier*[6]. *Guide*, il l'est,

8. a. cf. Gen. 5,8 ‖ b. cf. Sir. 44,16 ‖ c. cf. Gen. 14,18-20 ‖ d. cf. II Chr. 20,7 ‖ e. cf. Gen. 25,5 ‖ f. cf. Gen. 35,10 ‖ g. cf. Gen. 49,10 ‖ h. cf. Ps. 80,6 ‖ i. cf. Ex. 2,12 ‖ j. cf. Jos. 5,2 ‖ k. cf. I Sam. 16,1.13

5. La distinction établie entre *semita* et *semita trita* se retrouve — a fait remarquer J. DOIGNON, *Hilaire*..., p. 539 — dans «un glossaire latin, les *Glossae abauus*... dont les prototypes sont déjà utilisés par Charisius au ive s.». Cf. *Glossae abavus* (Goetz, t. 4, p. 390, l. 35; p. 320, l. 22). Mêmes remarques sur le sens et la traduction du mot σχοινίον en *In psalm.* 138,9.
6. Cf. Origène (*Ch. p.*, p. 250, v. 35, l. 4-5).

adhaereto[a], et rursum : *Retro post eum ambula, quoniam ipse te deducit*[a]. *Deducit* autem, cum ait : *Qui non tulerit crucem suam et secutus me fuerit, non est me dignus*[b]. *Deducit* etiam, cum prior omnem euangelicarum passio-
10 num *semitam* triuit. Si apostoli docent, prior ille docuit ; *constituit* enim *sapientia amicos Dei et prophetas*[c]. Si iuste nunc aliquid geritur a nobis, princeps iustitiae nostrae est ; *est* enim *ipse iustitia*[d]. Si ob fidem ad terrorem flagellamur, *flagellis* ille *dorsum suum* praebuit, si alapis
15 ad iniuriam caedimur, has ille suscepit. Si in contumeliam conspuimur, *faciem suam* ille *non auertit a sputis*[e].

10. *Dux* in omnibus ille est ; sed *dux* est diligentibus *legem*, quam superius *se toto in corde* custoditurum professus est[a]. Non enim hic secundum sermonem graeci-tatis, cum dicitur : *Quia ipsam uolui*, ad *semitam manda-*
5 *torum* referri potest ; quia in graeco, ubi feminino genere *semita* scripta est, id quod *uelle* se ait masculino genere pronuntiat dicens : ὁδήγησόν με ἐν τρίβῳ τῶν ἐντολῶν σου, ὅτι αὐτὸν ἠθέλησα. *Lex* enim feminino genere a nobis nuncupatur, quae graece νόμος dicta, ob quod ab his

---

VL RC pA r S m

9, 6 ambulabis *pA r S Ba. Er.* ‖ 7 deducit[1] : -cet *pA Ba. Er. Gi. Mi.*   ducit *R*   ducet *S* ‖ cum > *L* ‖ 10 si > *R* ‖ apostoli : *pr.* istam *R Zi.* ‖ ille prior *R m Zi.* ‖ 11-12 iuste — princeps > *VL* ‖ 12 nunc : hinc *R Zi.* ‖ 13 est[2] : et *V r* ‖ iustitia : -ae *V*   + est *r* ‖ si > *r* ‖ 14 ille : ipse *S*
10, 1 illis *R* ‖ est sed dux est > *R* ‖ 2 in > *V* ‖ in toto corde *r* ‖ 3 professus est : *pr.* propheta *r S edd.* ‖ 5 ferri *RC* ‖ 6 uelle se ait : uellet *pA S m Ba. Er. Gi. Mi.* ‖ 7-8 dicens — ἠθέλησα > *Ba. Er. Gi.* ‖ dicens — lex enim > *S* ‖ ὁδήγησόν με — ἠθέλησα > *C pA* ‖ 8 feminino genere a nobis : feminino genere nobis *V*   feminino nobis genere *L*   femi-nino a nobis genere *R Zi.*   genere feminino a nobis *m*   a nobis feminino genere *Er. Gi. Mi.* ‖ 9 nuncupata est *V* ‖ quae > *V* ‖ dicta + est *pA S Ba. Er. Gi. Mi.*   *pr.* est *r* ‖ ob > *Ba. Er. Gi. Mi.* ‖ ab his : a uiis *VL*   a nobis *r*

quand on dit de lui : «C'est à la suite de ton Seigneur que tu marcheras, attache-toi à lui[a]», et encore : «Marche à sa suite, parce que lui-même te *conduit*[a][7].» Il nous *conduit*, lorsqu'il dit : «Qui n'aura pas porté sa croix et ne m'aura pas suivi n'est pas digne de moi[b].» Il nous *conduit* encore, lorsque, le premier, il a foulé tout le *sentier* de souffrances évoquées dans les Évangiles. Si les apôtres enseignent, il a le premier enseigné[8] ; en effet, «la sagesse a formé des amis de Dieu et des prophètes[c]». Si nous faisons ici-bas quelque chose avec justice, il est le principe de notre justice ; car «il est lui-même justice[d]». Si la flagellation à cause de la foi nous conduit à l'épouvante, lui a offert «son dos aux fouets» ; si nous recevons injustement des soufflets, il en a lui aussi subi. Si l'on crache outrageusement sur nous, lui «n'a pas détourné son visage des crachats[e]».

10. En tout, il est un *guide*, mais un *guide* pour ceux qui aiment la «loi», que le prophète s'est engagé, plus haut, à retenir «dans tout son cœur[a]». En effet, d'après le grec, quand il dit : *Parce que je l'ai voulue*, ses mots ne peuvent renvoyer au *sentier des commandements* ; parce qu'en grec, où *sentier* est du féminin, le prophète exprime ce qu'il déclare *vouloir* au masculin par ces mots : ὁδήγησόν με ἐν τρίβῳ τῶν ἐντολῶν σου, ὅτι αὐτὸν ἠθέλησα. En effet, «loi» est pour nous un mot féminin ; en grec elle se dit νόμος : ce terme est chez les Grecs un masculin. Et comme, dans leur

9. a. Deut. 13, 4 ‖ b. Matth. 10, 38 ‖ c. Sag. 7, 27 ‖ d. cf. I Cor. 1, 30 ‖ e. cf. Is. 50, 6
10. a. cf. v. 34

7. Sur *Deut.* 13, 4, cf. éd. Coustant, c. 274 (*PL* 9, 537) note.
8. Sur l'enseignement du Christ, cf. *In Matth.*, 17, 1 (*SC* 258, p. 60-62).

10 masculino enuntiatur. Et cum illic feminino *semita* nuncu-
petur, id quod *uoluit* ad id refertur quod per masculinum
genus graecitatis proprietate memoratum est.

36   **11.** Sequitur nunc : INCLINA COR MEVM IN TESTIMONIA
TVA ET NON IN VTILITATEM. Omnia propheta ad munus
Dei rettulit, siue ut *lex uiae iustificationis statuatur a
Domino*[a], siue ut *sibi intellegentia* praestetur[b], siue ut
5 *deducatur in semitam*[c], siue ut *cor eius in testimonia
inclinetur*, id est in ea quae sub testibus scripta sunt.
Teste enim *caelo et terra* lex tradita est[d].

12. Sed forte per hanc prophetae religiosam modestiam
quisquam impie loqui ita audebit : si, inquit, omnia a Deo
sunt, humana ergo ignoratio caret culpa, cum nihil
obtinere possit, nisi quod donatum a Deo sumpserit. Et
5 primum hoc impietatis est uoluntas, existimare idcirco
se ea quae sunt credentium propria non consequi, quod
sibi a Deo indulta non fuerint. Sed omnem occasionem
huius impiae excusationis propheta submouit. Primum
enim, cum orat, conueniens infirmitati suae egit officium ;

VL   RC   pA   r   S   mB (inde ab 11,2 : propheta*)*

10, 10 masculino : *pr.* genere *Ba. Er. Gi. Mi.* ‖ illis *L*   illuc *pA* ‖
feminino + genere *S Ba. Er. Gi. Mi.* ‖ nuncupatur *L R A r Zi.*
    11, 1 sequitur : *pr.* sed *R Zi.* ‖ nunc > *S* ‖ 2 utilitate *R*   inutili-
tatem *C²   pA   m²* ‖ 3 ut > *VL* ‖ uiae > *pA   m Ba. Er. Gi.* ‖
iustificationum *pA m Ba. Er. Gi. Mi.* ‖ statuatur : *pr.* sibi *pA mB Ba.
Er. Gi. Mi.* ‖ 5 semita *V pA mB edd.*
    12, 2 quisque *V S* ‖ inpia eloqui *L* ‖ 3 ignorantia *C pA S mB Ba. Er.
Gi. Mi.* ‖ culpam *VL* ‖ 5 impietatis est uoluntatis *V*   impiae est
uoluntatis *r Ba. Er. Gi.* ‖ 6 quod : quae *m* ‖ 7 fuerit *VL r* ‖ 8 submouet
VL r ‖ 9 infirmitatis *C B* ‖ agit *A*

11. a. cf. *v. 33* ‖ b. cf. *v. 34* ‖ c. cf. *v. 35* ‖ d. cf. Deut. 4, 26 ; 30, 19

langue, le mot *sentier* est féminin, ce qu'il a *voulu* se
rapporte à un terme qui, d'après le sens exact du texte
grec, est rappelé par un masculin[9].

11. Suit maintenant : INCLINE MON CŒUR VERS TES   36
TÉMOIGNAGES ET NON VERS LE PROFIT. Le prophète a tout
fait dépendre du don de Dieu, soit pour qu'une «loi de la
voie de la règle de justice soit établie par le Seigneur[a]», soit
pour que l'«intelligence lui» soit donnée[b], soit pour être
«conduit dans le sentier[c]», soit pour que *son cœur soit
incliné vers les témoignages*, c'est-à-dire vers ce qui a été
écrit devant témoins. En effet la Loi a été transmise, avec
«le ciel et la terre» comme «témoins[d]».

12. Mais peut-être en raison de cette pieuse réserve du
prophète, quelqu'un aura-t-il l'audace impie de tenir ce
langage : «Si tout vient de Dieu, l'ignorance humaine est à
l'abri de la faute, étant donné qu'elle ne peut obtenir que
ce qu'elle a reçu comme un don de Dieu.» Or vouloir être
impie consiste d'abord à considérer que l'on n'obtient pas
ce qui revient en propre aux croyants, sous prétexte que
Dieu ne l'a pas accordé. Mais le prophète a écarté toute
occasion d'avancer cette excuse impie. D'abord en effet, en
priant, il a accompli un devoir qui convenait à sa faiblesse ;

9. Les mss de la Septante ne s'entendent pas sur le genre du
pronom de rappel au v. 35b. Le texte hexaplaire des LXX donne
αὐτήν, comme les manuscrits de la recension lucianique et le manuscrit
R du texte occidental. Seul le manuscrit *S*, témoin d'un texte
égyptien, donne αὐτόν (cf. Rahlfs, p. 290). Cette convergence — et
quelques autres — entre le texte grec d'Hilaire et les manuscrits de
Haute ou de Basse-Égypte nous a conduit à formuler l'hypothèse
d'une influence des textes égyptiens de la Septante sur le Psautier
grec d'Hilaire («Recherches sur l'origine des citations grecques...»).
Les commentateurs cités dans la Chaîne palestinienne sont eux-
mêmes divisés. Eusèbe (*Ch. p.*, p. 250, v. 34, l. 13) écrit αὐτὴν ἠθέλησα
(mais le ms. *A* donne αὐτόν). Origène, commentant le pronom,
l'explique une fois (*Ch. p.*, p. 250, v. 35, l. 2) comme un rappel de «la
loi et le chemin», une autre fois (*Ch. p.*, p. 252, v. 36, l. 12) comme un
rappel de «la loi mentionnée plus haut».

10 dehinc Dei muneribus humanae deuotionis studia cone-
xuit. Cum enim ait : *Legem statue mihi, Domine, uiam
praeceptorum tuorum*, quid secundum orationis nostrae
humilitatem Dei esset ostendit. Cum autem subiecit : *Et
exquiram eam semper*, officium deuotionis suae protulit.
15 Et in ceteris quoque utrumque quodam complexu sibi
inuicem conligauit, cum *deduci se in semitam* postulat
et cum id ipsum *uoluit*. Prius enim, quae a Deo sunt
cum honore praeposuit ; et tunc, quae hominis sunt, cum
humilitatis atque officii sui confessione subiecit. Orat
20 igitur ut Deus tribuat. A nobis est ergo, cum oramus,
exordium, ut munus ab eo sit ; dehinc, quia de exordio
nostro munus eius est, ex nostro rursum est ut *exquiratur*
et obtineatur et maneat.

13. In eo autem quod ita se habet : *Inclina cor meum
in iustificationes tuas et non in utilitatem*, quidam ita
transtulerunt : *Inclina cor meum in iustificationes tuas et
non in auaritiam*. Id quod in hebraeis codicibus continetur
5 ambigua in definitione utrique intellegentiae oportunum
est. Sed nos, sicuti oportet, sequimur septuaginta interpretum religiosam et antiquam auctoritatem, ex iudicio
tamen ceterorum translatorum proprietatem intellegentiae

VL RC pA r S mB

12, 11 mihi statue *pA mB Ba. Gi. Mi.* || 12 praeceptorum tuorum :
iustificationum tuarum *R S Gi. Mi. Zi.* || quid : quam *C* || 13 esse
VL C || 15 utrumque quoque *R Zi.* || complexo *R* || 16 semita *C pA
edd.* || postulauit *Ba. Er. Gi. Mi.* || 18 hominis sunt : > *C*   a se
pA S mB Ba. Er. || 19 humilitatis atque officii sui > *C pA S mB Ba.
Er.* || atque > *R Gi.* || confusione *R* || 20 deus > *V* || a nobis — in
eo autem **(13,**1) > *S* || a nobis > *C* || est ergo a nobis *pA B Ba. Er.
Gi. Mi.* || 21 et hinc *R* || 22 ex nostro rursum est > *m* || 23 et[1] : ut *m*
eius est ut *r*
13, 2 inutilitatem *C pA mB* || ita > *C pA S mB Ba. Er. Gi.* || 3
iustificationes tuas : testimonia tua *R S Ba. Er. Gi. Mi.* || 4 auaritia
VL R || 5 ambiguo *VL*   -guum *r m* || utriusque *pA S Ba. Er. Gi.* ||
oportunum : positum *C pA S m Ba. Er.* || 6 sicut *C pA Ba. Er. Gi. Mi.*
|| 7 antiqua *R*

ensuite il a associé aux dons de Dieu les ardeurs de la piété de l'homme. En disant en effet : «Établis pour moi une loi, Seigneur, la voie de tes préceptes», il a montré, compte tenu de l'humilité de notre prière, ce qui revenait à Dieu. Mais en ajoutant : «Et que je la recherche toujours», il a mis en avant le devoir de sa piété. Et dans la suite aussi, il a réuni les deux propositions par une sorte de lien entre elles : lorsqu'il demande à être «conduit dans le sentier» et l'a aussi «voulu». Il a en effet mentionné en premier lieu, à la place d'honneur, ce qui vient de Dieu ; c'est alors seulement qu'il a ajouté, en confessant son humilité et son devoir, ce qui dépend de l'homme. Il demande par conséquent que Dieu lui fasse un don. Donc, lorsque nous prions, l'initiative, pour qu'il y ait don de Dieu, vient de nous ; dès lors que le don de Dieu dépend de notre initiative, il dépend encore de nous qu'il soit «recherché», qu'il soit obtenu et qu'il demeure[10].

13. Du verset qui se présente ainsi : *Incline mon cœur vers les règles de justice et non vers le profit*, certains ont donné la traduction suivante : *Incline mon cœur vers les règles de justice et non vers la cupidité*. Le texte des manuscrits hébreux, d'une terminologie ambiguë, se prête aux deux interprétations. Mais nous, comme il convient, nous suivons l'autorité vénérable et antique des Soixante-Dix Interprètes, tout en cherchant à dégager du choix des autres traducteurs le sens exact de cette idée difficile. En

10. Cf. commentaire d'Origène (*Ch. p.*, p. 250-252, v. 36). Sur l'initiative de l'homme dans la prière, cf. Tert., *Orat.*, 2.

huius quae est difficilis captantes. Cum enim hi dixerint :
10 *In utilitatem*, illi dixerint : *In auaritiam*, per idipsum,
quomodo *utilitas* hic nunc sit subiecta noscetur. Nam
saeculi homines pecuniam, argentum, aurum et cetera
opum instrumenta *utilitatem* uocant. Ergo cum *in Dei
testimonia inclinari cor suum et non in utilitatem* propheta
15 orat, *inclinatum in Dei testimonia cor* ab his sine dubio
refert, quae humano iudicio existimantur *utilia*. Et
quidem intellegentiae nostrae sensum uersus qui consequitur confirmat.

37   **14.** Ait enim : Averte ocvlos meos, ne videant
vanitatem ; in via tva vivifica me, *uanitatem* eorum
docens, quae ab hominibus existimantur *utilia*[a]. Et
quaerendum est quos *oculos* et a qua *uanitate* oret *auerti*.
5 Orat autem et animi et corporis *oculos*, eos scilicet qui
theatralibus ludis captiui incubant, eos qui circensium
certaminibus seruiunt, eos qui uestium pretia mirantur,
eos quos auri splendor et gemmarum uarietas occupauit.
Nisi forte non magis equorum cursu astrorum cursus est
10 gratior, et obscenis illis spectaculorum turpium fabulis

VL   RC   pA   r   S   mB

13, 9 huius quae est difficilis captantes : cuiusque (+ est *R*)
desiderio coaptantes *R Gi. Mi. Zi.* ‖ hii *R A* ‖ dixerunt *C* ‖ 10
inutilitatem *C pA* ‖ dixerint : -runt *C pA B*   > *S* ‖ auaritia *VL* ‖
11 inutilitas *C pA* ‖ 14-15 inclinari — in dei testimonia > *V* ‖ 14
inclinare *C* ‖ inutilitatem *C pA* ‖ 15 oret *L C* ‖ in dei testimonia
cor > *S*
14, 2 in : *pr.* et *C pA mB Ba. Er. Gi. Mi.* ‖ 4 a qua uanitate : quam
uanitatem *VL* ‖ oraret *pA mB Ba. Er.* ‖ 8 occupat *pA Ba. Er. Gi.*
Mi.   -pant *m* ‖ 9 cursum *R* ‖ 10 expectaculorum *R*

14. a. cf. *v. 36*

11. D'où Hilaire tire-t-il ses informations sur le v. 36 et les
différentes traductions d'un original hébreu «ambigu» : *utilitatem*
(ὠφέλειαν), traduction des LXX et *auaritiam* (πλεονεξίαν), traduction

effet puisque les uns ont dit : *Vers le profit*, tandis que les
autres ont dit : *Vers la cupidité*, on comprendra par là-
même comment l'idée de *profit* est ici sous-jacente. Dans le
monde, on entend par *profit* les revenus, l'argent, l'or et
toutes les autres sources de richesses. Donc, lorsque le
prophète demande que *son cœur soit incliné vers les
témoignages de Dieu et non vers le profit*, il ne fait pas de
doute qu'il détourne son *cœur, qui est incliné vers les
témoignages de Dieu*, de ce qui, d'après le jugement des
hommes, passe pour *profitable*. Et le verset qui suit
confirme bien notre interprétation[11].

14. Il dit en effet : DÉTOURNE MES YEUX POUR QU'ILS   37
NE VOIENT PAS LA VANITÉ ; DANS TA VOIE, FAIS-MOI VIVRE,
montrant ainsi la *vanité* de ce que les hommes jugent
« profitable[a] ». Il faut chercher à quels *yeux* il songe et de
quelle *vanité* il demande qu'ils soient *détournés*. Il demande
que soient détournés les *yeux* de l'âme et ceux du corps,
c'est-à-dire ceux qui se complaisent aux jeux du théâtre et
s'y laissent prendre, ceux qui sont esclaves des combats du
cirque, ceux qui admirent le prix des étoffes, ceux qu'ont
séduits l'éclat de l'or et le chatoiement des pierres
précieuses. A moins que par hasard la course des astres ne
plaise pas plus qu'une course de chevaux, et qu'il ne soit

---

des « autres »? Field (t. 2, p. 271) ne donne aucun renseignement au
sujet de ce verset ; mais les témoignages des psautiers gallican
(psautier hexaplaire) et *iuxta Hebraeos* de Jérôme (Weber, *Vulgata*,
p. 922-923) laissent supposer que le texte hexaplaire des LXX
donnait εἰς πλεονεξίαν. Origène d'ailleurs retient εἰς πλεονεξίαν pour son
commentaire (*Ch. p.*, p. 252, v. 36, l. 19-22) et présente la leçon εἰς
ὠφέλειαν comme une variante de « certains exemplaires » ; AMBROISE
(*In psalm.* 118, 5, 27) fait les mêmes remarques. Le manuscrit latin
d'Hilaire qui fait de la variante εἰς ὠφέλειαν *(in utilitatem)* le texte
authentique des LXX n'a aujourd'hui qu'un seul correspondant en
grec, parmi tous les manuscrits collationnés par Rahlfs : le fragment
2018, manuscrit de Haute-Égypte.

non amoenius diuina illa humanae spei eloquia cantarent ;
nisi forte huic terrenorum metallorum usu non magis
aeternitatis *repositae* diuitiae[b], honor et gloria praeferetur,
et blandior mihi erit auri species quam hominis et terrae
15 et lucis et caeli. Ab eorum igitur *uanitatibus auerti oculos*
et hos corporis sui et illos animae deprecatur ; de quibus
obcaecatis beatus apostolus docet, cum ait : *In uanitate
sensus eorum intenebrati, alienati a uita Dei*[c].

15. Et *auersorum oculorum* a *uanitate* quod praemium
sit, non longe requirendum est. Sequitur enim : *Et in uia
tua uiuam.* Declinandi enim a *uanitate* sunt *oculi*, ut nobis
in uia Dei uita sit ; non ea *uita* quae nunc est, sed ea
5 quae in caelis reposita est et *in Christo absconsa est*[a].
Ita enim omni hoc loco propheta locutus est, tamquam
uicturus sit et non modo *uiuat*. Erigendi igitur *oculi* sunt,
quibus *Christi* potius gloria quam mundi huius inania et
uana cernantur. *In uia* enim *dei* referentes *oculos a uanitate*
10 *uiuemus.*

38   **16.** Dehinc sequitur : STATVE SERVO TVO ELOQVIVM
TVVM IN TIMORE TVO. Nouit a plurimis propheta *eloquia
Dei* sine metu suscipi. Plures enim auditas caelestis *eloquii*

VL   RC   pA   r   S   mB

14, 11 cantantur *pA S B Ba. Er. Mi.* ‖ 12 usui *pA B Ba. Er. Gi.
Mi.* ‖ 13 diuitiae : diuinae *Gi.*   > *VL RC* ‖ praefertur *R Zi.* ‖ 14
homines *C* ‖ 16 animae illos *C* ‖ 17 doceat *C* ‖ 18 uita : uia *R r m Gi.*
15, 1 aduersorum *R* ‖ a uanitate : uanitatem *R* ‖ praemium : *pr.*
primum *V r*   + primum *L* ‖ 2 sit > *S* ‖ non : si *pA S*   in
Gi.   > *Ba. Er.* ‖ 3 uiuam : uiufica me *C pA r S mB Ba. Er. Gi.* ‖
enim > *V¹ S* ‖ 5 est² > *pA S mB Ba. Er. Gi. Mi.* ‖ 6 loco propheta :
psalmo *pA r S B Ba. Er. Gi. Mi.* ‖ 7 et > *C pA Ba. Er. Gi. Mi.* ‖ 8
huius mundi *r* ‖ 9 uana : bona *VL* ‖ cernuntur *R Gi.* ‖ uia : uitam *VL
RC r¹ Gi.*   uiam *r²* ‖ 10 uiuimus *R*
16, 1 seruo : *pr.* in *pA S m Ba. Er.* ‖ 1-2 eloquia tua *pA mB*

---

14. b. cf. Col. 1,5 ‖ c. Éphés. 4,17-18
15. a. cf. Col. 3,3

pas plus agréable de chanter ces divines paroles de l'espérance humaine que ces fables obscènes des spectacles honteux ; à moins qu'à l'usage de ces métaux terrestres ne soient pas préférées les richesses de l'éternité «mises en réserve» pour nous[b], leur honneur et leur gloire, et que l'aspect de l'or soit plus séduisant pour moi que celui de l'homme, de la terre, de la lumière et du ciel. De la *vanité* de ces attraits il demande donc que soient *détournés* ses *yeux*, ceux du corps comme ceux de l'âme ; sur leur aveuglement le bienheureux apôtre nous instruit, lorsqu'il dit : «Enténébrés dans la *vanité* de leurs sens, devenus étrangers à la vie de Dieu[c]»[12].

15. Et pour savoir quelle sera sa récompense quand il aura *détourné* ses *yeux* de la *vanité*, il n'est pas besoin de chercher loin. Suit en effet : *Et dans ta voie, je vivrai.* Il nous faut éloigner nos yeux de la *vanité*, pour avoir la *vie dans la voie de Dieu* ; non pas la *vie* de maintenant, mais la vie qui nous est réservée dans les cieux et «demeure cachée dans le Christ[a]». En effet, dans tout ce passage, le prophète a parlé comme s'il allait *vivre* et non comme s'il *vivait* à présent. Il faut donc lever les *yeux* pour voir la gloire du «Christ» plutôt que les futilités et *vanités* de ce monde. En effet, si nous détournons nos *yeux* de la *vanité, nous vivrons dans la voie de Dieu.*

16. Ensuite vient : Établis pour ton serviteur ta parole, dans ta crainte. Le prophète sait que les *paroles de Dieu* sont reçues sans crainte par un très grand nombre. Beaucoup en effet après avoir entendu les Écritures de la

38

---

12. Origène (*Ch. p.*, p. 252, v. 37, l. 1-2) donne aussi comme exemple de vanité «la folie des spectacles» avant de citer *Éphés.* 4, 18. L'énumération des vanités dont il faut se détourner rappelle celle que fait Cyprien à l'adresse de Donat (*Donat.*, 7.8.9).

scripturas tamquam fabulam rerum inanium neglegunt et
5 Dei *uerba*, quae *praeterire caelo et terra praetereunte non*
possunt[a], magno cum periculo inreligiosae temeritatis
inridunt. Nouit *initium sapientiae esse Dei timorem*[b].
Nouit in illa septiformis spiritus gratia *timorem* in
postremo tamquam firmamentum eorum quae superius
10 sunt dicta numerari[c]. Constitui ergo in se *Dei eloquia in
timore Dei* deprecatur; quia scit ea nobis *eloquia* futura
esse, quae tamquam *Dei timebuntur*, utilia. Dehinc
39 adiecit : Circvmcide obprobrivm mevm, qvod svspicatvs
svm; nam ivdicia tva ivcvnda. Propheta in corpore
15 positus loquitur et neminem uiuentium scit sine peccato
esse posse. Vnum meminit esse *qui peccatum non fecit,
neque inuentus est dolus in ore eius*[d]. Ergo cum *circumcidi*
a se *obprobrium* deprecatur, *peccatum circumcidi* orat,
quia *peccatum* sequatur *obprobrium*. Sed cum *circumcidi*
20 a se orat, non tamquam de admisso perpetratoque
confessus est, sed quia id per infirmitatem carnis suae in
se *suspicatur* habitare. Non enim ait : *Circumcide obprobrium*, quod in me est; sed ait : *Circumcide obprobrium
meum, quod suspicatus sum, suspicionem obprobrii* ex
25 conscientia propriae infirmitatis ostendens. In *iudiciis*
enim multi ad *obprobrium* resurgent. Quae quia his
iucunda sint in quibus *peccati* non manebit *obprobrium*,
ipsam illam quae in se est *suspicionem* a se *circumcidi*
orat *obprobrii*, ut sibi *Dei* sint *iucunda iudicia*.

VL RC pA r S mB

16, 7 irrident *pA S mB Ba. Er. Gi. Mi.* ‖ nouit — timorem > *VL
r¹* ‖ 10 numerari : nominari *R Zi.* ‖ 11 nobis ea *R Zi.* ‖ 12 deinde
R ‖ 13 circumcide : amputa *R Gi.* ‖ 14 nam : quia *pA S B Ba. Er.
Mi.* > *C* ‖ 15 nemo *VL* ‖ 17 dolus inuentus est *pA S mB Ba. Er.
Gi. Mi.* ‖ 18 peccata *pA S mB Ba. Er. Mi.* ‖ 19 peccata *S* ‖ cum > *V* ‖
21 infirmitatis *R¹* -tes *R² Zi.* ‖ 22-23 circumcide — sed ait > *C* ‖
22 obprobrium + meum *pA S mB Ba. Er.* ‖ 23 in me est : perpetraui
pA S mB Ba. Er. ‖ 24 meum > *R r* ‖ ex : et *VC* ‖ 25 iudicio *VL r mB* ‖
28 a : *pr.* et *C*

16. a. cf. Matth. 24,35 ‖ b. Ps. 110,10 ‖ c. cf. Is. 11,2 ‖ d. I Pierre
2,22

parole céleste les dédaignent au même titre qu'un recit de
légendes creuses et, encourant les graves risques d'une
témérité irréligieuse, se moquent des «paroles» de Dieu qui
ne peuvent «passer», alors que «le ciel et la terre
passeront[a]». Lui sait que le «commencement de la sagesse
est la *crainte* de Dieu[b]». Il sait que dans la grâce de
l'Esprit septiforme, la dernière recensée est la «*crainte[c]*»;
elle est comme le fondement des dons précédemment mentionnés. Il demande donc que les *paroles de Dieu* soient
établies en lui, *dans la crainte de Dieu*. Il sait en effet que
les *paroles* que l'on *craindra* comme venant *de Dieu* seront
utiles[13]. Il a ajouté ensuite : RETRANCHE MON OPPROBRE,
DONT J'AI SOUPÇON ; CAR TES JUGEMENTS SONT AGRÉABLES.
Le prophète parle, établi dans un corps et il sait que
personne parmi les vivants ne peut être sans péché. Il se
souvient qu'il n'y en a qu'un qui «n'a pas commis de péché
et dans la bouche duquel on n'a pas trouvé de ruse[d]». Donc
lorsqu'il prie pour que soit *retranché* de lui l'*opprobre*, il
demande que soit *retranché* le «péché», parce que l'*opprobre*
suit le «péché». Mais lorsqu'il demande que le péché soit
retranché de lui, il ne confesse pas un péché qu'il aurait
commis et perpétré, mais il fait cette demande parce qu'il
soupçonne que le péché habite en lui, en raison de la
faiblesse de sa chair. Il ne dit pas en effet : *Retranche
l'opprobre* qui est en moi, mais il dit : *Retranche mon
opprobre, dont j'ai soupçon*, montrant que son *soupçon de
l'opprobre* vient de la conscience qu'il a de sa propre
faiblesse. Beaucoup, en effet, au moment des *jugements*,
ressusciteront pour l'*opprobre*. Ces *jugements* devant être
agréables pour ceux en qui ne demeurera pas l'*opprobre* du
«péché», il demande que même ce *soupçon d'opprobre*, qui
est en lui, soit *retranché*, pour que les *jugements de Dieu* lui
soient *agréables*.

39

---

13. Commentaire du v. 38 portant seulement sur la crainte, alors
que les commentaires d'Origène (*Ch. p.*, p. 254, v. 38) et d'AMBROISE
(*In psalm.* 118, 5, 37-38) insistent sur une crainte conforme à la raison
et dénoncent ceux qui n'éprouvent pas une telle crainte.

17. Ac ne de admissi *peccati* conscientia precatus esse existimaretur, orationem omnem, quam sub singulis

40 octonis uersibus defert, hac libertate conclusit : Ecce CONCVPIVI PRAECEPTA TVA ; IN AEQVITATE TVA VIVIFICA

5 ME. Superius orauit ut *in Dei timore Dei* in se *statuerentur eloquia*[a] ; dehinc, ut a se *suspicio circumcideretur obprobrii*[b] ; nunc *concupiscentiam* ac desiderium suum erga *Dei praecepta* demonstrat et, ut *in aequitate Dei uiuificetur*, orat, sciens proprium diuinae *aequitatis* esse munus, ut

10 *uiuificet* eum qui et *praecepta Dei* desiderauerit, cui et *circumcisa obprobrii suspicione iucunda iudicia sint* et *in Dei timore Dei* constituantur *eloquia.*

VL   RC   pA   r   S   mB

17, 1 admissa *pA S mB Ba. Er. Gi.* || 2 orationem : circumcisionem *C pA S B Ba. Er.* || 3 defertur *VL* || hac : ac *RC* || 5 timorem *VL RC* || dei > *r²* || 7 ac : ad *V* || 8 aequitatem *C* || 12 dei[1] > *C pA S mB Ba. Er. Gi. Mi.* || dei[2] + in se *S Ba. Er. Gi. Mi.* || eloquia + amen *R Zi.*

finit *R*   explicit littera quinta *VL r*   explicit he *S*   finit in christo iesu domino nostro finit he littera quinta *C*   finit littera quinta *pA*

17. Et pour que l'on ne pensât pas que sa prière était inspirée par sa conscience d'avoir commis le «péché», il a donné à toute la prière présentée dans chacun des huit versets cette conclusion qui montre sa liberté : Voici que j'ai désiré tes préceptes ; dans ta justice, fais-moi vivre. Auparavant, il a demandé que les «paroles de Dieu fussent établies» en lui «dans la crainte de Dieu[a]» ; ensuite que le «soupçon d'opprobre fût retranché» de lui[b] ; maintenant il montre son *envie* et son désir des *préceptes de Dieu* et demande à recevoir la *vie dans la justice de Dieu*, car il sait que le don appartenant en propre à la *justice* divine consiste à *faire vivre* celui qui a désiré les *préceptes de Dieu*, celui pour qui, une fois «retranché le soupçon d'opprobre, les jugements sont agréables» et les «paroles de Dieu» établies «dans la crainte de Dieu».

17. a. cf. *v. 38* ‖ b. cf. *v. 39*

VAV

ET VENIAT SVPER ME MISERICORDIA TVA,
DOMINE, SALVTARE TVVM SECVNDVM ELO-
QVIVM TVVM, ET RELIQVA.

1. Plures secundum apostolum sunt, qui *sapientiam
saeculi* sequentes *sapientiam Dei reprobauerunt*, ob quod
stultam fecit Deus saeculi sapientiam[a]. Quid enim infide-
libus *stultius* est, qui praeter illum communem inreli-
5 giosorum errorem etiam hoc adiciunt piaculi, ut diuina
scripturarum eloquia putent perfectae doctrinae carere
ratione? Et quia pro impietate ingenii sui diuinorum
dictorum capaces esse non possunt, ad contumeliam
caelestium uerborum pro excusatione hebetudinis suae
10 prorumpunt dicentes nihil in his rationabile, nihil esse
perfectum, uolentes ea quae a se dicantur sola esse erudita
et doctrina uerae prudentiae expolita, *stulti* Deo negantes
quae adsumere ipsi sibi audent. Nec mirum est si

VL RC pA r S mB

vau > *m*   *pr.* incipit littera sexta *V*   *pr.* incipit sexta *L*
r   *pr.* incipit *C pA S*   *pr.* littera VI *Mi.*   + littera sexta *C*
pA   + tractatus *S*
et ueniat — et reliqua : *omnes uersus litterae sextae R Gi.
Mi.*   > *S* ‖ et ueniat : ueniat *VL R Mi.*   eueniat *B* ‖ domine
> *V* ‖ secundum : et *VL* ‖ et reliqua : et reliqua octo uersuum
L   > *C pA mB Ba. Er.*
1, 2 dei sapientiam *r* ‖ 3-4 infidelius stultiusue *VL* ‖ 4 est > *S* ‖
propter *m* ‖ 7 rationem *L* ‖ 11 a : ex *r* ‖ 12 doctrinis *R Gi. Mi. Zi.*

VAU

ET QUE VIENNE SUR MOI TA MISÉRICORDE,
SEIGNEUR, TON SALUT, CONFORMÉMENT À TA
PAROLE, ET LA SUITE.

1. Nombreux, d'après l'Apôtre, sont ceux qui, suivant
la «sagesse du monde», ont «rejeté la sagesse de Dieu»;
aussi «Dieu a-t-il rendu déraisonnable la sagesse du
monde[a].» Qu'y a-t-il en effet de plus «déraisonnable» que
l'incroyance de ceux qui, à l'erreur bien connue des
hommes sans religion, ajoutent encore l'audace impie de
penser que les divines paroles des Écritures n'ont pas la
cohérence d'un enseignement parfait? Et comme, en
raison de l'impiété de leur intelligence, ils ne peuvent
recevoir les paroles divines, pour excuser leur esprit borné,
ils se déchaînent en injures contre les paroles célestes; ils
disent qu'elles n'ont rien de raisonnable, rien de parfait, et
prétendent que leurs propos sont les seuls qui soient
savants et polis par l'enseignement de la vraie sagesse,
refusant à Dieu, dans leur «déraison», ce qu'ils ont
l'audace de s'attribuer à eux-mêmes! Et il n'est pas

-nae *C pA S mB Ba. Er.* ‖ uerae : et uere *V r*   suae *C pA S Ba. Er.* ‖
prudentia *C pA S mB Ba. Er.* ‖ expoliata *L¹ m¹*   spoliata (-ae *r*) *V*
r   exposita *B*

---

1. a. cf. I Cor. 1, 19-21

inreligiose de his opinantur, quorum pecudeae hebetudinis
15 modo intellegentiam non consequuntur. Verum quamuis
in eo sermone quem superius habuimus, his qui *sapientiam
Dei* sequuntur cognitam dictorum caelestium perfectionem
existimem, nihilque in eo esse quod non consummatum
atque ex omni parte perfectum sit, tamen id quoque etiam
20 in his sextae litterae uersibus absolutius licebit intellegi.

41   **2.** Post superiorem enim sensum ita loquitur : Et
VENIAT SVPER ME MISERICORDIA TVA, DOMINE, SALVTARE
TVVM SECVNDVM VERBVM TVVM. *Misericordiam* itaque
primum deprecatus est, dehinc *salutare. Salus* enim nostra
5 ex *misericordia Dei* est, et bonitatis suae hoc munus in
nobis est ; et inde coepit oratio, unde et *salus* inchoat
deprecantis. Dehinc, ne ex incerta et ex inopinata spe
precari propheta existimaretur, primum *misericordiam*,
dehinc *salutare* commemorat ; tum tertio subiecit : *Secun-*
10 *dum uerbum tuum*, ut hanc orandi fiduciam proficisci
secundum uerbum Dei, id est ex doctrina legis ostenderet.

        3. Post hunc itaque perfectae orationis ordinem id
42   sequitur : ET RESPONDEBO EXPROBRANTIBVS MIHI VERBVM,
QVIA SPERAVI IN VERBIS TVIS. Tenet ordinem ratio
perfecta ; si, inquit, in *me ueniat misericordia tua* et

VL RC pA r S mB

1, 14 inreligiosae *VL R r* ‖ eis *pA r S mB Ba. Er. Gi. Mi.*   > *C* ‖
pecudum *V r B*   -dem *L* ‖ 16 his > *R* ‖ 17 cognita *R* ‖ 18
existiment *R Ba. Er. Gi.*   -mant *VL r m* ‖ in eo : eorum *pA r S
mB Ba. Er. Mi.*   ideo *Zi.* ‖ 19 omni ex parte *edd.* ‖ 20 uersus *L*
2, 2 salutare : *pr.* et *r* ‖ 3 uerbum : eloquium *r* ‖ 5 ex : et *VL* ‖ 6
coepit inde *r* ‖ et² > *R* ‖ 7 ex² > *R S Zi.* ‖ opinata *V* ‖ 10 ut hanc
> *VL* ‖ fiducia *L* ‖ 11 ex doctrina : secundum doctrinam *C pA S mB
Ba. Er. Gi. Mi.*
3, 1 hunc > *S* ‖ utique *S* ‖ 3 ordine *L* ‖ 4 ueniat : eueniat *V
r*   ueniet *C pA S mB Ba. Er.*   uenerit *Gi. Mi.*

étonnant que leur pensée soit irréligieuse sur des sujets
qu'à l'exemple des bêtes sauvages bornées ils ne parvien-
nent pas à comprendre[1]. Mais, bien qu'à mon avis ceux qui
suivent la «sagesse de Dieu» se soient rendu compte
d'après le développement précédent[2] de la perfection des
paroles célestes et qu'il n'y ait rien en ce domaine qui ne
soit achevé et parfait en tout point, on pourra cependant
faire plus explicitement encore la même constatation à
propos des versets de la sixième lettre.

2. En effet faisant suite à l'énoncé précédent, le prophète
s'exprime ainsi : ET QUE VIENNE SUR MOI TA MISÉRICORDE,   41
SEIGNEUR, TON SALUT, CONFORMÉMENT À TA PAROLE. Ainsi
donc, il a imploré d'abord la *miséricorde*, ensuite le *salut*.
Notre *salut* vient en effet de la *miséricorde de Dieu*, et ce
don de sa bonté est en nous ; ainsi, le début de la prière
marque aussi le commencement du *salut* du suppliant[3].
Ensuite, pour que l'on ne pense pas que le prophète prie en
s'appuyant sur une espérance vague et sans fondement,
après la *miséricorde* évoquée en premier, le *salut* en second,
il a ajouté en troisième lieu : *Conformément à ta parole*, afin
de montrer que cette prière confiante jaillit *conformément à
la parole de Dieu*, c'est-à-dire d'après l'enseignement de la
Loi.

3. Aussi, après cette prière parfaite dans son déroulement, vient celle-ci : ET JE RÉPONDRAI À CEUX QUI ME   42
REPROCHENT MA PAROLE, PARCE QUE J'AI ESPÉRÉ EN TES
PAROLES. Un raisonnement parfait respecte un ordre ; si,
dit-il, «viennent» sur «moi ta miséricorde» et «ton salut

---

1. «Ouverture» polémique rappelant celle de LACT., *Inst.*, 5. Sur le
mépris des païens lettrés pour les chrétiens frustes et sans culture, cf.
MIN. FEL., 5, 4.
2. Cf. 2, 3 ; 2, 11.
3. Origène justifie aussi l'ordre des mots du verset : pitié de Dieu,
puis salut (*Ch. p.*, p. 260, v. 41, l. 1-4).

5 *salutare tuum secundum uerbum tuum* et a te fuero
misericordiam consecutus et a te conseruatus[a], ut spo-
pondisti, consequens erit ut his qui insipientiam *mihi* et
errorem *spei* et *uerbum* hoc quod *in te spero exprobrant,*
respondeam. Quid itaque aduersus hanc prophetae *respon-*
10 *sionem exprobrare* inreligiosa mens poterit? *Misericordia*
primum oratur a Deo, *salus* etiam expectatur a Deo;
deinde eam spopondisse per *uerbum suum* Deus ostenditur.
Concluditur itaque *exprobrantium* impietas ab his qui *in*
Dei uerbis sperant; cum quando Deus praedicatur, et
15 *misericordiam* et *salutem* ab eo credentium fides *sperat,*
et doctrina haec *spei* nostrae sit, ut oratus et *misereatur*
et *saluet.*

43   **4.** Dehinc sequitur : Et ne avferas de ore meo
verbvm veritatis vsqveqvaqve nimis ; qvia in ivdiciis
tvis speravi. Accipiat humana insolentia humilitatis
modestiaeque doctrinam. Prius propheta concedi sibi
5 orat, quam se id mereri, ut obtineat, ostendit. Omnia
uult a bonitate Dei in se inchoari; nec tamen causam
fiduciae suae subtrahit. Ait enim : *Et ne auferas de ore*
meo uerbum ueritatis usquequaque nimis. In quo primum
maiestatem eius confitetur, qui semper orandus est;
10 dehinc se non ex inani sperare subiecit dicens : *Quia in*
iudiciis tuis speraui. Humanae autem temeritatis hic mos
est prius ad obtinendum aliquid meritum quam mereatur
ingerere et eum a quo quid postulet tamquam ex officii
debito conuenire.

VL   RC   pA   r   S   mB

3, 5 salutare tuum : a salutari tua *R* ‖ 7 insipientia *R*   insipienti
Gi. ‖ 8 terrorem *V r* ‖ 9 respondeant *VL* ‖ quod *L* ‖ hanc > *r* ‖
12 et inde *pA S mB Ba. Er.*   et deinde *Mi.* ‖ eam : cum *V*
etiam *C* ‖ 14 deus : *pr.* et *VL r* ‖ precatur *Ba. Er. Gi. Mi.*
4, 2 nimis > *r* ‖ 5 obtineat + id *VL r* ‖ 6 in : id *V* ‖ 7 et > *R r*[1] ‖
aufertas *V*   auertas *L R r* ‖ 10 inanit *VL r*[1] ‖ 11 tuis > *A* ‖ 11-12 est
hic mos *C pA Ba. Er. Gi. Mi.*   est hic mos se *Zi.* ‖ 13 postulat *r*

3. a. cf. *v. 41*

conformément à ta *parole*», si j'ai obtenu de toi «miséricorde» et si je suis sauvé par toi[a], comme tu l'as promis, il
sera logique que je *réponde à ceux qui me reprochent* ma
déraison, l'égarement de mon *espérance* et ma *parole* qui
proclame que j'*espère en* toi. Que pourra donc *objecter* un
esprit irréligieux à cette *réponse* du prophète? D'abord la
«miséricorde» est demandée à Dieu, bien plus le «salut» est
attendu de Dieu ; ensuite, Dieu est présenté comme l'ayant
garanti par «*sa parole*». Aussi l'impiété des *auteurs
d'outrages* est-elle confondue[4] par ceux qui *espèrent dans les
paroles de Dieu* ; quand Dieu est proclamé dans la prière, la
foi des croyants *espère* de lui «miséricorde» et «salut» et
l'enseignement de notre *espérance* pourrait être que, s'il est
prié, Dieu «a pitié» et «sauve»[5].

4. Vient ensuite : Et n'enlève pas de ma bouche la
parole de vérité jusqu'à l'excès ; parce que j'ai
espéré en tes jugements. Que l'insolence des hommes
reçoive une leçon d'humilité et de modestie. Le prophète
demande une faveur avant de montrer qu'il mérite de la
recevoir. Il veut que la bonté de Dieu soit en lui à l'origine
de tout ; il ne passe cependant pas sous silence les raisons
de sa confiance. Il dit en effet : *El n'enlève pas de ma bouche
la parole de vérité jusqu'à l'excès.* Il commence ainsi par
confesser la majesté de celui qui doit toujours être prié ;
ensuite, il a ajouté qu'il n'espérait pas en vain, en disant :
Parce que j'ai espéré en tes jugements. Or, l'habitude de la
témérité humaine, quand elle veut obtenir un avantage,
est d'imposer son mérite[6], au lieu de le mériter, et
d'aborder celui à qui elle le demande comme s'il devait un
service.

43

4. Même emploi de *concludo* au sens de «embarrasser», en *In
Matth.*, 12,6 (*SC* 254, p. 272).
5. Même façon d'établir un lien logique entre la prière du fidèle, la
miséricorde de Dieu et le salut du fidèle chez Cypr., *Domin. orat.*, 22,
à propos de *I Jn* 1,8 s.
6. L'expression *meritum ingerere* est employée par Sen., *Benef.*,
6,41,2.

5. Sed non sufficit nobis ut modestiae tantum tenuerit
propheta rationem ; collocationes etiam uerborum uirtu-
tesque noscendae sunt, cur ita dixerit : *Et ne auferas de*
ore meo uerbum ueritatis usquequaque nimis. Omne *oris*
5 officium cordis sensui motibusque famulatur. Et cur
propheta *ne ab ore sibi uerbum ueritatis auferatur* orat,
uersus istius consequentia docent. Non enim metum hunc
prophetae fuisse existimandum est, ut *sibi ueritatis*
uerbum ex corde uereretur *auferri* ; ait enim : *Quia in*
10 *iudiciis tuis speraui. Sperans* ergo *in iudiciis* Dei *uerbum*
ueritatis de corde *sibi* non metuit *auferri.* Scit autem
quaedam esse peccata, quae *ex ore uerbum auferant*
ueritatis. Peccatori enim dixit Deus : Quare tu enarras
iustificationes meas[a]? Non enim ait : *Quare* immemor es
15 iustitiarum mearum? Sed monuit eum qui in *peccato*
mansisset praedicationis officio abstinere. Vult enim
liberum a crimine esse doctrinae caelestis praedicatorem,
uult eloquia sua casti corporis casto *ore* tractari. Ca-
uendum igitur est ne quando *ex ore nostro uerbi ueritatis*
20 *auferatur* eloquium. Hinc illud est quod apostolus monet :
Noli neglegere quod in te est charisma[b], ne per *neglegentiam*
ac desidiam indigni praedicatione *uerbi* Dei simus.

VL   RC   pA   r   S   mB

5, 2 collocationis *V r¹* ‖ 4 horis *R* ‖ 5 sensu *C* ‖ 6 ueritatis + suae *R*
Gi. ‖ auferretur *R Gi.* ‖ 11 corde : ore *r* ‖ 13 enim : autem *V r* ‖ narras
V r¹ Zi. ‖ 14 iustitias *RC pA S mB Ba. Er. Gi. Mi.* ‖ 15 mearum > *L* ‖
monuit : *pr.* peccatorem *C pA r² S mB Ba. Er. Gi. Mi.* ‖ 18 casti
corporis : a castis corporibus *V r¹*   corporibus *L*   a casti
corporis *C pA r² S Ba. Er. Gi. Mi.*   a casti corporis uiro *m* ‖ 19
uestro *V r*

5. a. Ps. 49, 16 ‖ b. I Tim. 4, 14

5. Mais il ne nous suffit pas que le prophète ait seulement pris en considération la retenue dans sa demande. Il nous faut encore remarquer la place et la valeur des mots, la raison pour laquelle il a dit : *Et n'enlève pas de ma bouche la parole de vérité jusqu'à l'excès.* Tout le rôle de la *bouche* est d'être au service des sentiments et des mouvements du cœur. Et la raison pour laquelle le prophète demande que *ne soit pas enlevée de sa bouche la parole de vérité,* la suite de ce verset nous l'apprend. Il ne faudrait pas penser en effet que la crainte du prophète a été de redouter que ne fût *enlevée* de *son* cœur la *parole de vérité* ; il est dit en effet : *Parce que j'ai espéré en tes jugements.* Donc, comme il *espère dans les jugements de Dieu,* il ne craint pas que la *parole de vérité* soit *enlevée* de *son* cœur. Il sait pourtant qu'il y a certains péchés qui *enlèvent de la bouche la parole de vérité.* « En effet Dieu a dit au pécheur : Pourquoi énumères-tu mes règles de justice[a] ? » Il n'a pas dit : « Pourquoi » ne te souviens-tu pas de mes marques de justice ? Mais il a averti celui qui était demeuré dans le « péché » de renoncer à toute fonction de prédication. Il veut en effet que celui qui proclame l'enseignement céleste soit exempt de toute faute, il veut que ses paroles soient commentées par la *bouche* pure d'un corps pur. Il faut donc veiller à ce que jamais l'annonce de la *parole de vérité ne soit enlevée de notre bouche.* D'où l'avertissement de l'Apôtre : « Ne néglige pas la grâce qui est en toi[b] », pour que, par notre « négligence » et notre inattention, nous ne soyons pas indignes de proclamer la *parole* de Dieu[7].

---

7. Mêmes citations (*I Tim.* 4, 14 et *Ps.* 49, 16) dans le commentaire d'Origène (*Ch. p.*, p. 262, v. 43). Les remarques sur le lien entre la parole et le cœur sont dans la ligne de *Matth.* 15, 18, et de Cic., *Leg.*, 1, 30. Sur les devoirs de celui qui doit proclamer la parole de Dieu, cf. *II Tim.* 2, 15.

6. Sed propheta non audet in tantum se a *peccato*
liberum effici uelle, ut non meminerit unum solum esse
*qui peccatum non fecerit et dolus in ore eius inuentus non
sit*[a], et idcirco subiecit : *Vsquequaque nimis.* Per modes-
5 tiam scilicet confessionis et ut non *auferatur* a se *uerbum
ueritatis* orat, et per honorem eius qui unus tantum *sine
peccato est*[b] ne *usquequaque nimis* a se *auferatur* expostulat,
quia se hominem meminerit, qui per naturae infirmitatem
sine peccato esse non possit.

44   **7.** Et cvstodiam legem tvam semper in saecvlvm
et in saecvlvm saecvli. Nullum propheta uitae suae
finem pertimescit. Non enim concluditur fides sua *saeculis*,
sed se in infinitatem temporum officio *custodiendae legis*
5 extendit. Scit et altare a Moyse in exemplum esse
superioris altaris exstructum[a]. Scit et Aaron sacerdotem
ad speciem esse *ostensi in monte* sacerdotis ornatum[b].
Moysi enim Deus ait : *Vade, fac omnia secundum exemplum
quod ostendi tibi in monte*[c]. Festinat ergo in *leges* illas
10 *aeternorum saeculorum*[d]. Nam cum *lex futuri umbra* sit[e],
necesse est corpus illud uerae *legis aeternum* sit. Distinxit
autem praesens officium ab indefessa illa perpetui officii
iugitate dicens : *Et custodiam legem tuam semper in
saeculum.* Cum ait : *Semper in saeculum*, nullum in hac
15 temporis uita subrependae obliuionis tempus admisit.
Cum autem adiecit : *Et in saeculum saeculi*, scit per hanc

VL   RC   pA   r   S   mB

6, 3-4 et ... non inuentus sit *C pA mB Ba. Er. Mi. Zi.*   nec ...
inuentus sit *R Gi.* ‖ 4 pro modestia *m* ‖ 8 meminit *m* ‖ 9 posset *V¹ C*
    7, 1 semper > *VL RC* ‖ 4 sed : et *VL R r¹* ‖ in > *VR C* ‖ infinitate
RC   infirmitatem *Ba. Er.* ‖ 4-5 officio ... extendit : officium ...
ostendit *R* ‖ 5 a > *R* ‖ 8 ait : dixit *R Gi. Zi.* ‖ 9 montem *R* ‖ 10 sit > *V*
‖ 12 praesens : hoc *pA m Ba. Er.* ‖ indefessam illam *R* ‖ 13-14 in

6. Mais le prophète n'ose pas se prétendre libéré du
«péché», au point d'oublier qu'un seul «n'a pas commis de
péché et que dans sa bouche on n'a pas trouvé de ruse[a]».
Aussi a-t-il ajouté : *Jusqu'à l'excès.* C'est-à-dire : par
retenue dans sa prière, il demande que ne soit pas *enlevée*
de lui la *parole de vérité*, et en même temps par respect
pour celui qui seul «est sans péché[b]», il supplie qu'elle ne
lui soit pas *enlevée jusqu'à l'excès*, parce qu'il se souvient
qu'il est un homme, qui, en raison de la faiblesse de sa
nature, ne peut «être sans péché».

7. Et je garderai ta loi toujours pour le siècle, et 44
pour le siècle du siècle. Le prophète ne craint aucune
fin pour sa vie. En effet, sa foi n'est pas limitée par les
siècles, mais, ayant pour devoir de *garder la loi*, elle est
tendue vers l'infinité des temps. Il sait qu'un autel a été
construit par Moïse sur le modèle de l'autel d'en haut[a]. Il
sait aussi que le prêtre Aaron s'est habillé «à l'image» du
prêtre qui s'est «montré sur la montagne[b]». En effet Dieu
dit à Moïse : «Va, fais tout suivant l'exemple que je t'ai
montré sur la montagne[c].» Il se hâte donc vers ces *lois* des
«*siècles* éternels[d]». En effet, comme la *«Loi»* est l'«ombre
du futur[e]», il est nécessaire que le corps de la vraie *Loi* soit
«éternel». Mais il a dissocié d'une tâche perpétuelle et
valable en permanence sa tâche présente qu'il évoque en
disant : *Et je garderai ta loi toujours pour le siècle.* En
disant : *Toujours pour le siècle*, il n'a pas laissé à l'oubli
l'occasion de s'insinuer dans cette vie soumise au temps.
Mais en ajoutant : *Et pour le siècle du siècle*, il sait que par

saeculum : in s. et in saeculum saeculi *pA S B edd.*   in s. saeculi *r m*
‖ 14 ait > *L* ‖ in saeculo *VL r*   > *m* ‖ hanc *L* ‖ 15 amisit *m*

6. a. Is. 53, 9 ; I Pierre 2, 22 ‖ b. cf. Jn 8, 7
7. a. cf. Ex. 27 ‖ b. cf. Ex. 25, 40 ; 28 ‖ c. Ex. 25, 40 ‖ d. cf. Is. 26, 4
‖ e. cf. Hébr. 10, 1

umbram legis ad ministerium uerae et *aeternae legis*
ascendi. Ait enim : *Saeculum saeculi* tamquam temporis
tempus, quod succedente quadam uicissitudine huius
20 *saeculi saeculum* sit futurum.

8. Nouit esse secundum euangelicum *diuitem* et *pau-*
perem Lazarum exemptae e corpore animae *legem*, per
quam alia ab alia *chao* impenetrabili separatur[a]. Scit
secundum apostolum Paulum *resurrectionis* quoque esse
5 *legem*, in qua *differt stella ab stella in claritate*[b]. Scit esse
leges angelorum, cum alii, adsistentes Cherubim, Deum
indefessa uoce conlaudant, alii ante conspectum inuisibilis
nobis Dei tamquam *lege* officii proprioris adsistunt. Nouit
et *pusillorum angelos* Deum *cotidie* ex quadam *lege*
10 conspicere[c]. Scit utique esse *aeternas leges* et omnes eas
se *in* illo *saeculi saeculo custoditurum* esse confidit, quia
ea quae per *umbram* sunt constituta *in* hoc nunc *saeculo*
semper obseruet.

45   **9.** Et ingrediebar in dilatatione, qvia mandata
tva exqvisivi. Non est angustus propheta ; et superius
iam dixerat : *In uia praeceptorum tuorum cucurri, cum*
dilatasti cor meum[a]. Scit inter humanarum tribulationum

VL   RC   pA   r   S   mB (usque ad 8,12 : sunt*)*

7, 18 saeculum : *pr.* in *V r* ‖ 19 quod : quo *m*   > *C pA S Ba.*
Er. Gi. ‖ 20 sit : si *V*

8, 1 euangelium *L* ‖ 2 leazarum *V*   elia- *L* ‖ e : a *pA r² S mB*
edd.   > *V r¹* ‖ 3 quem *C* ‖ chao > *C* ‖ separetur *pA S mB edd.*
-rato *L* ‖ 4 paulum > *r* ‖ resurrectionis : *pr.* et *R Gi. Mi. Zi.* ‖ 4-5
quoque legem esse *V*   esse quoque legem *R Zi.* ‖ 5 differri *R* ‖ ab
stella : a s. *VL r*   > *B* ‖ 6 leges : legiones *V r* ‖ cherubim : -bin *VL*
m Gi.   ut -bin *r B*   > *pA S Ba. Er. Mi.* ‖ 7 conlaudent *r* ‖ 8
propriores *VL R Gi.*   propioris *pA r S mB Ba. Er.* ‖ 9 deum : faciem
domini *C pA r² mB*   f. dei *S Ba. Er. Gi. Mi.* ‖ 10 eas omnes *pA S*
mB Ba. Er. Gi. Mi. ‖ 11 saeculo : -lum *R* ‖ quia : qui *V r* ‖ 12
constitutae *L R* ‖ hoc : hunc *V*

9, 3 in uia : uiam *R Gi. Mi.*

cette «ombre» de la *Loi*, il s'élève jusqu'au service de la *Loi* vraie et «éternelle». Il dit en effet : *Le siècle du siècle*, c'est-à-dire le temps du temps qui, par une sorte de remplacement en forme de succession, doit être le *siècle de* ce *siècle*[8].

8. Il sait, d'après le «riche» et le «pauvre Lazare» de l'Évangile, qu'il y a une *loi* pour l'âme quand elle a été arrachée du corps, telle qu'un «abîme» impénétrable sépare l'âme de l'un de l'âme de l'autre[a]. Il sait suivant l'apôtre Paul qu'il y a aussi une *loi* de la «résurrection», en vertu de laquelle «une étoile diffère d'une étoile en clarté[b]». Il sait qu'il y a des *lois* pour les anges, puisque les uns, les Chérubins qui se tiennent à ses côtés, louent Dieu d'une voix inlassable, et que les autres se tiennent devant la face de Dieu, invisible pour nous, en vertu, pour ainsi dire, de la *loi* d'un office plus spécialisé[9]. Il sait aussi qu'il y a une *loi* qui veut que les «anges des tout-petits» voient Dieu «chaque jour[c].» Il sait en tout cas qu'il y a des *lois* «éternelles» et il a la ferme conviction qu'il les *gardera* toutes *dans le siècle du siècle*, parce que *dans le siècle* présent, il respecte *toujours* les règles qui ont été établies pour être une «ombre».

9. ET JE M'AVANÇAIS DANS UNE VOIE LARGE, PARCE QUE J'AI RECHERCHÉ TES COMMANDEMENTS. Le prophète n'est pas à l'étroit. Déjà, plus haut, il avait dit : «Sur la voie de tes préceptes j'ai couru, lorsque tu as *dilaté* mon cœur[a].» Il sait qu'au milieu des épreuves que sont les souffrances

45

---

8. a. cf. Lc 16, 20.26 ‖ b. I Cor. 15, 41 ‖ c. cf. Matth. 18, 10
9. a. *v. 32*

---

8. Sur la continuité entre la loi présente et la loi éternelle, cf. ORIG., *Ch. p.*, p. 264, v. 43, l. 11-14, et surtout *Princ.*, 3, 6, 8 (citant *Ex.* 25, 40).

9. Sur les lois régissant les fonctions des anges, cf. ORIG., *Princ.*, 1, 8, 1.

5 passiones semper ad Deum patulo esse se *corde* oportere.
Quod idipsum apostolus docet dicens : *In omnibus tribulati
sed non coangustati*[b]. Nouit hanc ipsam amplitudinem
cordis de se idem apostolus gloriari, cum ad Corinthios
ait : *Non angustiamini in nobis, sed angustiamini in*
10 *uobis*[c]. Patet etiam hic quoque propheta dicente Deo :
Et habitabo in his et ambulabo in ipsis[d]. *Angusta* igitur
sunt peccantium *corda*, et hospitio Deum mens polluta
non recipit. Patulum enim domicilium inconceptibili Deo
opus est, et idcirco in amplitudine propheta *ambulat*,
15 quia in eo Dei in se loquentis *habitatio* est. Causam uero
amplitudinis suae docet dicens : *Quia mandata tua per-
quisiui*. Naturae nostrae consuetudinem recordemur, quo-
tiensque lectioni uacantes *mandata Dei* et *praecepta*
scrutamur, in quantam amplitudinem intellegentiae
20 mentium nostrarum *dilatantur angustiae*, et quam patulus
humilitatis in desideria diuina fit sensus. Per peccatorum
autem nostrorum conscientiam coartatur nobis omnis
animi amplitudo, ac difficilia omnia et *angusta* sunt, cum
diuini uerbi *habitatione* sumus indigni.

10. Sed *ambulans* in latitudine propheta uersari in
officio digno adeptae amplitudinis debet ; et uersatur
46   plane. Sequitur enim : Et loqvebar in testimoniis tvis
in conspectv regvm et non confvndebar. Hoc officium

VL RC pA r S m

9, 5 passionem *R Zi.* ‖ se > *r* ‖ 6 quo *V* ‖ ipsum *C pA S m Ba.
Er. Mi. Zi.* ‖ 7 angustiati (angustati *C*) *L RC pA S m Ba. Er. Gi.
Mi.* ‖ hac ipsa amplitudine *C pA r S m Ba. Er. Gi. Mi.* ‖ 9 angustamini
V r Zi. ‖ nobis sed angustiamini in > *V C r¹* ‖ angustamini
R r² Zi. ‖ 10 hic : hoc *L* ‖ quoque > *C pA m Ba. Er.* ‖ prophetia
R Gi. ‖ dicenti *VL Zi.* ‖ 11 inhabitabo *pA S m Ba. Er. Gi. Mi.* ‖
inambulabo *A S Ba. Er. Gi. Mi.* ‖ 15 dei > *pA S Ba. Er.* ‖ 16 exquisiui
r Mi. ‖ 17 quotienscumque *C pA r S m Ba. Er. Mi.* ‖ 21 humilitatis :
pr. nostrae *pA r² S mB edd.* ‖ sit *C* ‖ 22 coartamur *V*   cohartatur
C ‖ nobis > *V r* ‖ 23 animae *V¹ C pA r S m Ba. Er. Mi.* ‖ ac :
ad *VL*

10, 2 uersatur : ambulat *VL RC r* ‖ 3 in : de *C pA m Ba. Er. Gi. Mi.*

humaines, il faut toujours avoir un «cœur» ouvert à Dieu. C'est ce que montre l'Apôtre en disant : «Oppressés de toute part, mais non à l'étroit[b].» Le même apôtre sait encore se glorifier de cette largeur du «cœur», lorsqu'il dit aux Corinthiens : «Vous n'êtes pas à l'étroit en nous, mais vous êtes à l'étroit en vous[c].» Ici encore, le prophète est ouvert, quand Dieu dit : «J'habiterai en eux et marcherai en eux-mêmes[d].» Le «cœur» des pécheurs est donc «étroit» et un esprit souillé ne reçoit pas Dieu comme son hôte. Dieu qu'on ne peut limiter a en effet besoin d'une demeure ouverte, et si le prophète «marche» au large, c'est parce qu'alors il est l'«habitation» de Dieu qui parle en lui. Quant à la cause de son ouverture, il l'indique en disant : *Parce que j'ai beaucoup recherché tes commandements.* Rappelons-nous ce qui se passe ordinairement en nous, quand nous consacrant à la lecture divine, nous scrutons les *commandements de Dieu* et «ses préceptes», combien se *dilate* largement l'«étroitesse» de notre esprit et combien le sentiment de notre humilité s'ouvre au désir de Dieu. Au contraire, la conscience de nos péchés freine l'élargissement de notre âme et tout est difficile et «étroit» lorsque nous sommes indignes d'être l'«habitation» du Verbe de Dieu[10].

10. Mais, «marchant» au large, le prophète doit s'employer à une fonction digne de la largeur qu'il a trouvée ; et il s'y emploie effectivement. Suit en effet : Et je parlais sur tes témoignages en présence des rois et je n'étais pas rempli de confusion. La fonction d'un

---

46

9. b. II Cor. 4,8 ‖ c. II Cor. 6,12 ‖ d. Lév. 26,12 ; II Cor. 6,16

10. Mêmes références scripturaires (*II Cor.* 4,8 ; 6,12) dans le commentaire d'Origène (*Ch. p.*, p. 266, v. 45). L'attention que requiert la *lectio* est souvent mentionnée par Hilaire qu'il s'agisse d'une lecture privée (*In Matth.*, 14,3 = *SC* 258, p. 12) ou d'une lecture liturgique (*In psalm.* 135,1).

5 *dilatati cordis* est[a], ut ex eo inhabitantia diuinae doctrinae
uerba procedant[b]. *Loquitur* enim propheta constanter
aduersus principes terrae Deum praedicans. Et quidem
duplex significatio sensus huius est, quia secundum
dominica praecepta oporteat a nobis Christum coram
10 *regibus* et potestatibus praedicari[c], neque nos terrenarum
potestatum fas est iure terreri, quominus omni *confusione*
reiecta constanti et publica fide Deum, qui *negantes*
negaturus sit, non *negemus*[d]. Potest et sermo ad eos
referri, de quibus et apostolus ait : *Iam sine nobis regnatis,*
15 *et utinam regnaretis*[e] ; id est, tamquam *in conspectu*
sanctorum qui utique frequenter *reges* terrae sunt nun-
cupati[f], propheta *Dei testimonia sit locutus neque confusus*
sit per praedicationem suam doctrinae caelestis instituta
praebere. Gemina autem intellegentia electionem intelle-
20 gentiae ex se praestat, ut, quia utrumque ex *testimoniis*
scripturarum intellegi promptum est, aut utrumque signi-
ficatum existimetur, aut quod magis uidebitur probabile
eligatur.

47   **11.** Et meditabar in mandatis tvis, qvae dilexi
vehementer. Non solum igitur *loqui nos in testimoniis*
Dei conuenit[a], sed legis *mandata* omnia diurna *meditatione*
retinere. Neque tantum *meditatio* utilis est, nisi lex ipsa,

---

VL RC pA r S m

10, 5 dilati *V R* ǁ inhabitantia : in abundantia (in ha- *R m*) *R S*
m Gi. Mi. Zi. ǁ 10 terrenorum *VL* ǁ 11 cominus *C*   quo *r²* ǁ 12
negantes + se *r Mi.* ǁ 13 negamus *C* ǁ sermo et *r* ǁ 14 et > *R S Zi.* ǁ
15 et > *C pA* ǁ regnetis *R pA S m edd.* ǁ 18 suae *R Gi.* ǁ 19 geminam
V pA r S m Ba. Er. Gi. Mi. ǁ intellegentia > *pA r S m Ba. Er. Gi.*
Mi. ǁ electionem : lectio *pA r S m Ba. Er. Gi. Mi.* ǁ 19-20 intellegentiae : -tiam *pA r S m Ba. Er. Gi. Mi.*   > *L* ǁ 22 quod : cum *V*
11, 1 meditabor *V r* ǁ 2 uehementer : ualde *S* ǁ 3 diuturna *Ba. Er.*
Gi. Mi. ǁ 4 retinere : percensere *pA S m Ba. Er. Gi. Mi.*

---

10. a. cf. *v. 32.45* ǁ b. cf. Col. 3, 16 ǁ c. cf. Matth. 10, 18 ǁ d. cf.
Matth. 10, 33 ǁ e. I Cor. 4, 8 ǁ f. cf. Dan. 7, 18.22.27 ; I Pierre 2, 9
11. a. cf. *v. 46*

«cœur dilaté[a]» est de faire jaillir de lui les paroles de
l'enseignement divin qui l'habitent[b]. Le prophète, qui
annonce Dieu, *parle* en effet avec assurance en face des
princes de la terre. La pensée ici exprimée contient une
double signification : celle suivant laquelle, conformément
aux préceptes du Seigneur, il faut que nous annoncions le
Christ devant les «*rois*» et les puissants[c], et qui interdit
que nous nous laissions détourner par la juridiction des
puissances de la terre de notre refus — marqué par le rejet
de toute *confusion* et la confession d'une foi ferme et
publique — de «renier» Dieu qui «reniera» ceux qui le
«renient[d]». Les propos peuvent aussi s'appliquer à ceux
dont l'Apôtre dit lui-même : «Déjà, vous *régnez* sans nous,
et puissiez-vous *régner*[e]»; il faut alors comprendre que,
comme s'il était *en présence des* «saints», qui, effectivement, sont fréquemment appelés *rois* de la terre[f], le
prophète a *parlé des témoignages de Dieu et n'a pas été
rempli de confusion* en donnant dans sa prédication les
éléments de l'enseignement céleste. Le double sens du
texte autorise par lui-même le choix du sens; aussi,
puisque se présentent deux interprétations fondées sur les
témoignages des Écritures, ou l'en pensera qu'il y a deux
significations ou l'on choisira celle qui paraîtra la plus
plausible[11].

11. ET JE M'APPLIQUAIS À TES COMMANDEMENTS, QUE   47
J'AI AIMÉS INTENSÉMENT. Il convient donc non seulement
que «nous parlions sur les témoignages de Dieu[a]», mais
aussi que nous gardions à l'esprit, par une *application*
journalière, tous les *commandements* de la Loi. L'*application* seule n'est pas profitable; encore faut-il que la Loi

11. La double interprétation du mot «rois» qui sert ici au
commentaire du v. 46 est déjà donnée par Origène (*Ch. p.*, p. 266,
v. 46, l. 1-6).

5 quae in *meditatione* est, *diligatur*, neque *diligere* communi
dilectione sufficiet, nisi etiam *uehementer* id quod *diligitur*
diligatur. Atque ideo hunc omnem perfectae rationis
ordinem sermo propheticus percurrit dicens : *Et meditabar*
in mandatis tuis, quae dilexi uehementer.

12. Sed neque *meditatio* legis neque ipsa *dilectio* impensa
sufficiet, nisi fructus operum et uoluntatis efficientia
consequatur. Neque in hoc propheta cessauit; ait enim :
48a Et tvli manvs meas ad mandata tva, qvae dilexi
5 valde. *Manus ad mandata, quae diligebat*, erexit; non
utique contumeliosas aut procaces, sed *mandatis* humilitatis seruientes, sed operibus misericordiae insistentes,
sed fidei praecepta peragentes. Operis uero officium
semper esse oportet intentum et nulla interdum negle-
10 gentis otii dissimulatione cessare. In hoc quoque se manere
48b propheta testatur dicens : Et exercebar in ivstificationibvs tvis. Et *exercitatio* adsiduitatem operationis

VL   RC   pA   r   S   m

11, 5 diligatur : -gitur *R¹ S*   > *C* ‖ 8 percucurrit *VL* ‖
9 uehementer : ualde *C pA S Ba. Er.*   nimis *m*
12, 1-5 sed neque — dilixi ualde > *C* ‖ 1-3 sed neque — ait enim
> *pA S Ba. Er.* ‖ 2 fructum *R Mi. Zi.* ‖ efficientiam *r* ‖ 4 tuli : erexi
pA S m Ba. Er. Gi. Mi. ‖ 5 ualde > *pA S m Ba. Er.* ‖ quae : *pr.* ea *C*
Ba. Er. Gi. Mi. ‖ direxit *VL r* ‖ 6 mundatas humilitati *C* ‖ 8 officia
R²   -cio *C* ‖ 9 oportet esse *Ba. Er. Gi. Mi.* ‖ 10 ostii *V* ‖ 12 et > *C*
pA r S m Ba. Er. Gi. Mi.

elle-même, sur laquelle s'exerce notre *application*, soit objet d'*amour* ; l'*aimer* d'un *amour* ordinaire ne suffira pas non plus ; encore faut-il que ce que l'on *aime* soit *aimé intensément*. Et c'est ainsi que cette progression d'un raisonnement parfait est suivie jusqu'au bout par les propos du prophète qui dit : *Et je m'appliquais à tes commandements, que j'ai aimés intensément*[12].

12. Mais ni l'*application* dont la Loi est l'objet, ni l'*amour* lui-même qui lui est voué ne suffiront, si le fruit des actes et la mise en œuvre de la volonté ne suivent pas[13]. Sur ce point non plus, le prophète ne s'est pas mis en défaut. Il dit en effet : Et j'ai levé mes mains vers tes   48a
commandements, que j'ai aimés fortement. Il a dirigé *ses mains vers les commandements, qu'il aimait* ; ce n'étaient certes pas des mains injurieuses ou menaçantes, mais des mains qui sont au service des *commandements* de l'humilité, qui s'attachent aux œuvres de miséricorde, qui accomplissent entièrement les préceptes de la foi. Il nous faut toujours, dans l'action, être tendus vers notre tâche et ne pas l'interrompre ni la retarder par une paresse négligente[14]. Le prophète affirme qu'il demeure aussi dans cette tâche quand il dit : Et je m'exerçais à tes règles   48b
de justice. L'*exercice* aussi prouve l'assiduité dans

---

12. Déceler un *ordo* dans un *sermo* ou au sein de *dicta* est une des constantes de l'exégèse d'Hilaire. Cf. *In Matth.*, 15, 8 (*SC* 258, p. 42) : «ordo... *in* sermone *Domini*». De même, dans la formulation de la *fides Nichena*, Hilaire est attentif à l'*ordo dictorum* (*Coll. antiar.*, ser. B II, 11, 3 [30] = *CSEL* 65, p. 152, l. 7).

13. Hilaire termine son commentaire de la lettre 6 en montrant l'importance des œuvres, comme Cyprien terminait son commentaire de l'oraison dominicale par une exhortation à une prière qui porte des fruits (*Domin. orat.*, 32).

14. Ce principe de l'action humaine rappelle Cic., *Off.*, 1, 101.

ostendit. Frequenter itaque sibi esse ac semper intentam
praeceptorum obseruantiam docet ad illas, de quibus
15 superius memorauimus, caelestium *iustificationum* efficientias, nunc *se in iustificationibus* praesentis et ex *futuris*
adumbratae legis exercens[a].

VL   RC   pA   r   S   m

12, 13 frequentem *C pA S m Ba. Er. Gi. Mi.* ‖ ac : haec *R*
et *pA S m Ba. Er. Gi. Mi.*   > *C* ‖ 16 ex : ea *C* ‖ 17 exercens
+ amen *C*
    finit *R*   finit littera VI *L*   finit vau littera sexta *C pA*   ex-
plicit littera sexta *V r*   explicit vau *S*

l'action[15]. C'est pourquoi, il montre que son observance
des préceptes est fréquente et toujours tournée vers la mise
en pratique des *règles de justice* célestes, dont nous avons
parlé plus haut, tandis qu'il *s'exerce* maintenant *aux règles
de justice* de la «Loi» présente qui est marquée de l'«ombre
des biens à venir[a]».

12. a. cf. Hébr. 10, 1

---

15. *Exercitatio* implique *adsiduitas*. Cf. Cic., *Ac.*, 1, 20 : *Consuetudinem*... assiduitate exercitationis *formabant*; *Rhet. Her.*, 3, 24, 40 :
«*Infirma est artis praeceptio sine* adsiduitate exercitationis».

ZAIN

49   MEMENTO VERBI TVI SERVO TVO, IN QVO
MIHI SPEM DEDISTI, ET RELIQVA.

1. Omnis Dei sermo qui scripturis diuinis continetur
in *spem* nos bonorum caelestium uocat. Atque ob id
propheta in omnibus se Dei praeceptis mansisse confidens
constanter ait : *Memorare uerbum tuum seruo tuo.* Num-
5 quid promissi sui Deus immemor est? Absit istud, ut
aliqua subrepere in aeternam atque indefessam uirtutem
humanarum infirmitatum genera credantur. Sed propheta, qui promissis Dei credidit, qui desiderio caelestium
detentus est, qui contemptu praesentium futura *sperauit*,
10 non ad *memoriam uerbi sui* Deum admonet; sed, ut *uerbi
sui* in se *seruo suo memor sit* deprecatur, id est, ut ita
dignus habeatur in quo iam Deus *uerbi sui memor* esse
dignetur, *quo in uerbo spem dederit.* Et *spem* non inanem
esse oportet neque *uerbis* tantummodo praedicari, sed
15 rebus ipsis doceri, ut, si quando incidant infirmitates,
persecutiones, damna, orbitates, contumeliae, has prae-

VL   RC   pA   r   S   m

zain (zai *VL R r S*) : lit. VII *C*   *pr.* littera VII *Mi.*   *pr.*
incipit littera VII *VL r*   *pr.* incipit *pA S*   + littera septima
pA   + tractatus *S*

memento — et reliqua : *omnes uersus litterae septimae R Gi.*
Mi.   *> S* ‖ memor esto *pA m Ba. Er. Mi.* ‖ et reliqua : et reliqua
litterae *L*   *> C pA m Ba. Er.*

1, 2 nos *> R¹ C pA S m Ba. Er. Zi.* ‖ 4 memento *r* ‖ uerborum
tuorum *R Gi.*   uerbi tui *r* ‖ 8 desiderium *R* ‖ 12 iam *> C pA S m*

ZAIN

SOUVIENS-TOI DE TA PAROLE ENVERS TON
SERVITEUR ; EN ELLE TU M'AS DONNÉ L'ESPÉ-
RANCE, ET LA SUITE.

1. Toute parole de Dieu, contenue dans les Écritures
divines, est un appel à *l'espérance* des biens célestes[1]. Et
c'est pourquoi, le prophète, convaincu d'être demeuré dans
tous les préceptes de Dieu, dit avec assurance : *Rappelle-
toi ta parole envers ton serviteur.* Serait-ce que Dieu ne se
souvient pas de sa promesse ? Loin de nous de croire que
certaines formes de faiblesses humaines s'introduisent dans
la puissance éternelle et indéfectible[2]. Mais le prophète qui
a cru aux promesses de Dieu, qui a été pris par le désir des
biens célestes et qui, méprisant ceux de maintenant, a
espéré les biens à venir, ne rappelle pas Dieu au *souvenir de
sa parole.* Mais il l'implore de *se souvenir de sa parole* en lui,
son serviteur, c'est-à-dire de le considérer comme digne
d'être celui en qui Dieu daigne désormais *se souvenir de sa
parole, parole dans laquelle il lui a donné l'espérance.* Et
cette *espérance,* il ne faut pas qu'elle soit vaine ni
seulement proclamée en *paroles,* mais il faut que les faits
mêmes la révèlent de telle sorte que, si jamais s'abattent
sur nous infirmités, persécutions, pertes, deuils, outrages,

Ba. Er. Gi. Mi. || deus : dum deo *C*   > *Gi.* || 13 quod *L* || 15 ut : et *A*
|| 16 praesentes *VL*

1. A rapprocher de Cypr., *Domin. orat.*, 1.
2. Sur la nature divine étrangère aux défauts de la nature
humaine, cf. Tert., *Marc.*, 2, 16, 3-4.

sentis saeculi minas ac potestates *spe* aeternorum promis-
sorum consolemur.

2. Et ad haec quidem omnia nos docemur; sed iam
50 ipsis omnibus propheta perfunctus est dicens : HAEC ME
CONSOLATA EST IN HVMILITATE MEA; QVONIAM ELOQVIVM
TVVM VIVIFICAVIT ME. *Haec* ad *spem* refertur, quam
5 *sperare* eum Deus fecit[a]. *Consolata est eum* uero *in
humilitate*, id est, cum contemnitur, cum inridetur, cum
iniuriis uexatur, cum contumeliis inhonestatur sciens hanc
sibi temptationum praesentium esse militiam. Sed se inter
haec infirmitatis suae bella *spes* a Domino praestita
10 *consolatur*; *uiuificatur* autem per *eloquia Dei.* Scit in his
excellentem esse in caelis *humilitatis suae gloriam*[b]; scit
animam *eloquiis dei* refectam tamquam pabulum aliquod
uitae in se *aeternae* continere[c]. Non mouetur in *eloquiis
Dei uiuens* inani superbientium gloria. Nouit enim indi-
15 gentiam suam eorum esse opulentia ditiorem[d]. Scit *ieiunia*
sua caelesti atque euangelica benedictione saturari[e]. Scit
humilitatem suam glorioso esse honoris praemio muneran-
51 dam[f]. Atque ita subiecit : SVPERBI INIQVE AGEBANT
VSQVEQVAQVE; A LEGE AVTEM TVA NON DECLINAVI. Inter
20 nimias et consummatas *superborum iniquitates* — ualde
enim *inique agebant* — nullo propheta deflexu *a Dei lege
declinat.*

VL RC pA r S m

1, 17 potestatis *R* ‖ 18 consulemur *V*
2, 1 et ad — docemur > *C pA S Ba. Er.* ‖ 4 uiuificabit *RC r* ‖ quae
C pA S m Ba. Er. ‖ 5 deus : deum *VL C r*   in deum *pA S m Ba. Er.*
‖ consolata : collata *V*   collocata *r* ‖ uero est eum *S Ba. Er. Gi. Mi.*
‖ 8 temptationem *R* ‖ 11 excellentem : scientem *R* ‖ 12 pabulum :
paululum *C* ‖ 14 inanis *L* ‖ enim > *m* ‖ 16 satiari *R* ‖ 18 ita : ideo *S Ba.
Er. Gi. Mi.* ‖ 19 tua > *r* ‖ 21 deflexo *R*

2. a. cf. *v. 49* ‖ b. cf. Matth. 23, 12 ; II Cor. 3, 10 ‖ c. cf. Jn 6, 54 ‖ d.
cf. II Cor. 6, 10 ‖ e. cf. Matth. 6, 16-18 ‖ f. cf. Rom. 8, 18

nous soyons consolés de ces menaces qui exercent leur
puissance dans le monde présent par l'*espérance* des
promesses éternelles.

2. Et c'est bien à cette conduite que nous sommes
formés. Mais le prophète l'a déjà entièrement suivie, lui
qui dit : Celle-ci m'a consolé dans mon abaissement,   50
parce que ta parole m'a vivifié. *Celle-ci* se rapporte à
l'«espérance» que Dieu lui a fait «espérer[a]». Et *elle l'a
consolé dans l'abaissement*, c'est-à-dire lorsqu'il est méprisé,
raillé, accablé d'injures, déshonoré par les offenses[3] ; il sait
qu'il mène là un combat contre les épreuves présentes.
Mais l'«espérance» donnée par le Seigneur se *console* au
milieu des luttes que doit soutenir sa propre faiblesse ;
d'ailleurs, elle est *vivifiée* par les *paroles de Dieu*. Elle sait
qu'il y a en elles pour *son abaissement* une «gloire
éminente» dans les cieux[b], elle sait qu'une âme restaurée
par les *paroles de Dieu* possède comme la nourriture de la
«*vie* éternelle[c]». Elle n'est pas touchée, ayant la *vie* dans
les *paroles de Dieu*, par la vaine gloire des orgueilleux. Elle
sait en effet que son indigence est plus riche que leur
opulence[d]. Elle sait que ses «jeûnes» sont comblés de la
bénédiction céleste des Évangiles[e]. Elle sait que *son
abaissement* doit avoir la faveur d'être récompensé par
l'honneur de la «gloire[f]». Aussi, a-t-il ajouté : Les   51
orgueilleux agissaient injustement jusqu'à l'ex-
trême, mais je n'ai pas dévié de ta loi. Au milieu des
excès des *orgueilleux* d'une *injustice* consommée — ils
agissaient en effet fort *injustement* — le prophète, sans le
moindre écart, *ne dévie pas de la loi de Dieu*.

---

3. *Iniuriae* (injures) et *contumeliae* (offenses), citées comme
exemples de l'*humilitas* infligée au prophète, sont les deux sortes
d'outrages qu'envisage successivement Sénèque dans son traité *De
constantia sapientis*.

3. Sed *non declinantem a Dei lege* oportet esse memorem iudiciorum Dei. In omni enim uitae nostrae genere memoria nobis diuini iudicii inserenda et continenda est, ut, cum aliquid *agimus*, residente in nobis iudicii memoria
5 uel numquam potius abeunte praeceptis Dei opera nostra famulentur. Beatus erit quisque non sine memoria diuini iudicii omnia gesserit. Quod de se propheta profitetur
52 dicens : MEMORATVS SVM IVDICIORVM TVORVM A SAECVLO ET EXHORTATVS SVM. Hic nunc *a saeculo* tantum, non
10 etiam *a saeculo saeculi*ᵃ, quia omnia in nos *iudicia Dei* ex *saeculi* huius ac mundi temporibus instituta sunt. In his autem se cohortatus est, inter hos scilicet mundi turbines et inter haec passionum corporalium proelia, ad tolerantiam ac uictoriam infestantium malorum humi-
15 litatem suam *iudiciorum Dei memoria* adhortatus.

53 **4.** Deinde sequitur : DEFECTIO ANIMAE TENVIT ME A PECCATORIBVS DERELINQVENTIBVS LEGEM TVAM. Virtutes propriae suae prophetae huic ad *spem* uitae aeternae non sufficiunt, neque quod *spem in uerbo Dei* habuitᵃ,
5 neque quod in *spe* eadem se *consolatus* est, neque quod *Dei uiuificatur eloquio*ᵇ, neque quod *non declinat a lege*ᶜ, neque quod se per *memoriam iudiciorum* adhortaturᵈ ; quin etiam dolore humanae impietatis fatigatur et ob inreligiosas hominum *iniquitates* exanimis est. Sanctus

VL RC pA r S mB *(inde ab 3,4 :* -cii*)*

3, 1 sed non declinantem a dei lege > *C pA S m Ba. Er.* ‖ memorem : *pr.* eum *C pA S m Ba. Er.* ‖ 6 quisquis *C pA r S m edd.* ‖ 8 sum > *VL r* ‖ 9 hinc *V r*   haec *R Gi. Mi. Zi.* ‖ 10 a saeculo : saeculum *R* ‖ 12 coartatus *R Gi.*   hortatus *C pA S Ba. Er.* ‖ 14 instantium *R*   -tiam *Gi.* ‖ 15 adhortatus + est *r*
4, 1 animi *R r Gi. Mi.* ‖ 3 suae > *R²* ‖ huius *L* ‖ 4 dei uerbum *R*   dei uerbo *Zi.* ‖ 5 neque¹ : nec *C pA* ‖ se > *C pA S mB Ba. Er. Gi.* ‖ consolatus : collocatus (con- *RC*) *VL RC Ba. Er.*   collatus *Gi.* ‖ 7 se per : semper *VL R Mi.*   spem per *C* ‖ memoria *Mi.* ‖ iudiciorum + dei *pA S m Ba. Er. Gi. Mi.* ‖ 8 dolore : *pr.* hortatur (-tus *r B*) *VL r B* ‖ 9 inreligiosos *V*   -sorum *r* ‖ iniquitates : impietates *R Gi. Mi. Zi.*

3. Mais il faut que celui que *ne dévie pas de la loi de Dieu* se souvienne des jugements de Dieu. En effet, dans notre vie, en toute circonstance, il nous faut susciter et entretenir en nous le souvenir du jugement divin, afin que, lorsque nous *agissons*, grâce au souvenir de ce jugement qui demeure en nous ou plutôt ne s'en éloigne jamais, nos œuvres obéissent aux préceptes de Dieu[4]. Heureux sera quiconque, en toutes ses actions, n'aura pas oublié le jugement divin. C'est la déclaration que fait pour lui-même le prophète en disant : JE ME SUIS SOUVENU DE TES JUGEMENTS DEPUIS LE SIÈCLE ET J'AI ÉTÉ ENCOURAGÉ. Ici, il dit seulement *depuis le siècle*, et non *depuis le siècle du siècle*[a], parce que tous les *jugements de Dieu* qui nous concernent ont été établis dans le temps de ce *siècle* et de ce monde. En eux, il a trouvé son réconfort, c'est-à-dire qu'au milieu des tempêtes du monde et des combats dans les souffrances physiques, il a exhorté son cœur abaissé à supporter et à vaincre par le *souvenir des jugements de Dieu* les maux qui l'assaillaient.

4. Ensuite vient : LE DÉCOURAGEMENT M'A SAISI DU FAIT DES PÉCHEURS QUI ABANDONNENT TA LOI. Ses mérites propres ne suffisent pas à garantir à notre prophète l'«espérance» de la vie éternelle : ni celui d'avoir mis son «espérance» dans la «parole de Dieu[a]», ni celui de s'être «consolé» dans cette même «espérance», ni celui d'être «vivifié» par la «parole de Dieu[b]», ni celui de ne pas «dévier» de la «loi[c]», ni celui d'être encouragé par le «souvenir des jugements[d]» ; il est encore éprouvé par la souffrance de l'impiété humaine et accablé par les «injustices» impies des hommes. En effet, chaque fois

52

53

---

3. a. cf. *v. 44*
4. a. cf. *v. 49* ‖ b. cf. *v. 50* ‖ c. cf. *v. 51* ‖ d. cf. *v. 52*

---

4. Les jugements de Dieu demandent à être mis en pratique (cf. *Lév.* 18,4 ; 19,37).

10 enim quisque cum caeditur, non *humilitatis* suae[b], qui
caesus est, sed insolentiae huius qui caedit miseretur;
ut a uesano filio pater, ut ab amente aegroto medicus
contumeliam passus dolorem non ex eo quod perpessus
erit sentit, sed ob id quod ille quem sanum esse cuperet
15 iniuriam sibi uesanus intulerit. *Membro* autem *uno aliquid
patiente* secundum apostolum *compatiuntur et cetera mem-
bra*[e]. *Defectio* itaque secundum haec *tenet* prophetam super
peccatores relinquentes *Dei legem*; adfectu miserantis
scilicet et dolentis et tamquam *membris* suis pro parte
20 aegrotis *iniquorum* et inreligiosorum periculo fatigatur.

5. Manet autem ipse, quantum ad se, iustificationibus
Dei semper intentus; et in omni quacumque sede qua
habitat nequaquam ex ore eius religiosae confessionis
54   hymnus abscedit. Ait enim : Cantabiles mihi erant
5 ivstificationes tvae in loco incolatvs mei. Exemplo
suo docet suscepta semel in aures psalmorum cantica in
corde esse retinenda et semper ea officio oris iteranda.
Non neglegenter, ut ipse praedicat, legit atque audiuit,
neque inreligiositatis nostrae modo diuina eloquia aut
10 occupatis in aliud, aut mox obliuiosis auribus excepit;
sed *cantabiles ei sunt*, id est sine intermissione *cantatae*.

VL   RC   pA   r   S   mB

4, 11 eius *S edd*. ‖ misereretur *R* ‖ 14 sentit > *Vr* ‖ illum
VL RC ‖ cupierit *R* ‖ 16 cetera > *VL R r*[1] ‖ 18 adfectum *VL* ‖
20 fatigatur : patiatur *VL r*
5, 1 ad : a *R r*[1] ‖ 2 in omni : in omni in *VL r*   omni in *R Zi*. ‖
qua : *pr*. in *R Zi*.   > *C pA S mB Ba. Er. Gi. Mi*. ‖ 3 inreligiosae *L* ‖
6 susceptae *V* ‖ 7 corda *VL* ‖ continenda *C pA mB Ba. Er. Gi. Mi*. ‖ 8
audit *pA Ba. Er. Gi. Mi*. ‖ 9-10 diuina — aliud > *C pA mB* ‖ 9 aut :
ut *V r* ‖ 10 aut : *pr*. aut incuriosis (incuriositatis *mB*) oculis legit *pA
mB edd*. ‖ excipit *pA mB Ba. Er. Gi. Mi*.

4. e. I Cor. 12, 26

qu'un saint est frappé, il s'apitoie non sur non propre
«abaissement^b», l'abaissement de celui qui a été frappé,
mais sur l'arrogance de qui le frappe. De même, un père
outragé par un fils insensé, un médecin qui l'est par un
malade dément, souffrent non de ce qu'ils ont enduré, mais
de voir que celui qu'ils souhaitaient en bonne santé a
commis, dans son égarement, une injustice envers eux[5].
Or, «quand un membre souffre, selon l'Apôtre, les autres
membres souffrent aussi avec lui[e]». C'est pourquoi le
découragement saisit le prophète devant les *pécheurs* qui
abandonnent la *loi de Dieu* : il est accablé par un
sentiment de pitié et de douleur et, comme si ses propres
«membres» étaient en partie malades, par le danger que
courent les hommes «injustes» et irréligieux.

5. Mais il reste lui-même, autant qu'il le peut, toujours
attentif aux règles de justice de Dieu ; et, quel que soit
l'endroit où il habite, l'hymne de sa confession de foi n'a en
aucun cas quitté sa bouche. Il dit en effet : TES RÈGLES DE
JUSTICE MÉRITAIENT QUE JE LES CHANTE DANS LE LIEU DE
MA DEMEURE. Par son exemple, il montre que les chants
des psaumes, une fois recueillis par l'oreille, doivent être
retenus dans le cœur et que le rôle de la bouche est de
toujours les répéter[6]. Comme il le dit lui-même, il ne les a
pas lus ni entendus sans leur prêter attention et n'a pas,
comme nous le faisons dans notre impiété, écouté les
paroles divines d'une oreille occupée à autre chose ou
prompte à oublier ; mais les règles de justice *méritent qu'il
les chante*, c'est-à-dire les *chante* sans interruption. Il

54

---

5. SÉNÈQUE (*Const.*, 13, 1) se sert de la même comparaison et dit
aussi que le médecin n'est pas affecté par l'outrage du malade.

6. Hilaire explique *cantabiles ... iustificationes* par *cantica ...
retinenda et semper ... iteranda*. Sur les adjectifs en *-bilis* prenant la
valeur d'adjectifs verbaux en *-ndus*, cf. J. POSTGATE, «The latin
verbal in -bilis», *Hermathena* 39, 1913, p. 404-426.

In omni autem cuiusque generis *loco* nequaquam a se abesse psallendi consuetudinem docet, cum ait : *In loco incolatus mei.* Non enim ait : *In incolatu meo*, sed ita ait :
15 *In loco incolatus mei*, in quacumque scilicet sede mansisset ; intellegens se mundi huius esse *peregrinum*[a], *Dei tamen sibi* semper *iustificationes esse cantabiles.*

6. Sed quam *cantabiles sint iustificationes Dei* ostendit, cum nullum omittat tempus quo non in illo caelestium
55 sacramentorum opere uersetur. Ait enim : MEMOR FVI IN NOCTE NOMINIS TVI, DOMINE, ET CVSTODIVI LEGEM
5 TVAM. Scit praecipue *nocturno* tempore *diuini* esse a nobis *nominis* recordandum. Scit tum maxime *custodiam Dei legis* a nobis esse retinendam, cum subrepunt animo impurae cupiditates, cum uitiorum stimuli per recens adsumptum cibum corpus exagitant ; tum *Dei nomen*
10 recordandum est, tum *custodienda lex eius* est pudicitiam, continentiam, timorem Dei statuens. Nouit hoc praecipue tempore Deum orandum, deprecandum, promerendum, dicens in loco alio : *Lauabo per singulas noctes lectum meum, lacrimis stratum meum rigabo*[a]. Non est periculoso
15 *nocturnarum* uigiliarum otio animus relaxandus, sed in orationibus, in deprecationibus, in confessionibus peccatorum occupandus est, ut, cum maxime corporis uitiis oportunitas datur, tum praecipue eadem uitia *diuinae legis* recordatione frangantur.

VL   RC   pA   r   S   mB

   5, 12 a > *C* ‖ 14 in > *V* ‖ 16 se > *C* ‖ 17 sibi > *C*
   6, 2 in > *A* ‖ 4 in > *L R pA S B Ba. Er. Gi. Mi.* ‖ 7 retinenda *VL* ‖ 10 eius lex *r* ‖ 11 nouit : non in *V r¹*   non id *L* ‖ praecipuo *R* ‖ 12 dominum *C pA mB Ba. Er.* ‖ 13 alio loco *A* ‖ 14 lacrimis + meis *C pA S mB Ba. Er. Gi. Mi.* ‖ 15 relaxatus *R* ‖ 16 confusionibus *R* ‖ 18 uitia + a *V*   + ad *L*

   5. a. cf. Gen. 23, 4 ; Ps. 38, 13 ; Hébr. 11, 13
   6. a. Ps. 6, 7

montre aussi qu'en toute espèce de *lieu*, l'habitude de
psalmodier ne l'abandonne en aucun cas, lorsqu'il dit :
Dans le lieu de ma demeure. En effet, il n'a pas dit : *Dans
ma demeure*, mais : *Dans le lieu de ma demeure*, c'est-à-dire
à l'endroit où il résidait, quel qu'il fût, parce qu'il
comprend qu'il est un «pèlerin» dans ce monde[a], mais que
les *règles de justice de Dieu méritent* toujours *qu'il les chante.*

6. Mais il montre combien les *règles de justice de Dieu
méritent qu'il les chante*, quand il dit qu'il ne laisse passer
aucun moment où il ne se consacre à l'accomplissement des
rites célestes. Il dit en effet : Je me suis souvenu dans la
nuit de ton nom, Seigneur, et j'ai gardé ta loi. Il sait
que la *nuit* surtout nous devons nous rappeler le *nom de
Dieu.* Il sait que nous devons faire attention à *garder la loi
de Dieu*, particulièrement lorsque s'insinuent dans notre
âme des désirs impurs, lorsque les aiguillons des vices, sous
l'effet de la nourriture absorbée peu auparavant, harcèlent
notre corps ; alors, il faut se rappeler le *nom de Dieu*, alors
il faut *garder sa loi* qui prescrit la pudeur, la continence, la
crainte de Dieu. Il sait qu'à ce moment-là surtout il faut
prier Dieu, l'implorer et gagner sa faveur ; il dit ailleurs :
«Je baignerai chaque *nuit* mon lit, de larmes j'inonderai
ma couverture[a].» L'esprit ne doit pas s'abandonner au
dangereux repos des veilles *nocturnes*, mais il doit se
consacrer aux prières, aux supplications, à l'aveu des
péchés, afin que, particulièrement lorsque se présente une
occasion de satisfaire les vices du corps, alors surtout ces
mêmes vices soient combattus par le souvenir de la *loi
divine*[7].

55

---

7. Sur la prière nocturne, cf. Cypr., *Domin. orat.*, 29 ; 35 ; 36.
Origène (*Ch. p.*, p. 276, v. 55, l. 4-5) présente la nuit comme le temps
où «le désir impur s'introduit et trouble la raison». Le commentaire
d'Hilaire sur le v. 55 est cité (fol. 45), parmi d'autres extraits des
Pères sur la prière nocturne, dans un manuscrit du Xe s. provenant du
chapitre de Notre-Dame de Paris (Paris, *B.N. lat. 18095*).

56   **7.** Sequitur deinde : Haec mihi facta est, qvia ivstificationes tvas exqvisivi. *Haec* ad *memoriam* refertur,
per quam *memor fuit noctibus nominis Dei*[a]. Quod autem
ait : *Mihi facta est*, id est non subito recurrens neque
5 temporaria adsumpta, sed semper immanens et intra se
quodam fidei opere instituta, et ob id *ei facta, quia
iustificationes exquisierit* ; utile igitur est *iustificationes Dei*
sine aliqua temporis intermissione scrutari, quia per
exquisitionem eius *memoriam* Dei nos perpetim continemus
10 in Christo Iesu, cui est gloria in saecula saeculorum. Amen.

VL RC pA r S mB

7, 3 noctibus : *pr.* in *r* ‖ 4 id est : est *m*   > *R pA* ‖ subito :
subiecte *R* ‖ recurrens : resurgens *r* ‖ 5 temporarie *C pA mB Ba. Er.
Gi. Mi.* ‖ semper > *R S* ‖ immanens : in se manens *C pA r mB Ba. Er.
Gi. Mi.*   secum manens *R S* ‖ 6 ei > *R* ‖ 7 quaesierit *R* ‖ igitur est :
est igitur *R Zi.*   igitur *S* ‖ 8 intermissione temporis *C* ‖ 9 eius :
earum *S Gi. Zi.*   earum eius *pA r mB Ba. Er. Mi.* ‖ dei : eius

7. Vient ensuite : CELUI-CI EST ÉTABLI POUR MOI, PARCE
QUE J'AI RECHERCHÉ TES RÈGLES DE JUSTICE. *Celui-ci*
renvoie au «souvenir» par lequel il s'est «souvenu», durant
les «nuits, du nom de Dieu[a]». En disant : *Est établi pour
moi*, il veut dire que ce souvenir ne surgit pas d'un coup et
qu'il n'est pas reçu pour un moment mais qu'il demeure
toujours, fondé en lui-même par une sorte d'acte de foi, et
qu'il *est établi pour lui, parce qu'il a recherché les règles de
justice*; il est donc utile de scruter, sans aucune interruption, les *règles de justice de Dieu*, parce qu'en *recherchant* ce
qu'elles sont, nous gardons toujours en nous le «souvenir»
de Dieu, dans le Christ Jésus, à qui revient la gloire pour
les siècles des siècles. Amen.

56

S   > pA r mB Ba. Er. Gi. Mi. ‖ nobis Zi. ‖ 10 est gloria : gloria est
L C   gloria V r   est gloria et honor m ‖ amen > V r
    explicit littera VII VL r   finit R   finit littera septima C
pA   finit zai S

7. a. cf. *v. 55*

HETH

PORTIO MEA DOMINVS. DIXI CVSTODIRE
LEGEM TVAM, ET RELIQVA.

1. Plures psalmorum codices legentes et nos ita opina-
bamur uersum qui octauae litterae primus est, id est
hunc : *Portio mea Dominus*, in superioribus septimae
litterae octo uersibus contineri, quia ita in latinis codicibus
5 atque etiam in nonnullis graecis scriptum continebatur; et sane absolutior sensus uidebatur; sed secundum
Hebraeos emendatum apud Graecos psalmorum librum
legentes inuenimus hunc uersum non septimae litterae
nouissimum esse sed octauae primum. Itaque secundum
10 hanc cognitionem nos quoque tractare de eo adgressi
sumus.

VL RC pA r S mB

heth : incipit VIII *C* > *m*   *pr.* incipit VIII *L r*
pr.   incipit littera VIII feliciter *V*   *pr.* incipit *pA S*   *pr.*
littera VIII *Mi.* + littera octaua *pA*   + tractatus *S*
portio — et reliqua : portio mea domine dixi ut custodiam
legem tuam et c. usque ibi iustificationes tuas doce me *Ba.*
Er.   omnes uersus litterae octauae *R Gi. Mi.*   > *S* ‖ et reliqua
> *C pA mB*
1, 1 opinamur *L* ‖ 4 quia : quidam *VL* ‖ in > *V¹ r* ‖ 6 et sane —
uidebatur > *V r¹* ‖ absolutior + ita *R¹ Gi. Mi. Zi.* ‖ 8 non > *VL r¹*

HETH

MA PART, C'EST LE SEIGNEUR. J'AI DÉCIDÉ DE GARDER TA LOI, ET LA SUITE.

1. Plus d'un lecteur des manuscrits des psaumes et nous-même considérions que le verset qui est le premier de la huitième lettre, à savoir celui-ci : «Ma part, c'est le Seigneur», était compris dans les huit versets précédents de la septième lettre, parce qu'il était à cette place dans les manuscrits latins et même dans quelques manuscrits grecs. Et assurément l'idée paraissait plus claire. Mais en lisant le livre des *Psaumes* corrigé par les auteurs grecs suivant le modèle hébreu, nous trouvons que ce verset n'est pas le dernier de la septième lettre, mais le premier de la huitième. Aussi, avons-nous, nous aussi, entrepris de le commenter en fonction de cette information[1].

---

1. Est-il possible d'identifier plus précisément les sources auxquelles Hilaire fait ici référence? Quelques «manuscrits latins» n'ont effectivement pas conservé la lettre *heth*, ne séparant pas ainsi les v. 56 et 57. Ce sont, parmi les manuscrits des psautiers vieux-latins, les manuscrits *Y* (Saint-Germain) et *med* (Milan). Cf. Weber, *Psautier...*, p. 298. «Quelques manuscrits grecs» : nous n'en avons pas trouvé trace, car tous les manuscrits grecs qui ont servi à A. Rahlfs (p. 292) donnent le v. 57 comme le premier de la lettre 8. L'expression *secundum Hebraeos emendatus apud Graecos psalmorum liber* désigne un psautier hexaplaire. Field (t. 2, p. 273) ne donne aucun renseignement sur ce verset; par contre le psautier gallican de Jérôme, «révision, sur le texte grec des Hexaples, d'une ancienne version latine» (WEBER, *Psautier*, p. VIII) place, comme l'affirme ici Hilaire, le v. 57 en tête de la strophe 8 (*ibid.*, p. 298).

57   **2.** Coepit enim ita : PORTIO MEA DOMINVS. DIXI :
CVSTODIAM LEGEM TVAM. Rarus quisque est cui ista fiducia
est, ut *portionem suam* esse Deum audeat dicere. Renun-
tiandum est saeculo omnibusque rebus eius, ut nobis
5 Deus *portio* sit. Ceterum si nos ambitio detineat, si
cura pecuniae occupet, si inlecebrae libidinum capiant,
si negotia rerum familiarium demorentur, *portio* nobis
Deus non erit saecularium curarum atque uitiorum
possessione detentis.

3. Moysi cum iussum esset *portiones* incolatus distri-
buere duodecim gentibus filiorum Israhel, ita ei de tribu
Leuitica praeceptum est : *Filiis Leui non erit portio neque
sors in medio fratrum suorum, quia Dominus Deus est
5 pars eorum*ᵃ. Et rursum scriptum meminimus : *Ego
Dominus pars eorum*ᵇ. Nullam ergo Deo seruientibus
lex lata terrenam esse uoluit *portionem*, quia *pars* eorum
Deus esset.

4. Meminit et euangelii praedicator ille Petrus nullam
sibi esse *portionem* possessionis humanae, cum oranti
alimoniam respondit : *Aurum et argentum non est mihi*;
*quod autem habeo, hoc tibi do*ᵃ. Quid est istud, Petre, quod
5 possidens renuntiaueras omnibus Domino tuo dicens :
*Ecce nos omnia dereliquimus et secuti sumus te, quid erit
nobis*? Et tibi ille responderat : *Amen dico uobis, quod*

VL RC pA r S mB

2, 2 custodiam : *pr.* ut *L C pA S mB Ba. Er. Mi.*   custodire *r Gi.*
‖ 3 est : sit *C pA r S m* ‖ ut > *V r¹* ‖ dominum *C pA m* ‖ 7 familiarum
V R B ‖ 9 possessionem *V*
3, 1 moyses ... iussus *pA m* ‖ esse *V* ‖ portionis *R* ‖ 5 scriptum +
esse *m* ‖ 6 nulla *VL* ‖ 7 lata : data *Ba. Er. Gi. Mi.* ‖ 8 est *C pA mB Mi.*
4, 1 et > *R* ‖ 4 do tibi *R* ‖ 5 possides *pA S mB edd.* ‖ 6 reliquimus
omnia *pA m Mi.* ‖ te sumus *RC pA S* ‖ quod *B* ‖ 7 nobis : *pr.* de *R*

3. a. Deut. 10,9 ‖ b. Nombr. 18,20
4. a. Act. 3,6

2. Le début en effet se présente en ces termes : Ma part c'est le Seigneur. J'ai dit : Je garderai ta loi. Rares sont ceux qui ont assez d'assurance pour oser dire que Dieu est *leur part*. Il faut renoncer au monde et à toutes ses affaires, pour que Dieu soit notre *part* à nous[2]. Mais que l'ambition vienne à nous accaparer, le souci de l'argent à nous occuper, l'attrait des plaisirs à nous saisir, la gestion de nos affaires à nous arrêter, et Dieu ne sera pas notre *part* à nous, si nous sommes accaparés par les soucis et les vices de ce monde qui nous possèdent.

3. Comme Moïse avait reçu l'ordre de répartir les *parts* d'habitation entre les douze nations des fils d'Israël, concernant la tribu de Lévi il reçut cette prescription : «Pour les fils de Lévi, il n'y aura pas de *part* ni d'héritage au milieu de leurs frères, parce que le Seigneur Dieu est leur lot[a].» Et nous nous souvenons qu'il est encore écrit : «C'est moi, le Seigneur, qui serai leur lot[b].» Donc la *loi* donnée aux serviteurs de Dieu a voulu qu'ils n'aient aucune *part* sur terre, parce que Dieu était leur «part»[3].

4. Pierre aussi, ce héraut de l'Évangile, s'est souvenu qu'il n'avait aucune *part* de possession parmi les hommes, quand il répondit à celui qui lui demandait l'aumône : «Je n'ai ni or ni argent ; mais ce que j'ai, je te le donne[a].» Quel est ce bien, Pierre, dont la possession t'avait fait renoncer à tout, comme tu le disais à ton Seigneur : «Voici que nous avons tout laissé et nous t'avons suivi ; que nous en reviendra-t-il ?» Et il t'avait répondu : «Amen, je vous dis

2. Origène dit aussi que seul peut affirmer : «le Seigneur est ma part», «celui qui a renoncé aux affaires de la vie» (*Ch. p.*, p. 280, v. 57, l. 1-2).

3. La citation de *Nombr.* 18, 20 se lit encore dans le commentaire d'Eusèbe sur le v. 57, mais elle faisait aussi partie du commentaire d'Origène (*Ch. p.*, Notes, p. 626).

*uos, qui secuti me estis, in regeneratione sedebitis super
duodecim thronos iudicantes duodecim tribus Israhel*[b]. Et
10 exemplo uestro ceteris *relinquentibus* cuncta spoponderat
quod et *centuplum acciperent* et dehinc *uitam aeternam*
possessuri essent[c]. Quid est igitur istud, Petre, *quod
habes*? *Habes* plane, et non audeo dicere plus te *centuplo*
obtinere; dico tamen te sine multiplicatione calculi
15 possidere. Dicis enim : *Quod habeo, hoc tibi do*; *in nomine
Iesu Christi surge et ambula*[a]. O felix possessio, o perfecta
Dei *portio*! Non terrena largiris, sed naturae opus rependis
et uitiosi partus damna restauras. Claudum natum ingredi
iubes et multae aetatis uirum incessu rudi incitas. Has
20 opes tribuit, cuius Deus *portio* est. Nouit et Paulus
diuitiae suae glorias dicens : *Mihi autem absit gloriari
nisi in cruce Domini mei Iesu Christi, per quem mihi
mundus crucifixus est, et ego mundo*[d]. Talis apostolo
gloria, talis est *portio*.

5. Humanarum igitur hereditatum modo *portionem*
quae melior est et quae utilior eligamus. Si circa terrena
patrimonia sua in coheredum diuisione quis nititur sortem
commodioris *portionis* appetere, quanto propensiore
5 cura *partem* caelestis hereditatis deligemus? *Centuplum*
Dominus promittit; et *centuplum* non in *aeternum*, sed
in praesens. *Aeternorum* autem bonorum immensa et

VL   RC   pA   r   S   mB

4, 8 estis me *pA r S mB Ba. Er. Gi. Mi.* ‖ regenerationem *L B* ‖
9 et > *pA* ‖ 10 spoponderant *r* ‖ 11 quia *m* ‖ acciperet *V* ‖ 13
centuplum *R pA mB* ‖ 16 iesu christi : domini nostri i. ch. *pA B Mi.*
domini nazarem *m* ‖ 17 opes *C pA mB Mi.* ‖ 19 ingressu *r* ‖ 21
diuitiarum suarum gloriam *pA r² mB Mi.* ‖ 22 crucem *VL* ‖ mei :
nostri *A¹ m* ‖ 23 talis + est *r* ‖ 24 gloriari *V*
5, 1 portione *R* ‖ 2 elegamus *L*   eligimus *C*   legamus *pA mB*
‖ 4 commodiores *V¹*   -rem *r* ‖ 5 diligeremus *V r¹*   delegeremus
L   diligimus *RC S mB Ba.*   deligimus *pA*   deligere debemus
r²

que vous qui m'avez suivi, lors de la régénération, vous
siégerez sur douze trônes, pour juger les douze tribus
d'Israël[b].» Et il avait promis à tous les autres, qui, à votre
exemple, «quitteraient» tout, qu'ils «recevraient le centuple» et posséderaient ensuite la «vie éternelle[c]». Quel est
donc ce bien, Pierre, «que tu as»? Tu l'«as» assurément, et
je n'ose pas dire que tu détiens plus du «centuple». Je dis
cependant que ce que tu possèdes échappe à une multiplication mathématique. Tu dis en effet : «Ce que j'ai, je te le
donne : au nom de Jésus-Christ, lève-toi et marche[a].» Ô
l'heureuse possession, ô la parfaite *part* de Dieu! Tu ne
dispenses pas des biens terrestres, mais tu corriges l'œuvre
de la nature et répares les dommages d'une défectuosité de
naissance. Tu ordonnes à celui qui est né boiteux de
marcher et fais avancer d'un pas nouveau un homme d'un
grand âge [4]. Telles sont les ressources que donne celui dont
Dieu est la *part*. Paul aussi connaît les titres de gloire de sa
richesse à lui, quand il dit : «Loin de moi de me glorifier
sinon de la croix de mon Seigneur Jésus-Christ, par qui le
monde est crucifié pour moi, et moi, pour le monde[d].» Telle
est la «gloire» pour l'Apôtre, telle est sa *part*.

5. Donc, comme pour les héritages des hommes, choisis-
sons la *part* la meilleure et la plus profitable[5]. Si pour un
patrimoine terrestre, quand il est partagé entre les
héritiers, l'on fait effort pour obtenir la *part* la plus
avantageuse, de combien le dépassera notre empressement
à choisir le «lot» de l'héritage céleste? C'est le «centuple»
que promet le Seigneur, et le «centuple» non pour
l'«éternité», mais pour le présent. La récompense des biens

---

4. b. Matth. 19, 27-28 ‖ c. cf. Matth. 19, 29 ‖ d. Gal. 6, 14

4. Texte commenté par J. DOIGNON, «Rhétorique et exégèse
patristique ...».
5. A l'adjectif *melior* (*Lc* 10, 42), Hilaire ajoute *utilior*, retrouvant
ainsi une liaison cicéronienne, caractéristique du *De officiis*.

infinita retributio est; ceterum sub definitione *centupli*
praesentium mensura concluditur. Ego autem ambigo
10 utrum hoc *centuplum* Petri excesserit *portio*. Certe secundum Domini praeceptum sperandum *nunc in hoc saeculo*,
reiectis omnibus *saeculi* rebus, *centuplum* munus est[a].
Est enim nobis Deus *portio*, qui ait : *Et inhabitabo in
his*[b]. Non ergo *centupli* praemium est, ut in hoc terreno
15 corpusculo nostro Deus *habitet*? Sed quid dico *habitet*? Ait
et ipse : *Et ambulabo in his*[b]. Patens Deo est fidelis
pectoris et ampla possessio, ut *inhabitet*, ut *ambulet*. Sed
qui *inhabitat*, qui *inambulat*, quid tertium addidit? *Et ego
ero illorum Deus*[b]. Ecce promissam nobis ab eo *portionem*,
20 ut simus Deo *habitatio*, et, dum *in nobis ambulat*, sit
nobis ipse possessio, si *saeculum relinquamus*, si possessionis terrenae labi renuntiemus, si hereditatem caduco-
rum respuamus, si uiuentes de *saeculo* exeamus. Quid
enim mercis est, emortuis corporibus et exeunte anima
25 dissolutis *saeculum reliquisse*? Carendum est eo per
contemptum eius. Nesciendum est ignoratione uoluptatum
suarum. *Moriendum* nobis in eo est, dum non ei *uiuimus*[c].
Scit Paulus iam non se sibi *uiuere* dicens : *Quod enim
uiuo, iam non ego uiuo, uiuit autem in me Christus*[d].

VL   RC   pA   r   S   mB

5, 9 praesentium > *pA* ‖ ambigo autem *R* ‖ 11 nunc > *m* ‖ 12
relictis *R S edd.* ‖ rebus > *C pA* ‖ 13 est > *V* ‖ deus portio :
portio deus *R¹*   portio *C pA* ‖ 14 eis *Mi.* ‖ non : nunc *C pA r
mB Mi.* ‖ ergo : igitur *m* ‖ 16 inambulabo *pA r mB Mi.* ‖ eis *pA
Mi.* ‖ 17 ut² : et *C pA r S m Ba. Er. Mi.* ‖ inambulet *pA r S mB
Ba. Er.* ‖ 18 qui² : et qui *L* ‖ 21-22 possessioni ... labis *VL R r*
possessioni ... labili *S Ba. Er. Gi.* ‖ 23-24 quid ... merces *R*
quid ... mercedis *pA mB*   quae ... merces *S Ba. Er. Gi. Mi.* ‖ 26
ignorantia *m* ‖ 27 in : id *V* ‖ est > *r* ‖ 29 uiuo² > *C pA mB*

5. a. cf. Mc 10,30 ‖ b. Lév. 26,12 ; II Cor. 6,16 ‖ c. cf. Col. 2,20 ‖ d.
Gal. 2,20

«éternels» est immense et infinie, mais dans la limite du
«centuple» est incluse la mesure de biens présents. Je me
demande si la *part* de Pierre a dépassé ce «centuple». En
tout cas, suivant le précepte du Seigneur, c'est «maintenant, dans ce siècle», en rejetant les biens de ce «monde»,
qu'il nous faut espérer la récompense au «centuple[a]». Dieu
est en effet notre *part*; il dit̄ : «Et j'habiterai en eux[b].» La
récompense au «centuple», n'est-ce donc pas que Dieu
«habite» dans ce pauvre corps terrestre qui est le nôtre?
Mais que dis-je : «Habite»? Lui-même dit : «Et je
marcherai en eux[b].» Un cœur fidèle est une possession
ouverte à Dieu, qui se fait large, pour qu'il y «habite»,
pour qu'il y «marche»[6]. Mais lui qui y «habite», lui qui y
«marche», qu'a-t-il ajouté en troisième lieu? «Et moi je
serai leur Dieu[b].» Voici que la *part* qui nous a été promise
par lui c'est que nous soyons l'«habitation» de Dieu et qu'il
soit lui-même, en «marchant en nous», une possession, si
nous «quittons» le «monde», si nous renonçons à la
souillure d'une possession terrestre, si nous rejetons
l'héritage des biens périssables, si, dans notre vie, nous
sortons du «monde». Que gagnons-nous en effet à avoir
«quitté» le «monde», quand nos corps sont morts et se sont
désagrégés, après le départ de l'âme? Il faut se passer du
monde en s'en détachant. Il faut le méconnaître en
ignorant ses plaisirs. Il nous faut «mourir» dans le monde,
en ne «vivant» pas pour lui[c]. Paul sait que ce n'est plus lui
qui «vit» pour lui-même, quand il dit : «En effet, en ce qui
concerne ma vie, ce n'est plus moi qui vis, mais c'est le
Christ qui vit en moi[d].»

---

6. Même suite d'idées chez CYPR., *Donat.* 5 : ampleur de la
récompense dans l'éternité suggérée par une comparaison avec les
richesses terrestres ; ouverture du cœur à Dieu pour qu'il y habite.

6. Propheta itaque secundum apostolum non *saeculo uiuens* constanter et libere ait : *Portio mea Dominus.* Tenuit hunc quem in superioribus modum, cum se *custo-diturum legem Dei* spopondit. Non enim de ea quam 5 corporaliter agebat loqui intellegitur, cum quando *custo-diturum* se potius quam *custodire* fateatur.

58   **7.** Sequitur deinde : Deprecatvs svm faciem tvam in toto corde meo ; miserere mei secvndvm eloqvivm tvvm. Moysen *deprecatum* esse meminimus ut Deum *uideret*[a]. Et forte cognata preci eius prophetae huius 5 oratio existimabitur. Sed dictum meminit a Deo : *Nemo hominum uidebit faciem meam et uiuet*[b]. Ergo quod negatum Moysi meminerit, id concedi sibi postulat ? Sed rursum, licet dicto euangelico anterior sit, meminit tamen hanc fidei beatitudinem reseruari, qua dicitur : *Beati* 10 *mundo corde, quoniam ipsi Deum uidebunt*[c]. Itaque cum in lege sciat dictum quod *nemo faciem Dei uideat et uiuat*, et ex euangelica *beatitudine* non ambigat omnes *mundo corde Deum esse uisuros*, perfectae modestiae tempera-mento cupiditatem desiderii sui elocutus est dicens : 15 *Deprecatus sum faciem tuam in toto corde meo.* Scit nunc impossibile sibi esse quod nec *oculus uidit nec auris audiuit nec in cor hominis ascendit*[d] ut *uideat.* Scit inuisibilem esse carnalibus *oculis* gloriam Dei. Meminit, non dico ad angelorum claritates hoc humanae *uisionis*

VL RC pA r S mB

6, 1 saeculum *V* ‖ 2 dominus + dixi ut custodiam legem tuam *pA mB Mi.* ‖ 3 cum + quando *Mi.* ‖ 4 spondit *L R¹*   dispondit *r* ‖ 5 quando > *C pA S mB Ba. Er. Gi. Mi.*

7, 1 deinde : enim *r* ‖ 3 esse > *C pA mB* ‖ 4 cognita *r m* ‖ prece *m* ‖ prophetae > *m* ‖ 5 oratio > *VL r¹* ‖ meminit a deo dictum *C*   a deo meminit dictum *pA mB Mi.* ‖ 8 licet rursum *pA mB Mi.* ‖ 9 quia *R Zi.* ‖ 11 dei faciem *r* ‖ 13 perfecto *C*

6. Aussi le prophète qui, comme l'Apôtre, ne «vit» pas
pour le «monde», déclare avec fermeté et en toute liberté :
Ma part, c'est le Seigneur. Il a gardé la tournure utilisée
précédemment[7], quand il a promis, à propos de la *loi de
Dieu* qu'il la *garderait.* On comprend en effet qu'il ne parle
pas de la loi qu'il accomplissait matériellement, quand il
affirme qu'il *gardera*[8], au lieu de dire qu'il *garde.*

7. Vient ensuite : J'AI IMPLORÉ TA FACE DE TOUT MON   58
CŒUR ; AIE PITIÉ DE MOI, SELON TA PAROLE. Nous nous
souvenons que Moïse avait *imploré* de «voir» Dieu[a]. Et
peut-être pensera-t-on que la demande de notre prophète
s'apparente à cette prière. Mais il se souvient qu'il a été dit
par Dieu : «Aucun homme ne verra *ma face* et vivra[b].»
Demande-t-il donc que lui soit accordé ce qu'il sait avoir
été refusé à Moïse? Pourtant, bien qu'il soit antérieur à la
parole de l'Évangile, encore une fois, il se souvient qu'à la
foi est réservée la béatitude où il est dit : «Heureux les
cœurs purs, parce qu'ils verront Dieu[c].» Ainsi, comme il
sait qu'il est dit dans la Loi que «personne ne voit la *face de
Dieu* et vit», et comme, d'après la «béatitude» de
l'Évangile, il ne fait pas de doute que tous ceux qui ont le
«*cœur* pur verront Dieu», il a exprimé l'aspiration de son
désir en la tempérant par ces mots d'une parfaite retenue :
J'ai imploré la face de tout mon cœur. Il sait que
maintenant il lui est impossible de «voir» ce que «l'œil n'a
pas vu, l'oreille entendu et qui n'est pas monté jusque dans
le *cœur* de l'homme[d]». Il sait que la gloire de Dieu est
invisible à des «yeux» de chair. Il se souvient que non
seulement cette lumière du «regard» humain s'émousse

---

7. a. cf. Ex. 33, 13 ‖ b. Ex. 33, 20 ‖ c. Matth. 5, 8 ‖ d. I Cor. 2, 9

---

7. Cf. 6, 7.

8. S'appuyant sur *Rom.* 7, 14, Origène (*Ch. p.*, p. 280, v. 57)
rappelle que la loi qui sera gardée par le prophète est la loi spirituelle.

20 lumen hebetare, sed ipsam gloriam uultus Moysi humani
corporis *oculos* non tulisse[e].

8. Sed nos ex desideriis humanis prophetae desideria
metiamur. Ad egressus regum quanta expectationis solli-
citudine curritur et quod *uidentibus* gaudium est, cum
se praebuerint contuendos! Quid illum caelestis spiritus
5 capacem uirum existimabimus uelle? Quanto desiderii
ardore cupere ut Deum cernat, qui ipsam illam inuisibilem
maiestatem per has angelorum claritates et per hanc
Moysi gloriam metiatur et sciat etiam eos qui digni
sunt conspectu Dei gloriam ex conspectu gloriae esse
10 sumpturos, quod eos *uisio* tantum et dignatio contempla-
tae maiestatis inluminet? Quod sanctus apostolus ita
intellegens loquitur : *Nos*, inquit, *omnes reuelata facie*
gloriam Dei expectantes in eandem ipsam transferemur a
gloria in gloriam, sicut a Domini spiritu[a]. Et nunc quia
15 id impossibile istis corporis *oculis* sciat esse, *toto* istud *corde*
desiderat. Et cui est portio Deus, confidenter *faciem eius*
deprecatur; quia, quamuis *nemo hominum uideat faciem*
Dei et uiuet, tamen *Deum* omnes *mundo corde uisuri sunt*.
Ergo *misericordiam* hanc a Deo postulat, ut sibi *uidendi*
20 *faciem eius beatitudo* contingat, et postulat non sine
ratione modoque praestandi.

VL   RC   pA   r   S   mB

7, 20 hebetari *pA S mB Mi. Zi.*
8, 3 uidentium *L* ‖ 5 existimauimus *V¹*   -mamus *r* ‖ 8 scit etiam
L R   scietiam *V* ‖ 9 conspectu¹ : *pr.* in *R² A* ‖ 12 omnes > *m* ‖ facie
+ dei *r* ‖ 13 expectantes : speculantes *B*   spectantes *Er.* ‖ eadem
RC ‖ transferemur : + imaginem *Gi. Mi.*   transferentur imagine
Ba. Er. ‖ 15 totum *VL RC r¹ S* ‖ istud : istum *V*   > *L* ‖ 18 uiuat *pA*
mB Ba. Er. Gi. Mi. ‖ 19-20 uidendi faciei *L R² Gi.*   uidendae faciei
C pA mB Mi. ‖ 21 praestanda *r m*

7. e. cf. Ex. 34,29-30; II Cor. 3,7
8. a. II Cor. 3,18

devant l'éclat des anges, mais que les «yeux» du corps
humain n'ont pas supporté la gloire même du visage de
Moïse[c].

8. Mais apprécions les désirs du prophète à partir des
désirs des hommes. Avec quelle attente fébrile se porte-t-
on au-devant des rois, lorsqu'ils sortent et quelle est la joie
des «spectateurs», lorsqu'ils se sont fait voir[9]! Quelle
volonté prêterons-nous à cet homme capable de recevoir
l'Esprit céleste? De quel ardent désir souhaite-t-il voir
Dieu, celui qui prend la mesure de cette invisible majesté
elle-même d'après l'éclat des anges[10] et la gloire de Moïse
ici-bas, et qui sait aussi que ceux qui sont dignes de voir
Dieu recevront à leur tour la gloire de la vue de sa gloire,
parce que seules la «vision» et la contemplation ennoblis-
sante de sa majesté rendent lumineux? Ce que le saint
apôtre comprend ainsi et exprime par ces mots : «Nous
tous qui, *sa face* s'étant dévoilée, attendons la gloire de
Dieu, nous serons transformés en cette même gloire, de
gloire en gloire, comme par l'Esprit du Seigneur[a].» Et
comme il sait que cela est actuellement impossible à des
«yeux» de chair, il le désire *de tout cœur*. Et celui dont Dieu
est la part *implore* avec confiance *sa face* ; en effet, bien que
«personne ne voie la *face de Dieu* et vive», cependant tous
les «cœurs purs» sont appelés à «voir Dieu». Il demande
donc à Dieu comme une *miséricorde* d'avoir le «bonheur de
voir la *face de Dieu*», et il le demande non sans avoir pour
l'obtenir une raison et une méthode[11].

9. Les sorties triomphales des empereurs sont fréquemment
évoquées dans les panégyriques : cf. PLIN., *Paneg.*, 26 ; AVSON.,
Gratiarum actio ad Gratianum, 14.
10. Expression déjà utilisée en *In Matth.*, 5, 11 (*SC* 254, p. 160).
11. La *Ch. p.* (p. 282) ne donne pas le commentaire d'Origène sur le
v. 58a. Mais ORIGÈNE (*Orat.*, 9, 2), évoque aussi «les yeux qui
contemplent à découvert là gloire du Très-Haut et se transforment en
la même image, de gloire en gloire». Le commentaire d'Hilaire sur le
v. 58a et, en particulier, l'utilisation de *II Cor.* 3, 18 ont été étudiés
par J. DOIGNON, «Le libellé singulier de 2 *Cor.* 3, 18 ...».

9. Ait enim : *Miserere mei secundum eloquium tuum.*
Fidei modestae uox est *misericordiam* Dei non *secundum*
peccatorum suorum conscientiam, sed *secundum* eiusdem
Dei eloquia deprecari. Scit Deum etiam peccatoribus esse
5 ignem consumentem. Moyses enim ait : *Deus uester ignis*
consumens est[a]. Nouit eundem esse fidelibus lucem, de
quo et alibi propheta ipse dicit : *Inluminans tu mirabiliter*
de montibus sanctis[b]. Discernit et hanc apostolus bonitatis
et seueritatis Dei consuetudinem, cum ait : *Vide ergo*
10 *bonitatem et seueritatem Dei* ; *in eos quidem qui ceciderunt,*
seueritatem, in te autem bonitatem ; et rursum : *Et nisi*
permaneas in bonitate, excideris ; *illi uero si non permaneant*
in infidelitate, inserentur[c]. *Bonitatem* Dei propheta expectat, cum ait : *Miserere mei.* Scit enim neminem *sine peccato*
15 *esse* qui uiuat[d], et omnes in carne sitos *misericordia*
Dei egere. Officii autem sui deuotionisque non immemor
est, cum ait : *Secundum eloquium tuum* ; eius scilicet
eloquii, quo et peccatoribus poenam denuntiat[e] et *in se*
credentibus uitae aeternae beatitudinem pollicetur[f].

59   **10.** Dehinc sequitur : Qvia cogitavi vias meas et
averti pedes meos in testimonia tva. Ex his quae
propheta se gerere uel gessisse commemorat, quid nos
quoque facere oporteat docet. *Vias* enim *suas cogitat*
5 et *cogitatis* his *pedem in testimonia Dei* refert. Nihil
egit, quod non antea *cogitatione* peruoluerit. Non linguam

VL   RC   pA   r   S   mB

9, 2 misericordia *R* ‖ 3 eundem *VL* ‖ 4 eloquia dei *C* ‖ eloquium *r* ‖
5 noster *S Ba. Er. Gi.* ‖ 9 seueritas *V* ‖ 11 autem : uero *L C pA S mB*
edd. ‖ et² : tu *pA* *r²* *B Mi.* ‖ 12 excidaris *C* ‖ si > *V* ‖ 13 inseruntur *C* ‖
15 positos *VL r* ‖ misericordiam *VL* ‖ 16 officium *C* ‖ 17 tuum > *VL*
    10, 6 ante cogitationem *V r*   antea cognitione *Gi.*

9. a. Deut. 4, 24 ‖ b. Ps. 75, 5 ‖ c. Rom. 11, 22-23 ‖ d. cf. Jn 8, 7 ;
Rom. 3, 9 ‖ e. cf. Jn 20, 23 ‖ f. cf. Jn 3, 16

9. Il dit en effet : *Aie pitié de moi, selon ta parole.* C'est la voix d'une foi pleine de réserve qui implore la *miséricorde* de Dieu non *selon* la conscience qu'elle a de ses péchés, mais *selon les paroles de* ce même *Dieu.* Elle sait que Dieu est même pour les pécheurs un feu qui consume. Moïse dit en effet : «Votre Dieu est un feu qui consume[a].» Elle sait qu'il est en même temps lumière pour les fidèles[12], lui dont le prophète lui-même dit ailleurs encore : «Toi qui illumines merveilleusement depuis les montagnes saintes[b].» L'Apôtre aussi distingue cette façon qu'a Dieu de pratiquer la bonté et la sévérité, lorsqu'il dit : «Vois donc la bonté et la sévérité de Dieu ; pour ceux qui sont tombés, sévérité, mais pour toi, bonté.» Et encore : «Et si tu ne demeures pas dans la bonté, tu seras retranché. Quant à eux, s'ils ne persistent pas dans l'incrédulité, ils seront greffés[c].» Le prophète attend la «bonté» de Dieu, lorsqu'il dit : *Aie pitié de moi.* Il sait en effet qu'aucun vivant «n'est sans péché[d]» et que tous les êtres qui sont dans la chair ont besoin de la *miséricorde* de Dieu. Mais il n'oublie pas son devoir de pieuse soumission, lorsqu'il dit : *Selon ta parole*, c'est-à-dire la *parole* par laquelle il annonce aux pécheurs leur châtiment[e] et promet à ceux qui «croient en lui le bonheur de la vie éternelle[f]».

10. Ensuite vient : PARCE QUE J'AI PENSÉ À MES VOIES ET TOURNÉ MES PAS VERS TES TÉMOIGNAGES. Partant de l'évocation de ce qu'il fait ou de ce qu'il a fait, le prophète nous enseigne à nous aussi ce qu'il faut faire. En effet, il *pense à ses voies* et après y avoir *pensé*, il tourne ses *pas vers les témoignages de Dieu.* Il n'a rien fait qu'il n'ait auparavant débattu en *pensée.* Il n'a pas employé la langue

59

---

12. Origène (*Ch. p.*, p. 282, v. 58b, l. 1-13) rappelle aussi que Dieu est à la fois «feu» et «lumière».

in officium suum mouit, non *pedem* in aliquod, quod
acturus esset, opus protulit, non manum ad agendum
aliquid exeruit, nisi antea super his omnibus *cogitasset*,
10 et tum operationem atque effectum *cogitatis* rebus attu-
lerit. Vidit igitur ante omnia uitae suae *uias* et cum
placentem sibi ac probabilem repperit, tunc in eam *pedem*
contulit ; scilicet perspectis omnibus humanae operationis
uiis, postquam quid esset sibi utile *cogitauit*, fidei suae
15 *pedem in testimonia* diuina detorsit. *Cogitatio* enim nihil
potest subitum, nihil nouum, nihil inopinatum perti-
mescere, cum de consilii sententia omnia quae accidere
solent sperantur, praefiniuntur, adeuntur. Et id consequenti uersu docetur.

11. Postea enim quam *uias suas* propheta cogitauerat
et *pedem* ad *testimonia Dei* conuerterat, libere loquitur :
60 Paratvs svm et non svm tvrbatvs, vt cvstodiam
mandata tva. Qui ad aliquid *praeparatur*, longo usu ad
5 id in quo ei est meditatio *praeparatur*, ne eum de propositi
sui sententia neglegentem et incautum uis aliqua repen-
tinae *turbationis* excutiat. Propheta itaque nouit esse
plurima saeculi scandala. Nouit insidiantes esse humanae
naturae aduersantesque uirtutes. Scit periculose dulcem
10 esse ambitionem gloriae saecularis. Nouit occursus las-
ciuientium feminarum esse continentium oculis captiosos.
Scit turpes corporum cupiditates adfectu blandae uolup-

VL   RC   pA   r   S   mB *(usque ad 10,16 :* subitum*)*

10, 10 cum *C pA m Ba. Mi.*   tunc *S* ‖ cogitatio *pA S m Er.
Mi.* ‖ 11 ante omnia : antea o. *V¹L*   antea omnes *pA B Mi.* ‖
11-12 cum placentem : conplacentem *RC B²* ‖ 12 ea *r* ‖ 17 recidere
VL r

11, 3 paratus sum > *L* ‖ 5 quo + usu *V r* ‖ ne : nec *V r¹* ‖
praepositi *A* ‖ 9 -que uirtutes > *pA r²* ‖ 10 ambitionem : opinionem
ambitionemque *Ba. Er. Gi. Mi.* ‖ 12 uoluntatis *RC*

---

13. Même insistance dans le commentaire d'Origène (*Ch. p.*,
p. 282, v. 59, l. 1-8) sur la préparation du prophète à la parole et à

à l'usage qui est le sien, il n'a pas porté ses *pas* vers un travail qu'il avait à faire, il n'a pas mis la main à un ouvrage, sans avoir au préalable *pensé* à l'ensemble de son projet, et donné alors une réalisation effective à ses *pensées*. Donc, avant tout, il a regardé les *voies* de sa vie et après avoir trouvé celle qu'il lui plaisait de prendre et qu'il pouvait approuver, alors il a dirigé vers elle ses *pas* ; c'est-à-dire qu'une fois bien considérées toutes les *voies* de l'acitivité humaine, après avoir *pensé* à ce qui lui était profitable, il a orienté la *démarche* de sa foi *vers les témoignages* divins. La *pensée* en effet ne peut redouter rien d'imprévu, rien de nouveau, rien d'inattendu, quand à la suite d'une décision réfléchie, tout ce qui arrive ordinairement est attendu, déterminé d'avance, prévenu[13]. Et c'est ce qui est indiqué dans le verset suivant.

11. En effet, après avoir pensé à *ses voies* et dirigé ses *pas* vers les *témoignages de Dieu*, il déclare avec assurance : JE ME SUIS TENU PRÊT ET SUIS RESTÉ SANS TROUBLE, POUR GARDER TES COMMANDEMENTS. Qui se *prépare* à quelque chose, se *prépare* par un long apprentissage à ce qui fait l'objet de son application, de peur qu'en raison de sa négligence et de son imprévoyance, la violence d'un *trouble* inattendu ne l'arrache brutalement à la décision qu'il a arrêtée. C'est ainsi que le prophète sait qu'il y a de nombreuses pierres d'achoppement dans le monde. Il sait qu'il y a des puissances qui tendent des pièges à la nature humaine et s'opposent à elle. Il sait que l'ambition de la gloire du monde est dangereusement agréable. Il sait que la rencontre de femmes lascives est cause de corruption pour les regards chastes. Il sait que de dégradants désirs physiques s'insinuent dans les esprits qui ressentent les

60

l'action. L'importance donnée par Hilaire à la réflexion rapproche le prophète du sage stoïcien. Cf. SEN., *Ep.* 107,3 ; CIC., *Tusc.*, 4,37.

tatis inrepere. Scit cetera uitiorum genera inlecebrosis
aditibus ingruere. Nouit etiam plurimis se inreligiosorum
15 odiis subiacere et ob praedicationem Dei pietatisque
doctrinam uariis persequentium contumeliis esse uexan-
dum. Ne igitur *turbari* tot et tantis excidiis ingruentibus
posset, contra omnia se haec fidei excidia *praeparauit*
dicens : *Paratus sum et non sum turbatus, ut custodiam*
20 *mandata tua.*

12. Habet parem beatus apostolus huius *praeparationis*
suae fiduciam dicens : *Quis nos separabit a caritate Christi?*
tribulatio an angustia aut passio aut fames aut nuditas aut
periculum aut gladius? Sicut scriptum est : *Quia propter*
5 *te mortificamur tota die, deputati sumus sicut oues occisionis.*
Sed in his omnibus superamus et uincimus propter eum qui
nos dilexit. Et quia aduersum horum tolerantiam, ne per
haec *a caritate separari* posset, sese *praeparasset*, adiecit :
Confido enim quia neque mors neque uita neque angeli neque
10 *potestates neque praesentia neque futura neque uirtus neque*
altitudo neque profundum neque creatura alia poterit nos
separare a caritate Dei, quae est in Christo Iesu Domino
nostro[a]. Nulla apostolum rerum earum quae accidere
possunt genera tali spe *praeparatum* firmatumque *pertur-*
15 *bant.*

VL   RC   pA   r   S   m

11, 13 ceterum *V* ‖ genera > *V* ‖ 14 se > *V* ‖ 15 praecationem
VL C r ‖ 17 excidiis : insidiis *C pA Mi. Zi.* ‖ 18 possit *RC pA m*
12, 3 an : aut *S Ba. Er.* > *m* ‖ angustiae *L R² pA S m Ba. Er. Mi.* ‖
aut fames : an f. *A*   aut famis *L R* ‖ 3-4 an periculum an gladius *L* ‖
4-7 sicut — nos dilexit > *pA m* ‖ quia propter — nos dilexit > *C* ‖ 5
putati *r* ‖ sicut : tamquam *L R S Ba. Er. Gi. Mi.* ‖ ouis *L* ‖ 7 dilexit
nos *L R S Ba. Er. Gi. Mi.* ‖ tolerantium *V* ‖ 8 sese : ut se *R Gi.* ‖
praeparasse *VL r* ‖ 10 neque praesentia neque futura > *VL r* ‖
uirtutes *C r Ba. Er. Gi. Mi.* ‖ 12 dei : christi *R* ‖ 13 earum > *L* ‖ 14 tali
spe : talisper *V*   talis *pA* ‖ perturbat *pA*

attraits du plaisir. Il sait que les autres espèces de vices
nous assiègent par des moyens d'approche pleins de
séduction[14]. Il sait encore qu'il est soumis à la haine
multipliée des impies et que, parce qu'il annonce Dieu et
apprend à le vénérer, il doit souffrir différents outrages de
la part de ses persécuteurs. Donc, afin d'éviter d'être
troublé par l'assaut de tant de périls si graves, il s'est
préparé à faire face à tous ces périls que court sa foi en
disant : *Je me suis tenu prêt, et suis resté sans trouble, pour
garder tes commandements.*

12. Le bienheureux apôtre a une pareille confiance dans
sa *préparation*, quand il dit : «Qui nous séparera de
l'amour du Christ? L'affliction, ou l'angoisse, ou la
souffrance, ou la faim, ou la nudité, ou le péril, ou le
glaive? Selon qu'il est écrit : Parce qu'à cause de toi nous
sommes mis à mort tout le jour, nous avons été comptés
comme des brebis d'abattoir. Mais en tout cela, nous avons
le dessus et sommes vainqueurs, à cause de celui qui nous a
aimés.» Et comme il s'était *préparé* à supporter ces
épreuves, afin de ne pouvoir être «séparé» par elles «de
l'amour», il a ajouté : «Oui, j'en ai l'assurance, ni la mort
ni la vie, ni anges ni principautés, ni présent ni avenir, ni
puissance, ni hauteur ni profondeur, ni aucune autre
créature ne pourra nous séparer de l'amour de Dieu qui est
dans le Christ Jésus notre Seigneur[a].» Aucun accident de
cette sorte, susceptible d'arriver, ne *bouleverse* l'Apôtre
qu'une telle espérance a *préparé* et fortifié[15].

---

12. a. Rom. 8, 35-39

---

14. L'énumération des *saeculi scandala* rappelle, dans Cypr.,
Mort., 4, celle des forces suscitées par le diable contre lesquelles le
chrétien doit lutter.

15. Même citation de *Rom.* 8,35, par Origène (*Ch. p.*, p. 284,
v. 60).

13. Sit ergo in nobis et fiducia haec et uox, ut, cum subrepant cupiditates, cum passiones ingruant, cum pericula fatigent, cum supplicia cruciant, dicere audeamus : *Paratus sum et non sum turbatus, ut custodiam mandata* 5 *tua.* Dominus noster unigenitus Dei filius inter cetera praecepta discipulis suis mandat dicens : *Non turbetur cor uestrum neque trepidet*[a]. Aduersum *turbationem*, quaecumque ex accidentibus erit, longae *praeparationis* opus est firmitate, ut robusta fide atque firmata *Dei mandata* 10 *custodiat.*

14. In quem autem se profectum quamue in causam propheta *praeparauerit* neque *turbatus sit*, quousque *custodiret mandata Dei*, continuo subiecit dicens : Fvnes
61 PECCATORVM CIRCVMPLEXI SVNT MIHI; ET LEGEM TVAM 5 NON SVM OBLITVS. Esse *peccatorum funes* per Esaiam docemur dicentem : *Vae, qui ligant peccata tamquam funem longum*[a], modo *funis* ex plurimis minimis crescentis in multum *peccata* semper tamquam longo *fune* tendentibus. Sunt etiam haec delictorum uincula, quibus humanae 10 mentes inligantur, de quibus in Prouerbiis scriptum est : *Vinculis suorum peccatorum unusquisque constringitur*[b]. Stringit enim nos atque alligat et his uitiorum *funibus* implicat diabolus in omni uitae nostrae cursu laqueos praetendens. Quod autem *liget*, in euangeliis cognouimus, 15 cum dicitur : *Hanc autem filiam Abrahae ligauit satanas annis decem et octo*[c]. *Ligat* igitur omni uitiorum genere,

VL   RC   pA   r   S   m

13, 1 et¹ > R Zi. ‖ 2 subrepent C   -punt pA m Mi. ‖ ingruunt C pA m Mi. ‖ cum² : et A ‖ 3 fatigant C pA m Mi. ‖ cruciant pA m Ba. Mi. ‖ 5 noster > r ‖ 8 erint V ‖ 9 fides pA S Mi.
14, 2 quousque : quo minus pA r²S m Ba. Er. Gi. Mi. ‖ 4 mihi : me R m Ba. Er. Gi. Mi. ‖ 5 eseiam VL   isaiam pA m ‖ 7 modus m ‖ crescentes R ‖ 8 longum funem C pA m Ba. Mi. ‖ tendentibus : pendentibus VL   tenduntur S Gi.   tendentur Ba. Er. ‖

13. Ayons donc avec nous cette parole de confiance, en sorte que, lorsque les désirs s'insinuent, lorsque les souffrances nous assiègent, lorsque les périls nous épuisent, lorsque les supplices nous torturent, nous osions dire : *Je me suis tenu prêt et suis resté sans trouble, pour garder tes commandements.* Notre Seigneur, Fils Unique de Dieu, entre autres préceptes, recommande à ses disciples : «Que votre cœur ne se *trouble* ni ne s'inquiète[a].» Contre tout *trouble* produit par n'importe quelle cause accidentelle, il faut une fermeté que procure une longue *préparation*, pour qu'une foi solide et ferme *garde les commandements de Dieu.*

14. Mais le prophète a ajouté aussitôt pour quel résultat et en vue de quoi il s'est *préparé* et a évité le *trouble*, au point de *garder* jusqu'au bout *les commandements de Dieu*, lorsqu'il dit : LES CORDES DES PÉCHÉS M'ONT ENTOURÉ ET JE N'AI PAS OUBLIÉ TA LOI. Isaïe nous apprend qu'il y a des *cordes de péchés*, quand il dit : «Malheur à ceux qui lient ensemble leurs *péchés*, comme une longue *corde*[a]», c'est-à-dire à ceux qui, comme pour une *corde* que l'on allonge par de très nombreux petits nœuds, multiplient sans cesse leurs *péchés* qui forment comme une longue *corde*. Il y a aussi les liens des fautes, qui enchaînent l'esprit de l'homme et au sujet desquels il est écrit dans les *Proverbes* : «Chacun est retenu par les liens de ses *péchés*[b].» En effet le diable nous retient, nous attache et nous prend dans ces *cordes* des vices, en tendant devant nous ses filets tout au long de la course de notre vie. Qu'il prend dans ses «liens», nous l'apprenons dans les Évangiles, lorsqu'il est dit : «Et Satan a lié cette fille d'Abraham, il y a dix-huit ans[c].»

61

9-10 quibus — de > *C pA* ‖ 10 mentis *V* ‖ in > *V* ‖ 11 uinculis : fasciis *RC pA S m Ba. Er. Gi. Mi.* ‖ peccatorum suorum *r S Ba. Er. Gi. Mi.* ‖ 14 quid *VL r²* ‖ ligat *R m* ‖ 15 autem > *R* ‖ 16 omnium *A m*

13. a. Jn 14, 1
14. a. Is. 5, 18 ‖ b. Prov. 5, 22 ‖ c. Lc 13, 16

ebrietatis consuetudine, uoluptatum desideriis, infidelitatis piaculo. Sed inter hos *funium* laqueos non est
admittenda *legis obliuio*. Praeparatos enim esse nos
20 conuenit, ut ab his laqueis, si quando circumligent,
exuamur, ut *legis Dei* omni tempore recordemur.

62   **15.** Et recordatur plane propheta dicens : MEDIA NOCTE
SVRGEBAM AD CONFITENDVM TIBI SVPER IVDICIA IVSTIFI-
CATIONIS TVAE. Non uacat totis *noctibus* somno nec
otiosus lecto continetur ; *ad confitendum Deo* non solum
5 *nocte*, sed etiam *media nocte* consurgit. Meminit hoc esse
tempus, quo primitiae Aegyptiorum meritissima impiae
obstinationis clade *percussae* sunt[a] ; his ergo horis non
laxatur in somnum, ne cladi Aegypti admisceatur. Hoc
noctis tempore introeunte *sponso sapientes uirgines* in
10 *nuptias cum lampadibus* introibunt ; *uigilat* ergo, ne cum
stultis mereatur excludi[b]. Hoc tempore psallentibus Paulo
et Silea apostolis catenae et *uincula* resoluuntur[c] ; non
dormit itaque, ne *uinctus* sit. Nec habet eum totus
nocturni temporis somnus, nec ei obliuio officii sui requie
15 *mediae noctis* obrepit ; *surgit* enim *ad confitendum Deo*.
Confessio uero non semper ad peccata referenda est,
uerum etiam in Dei laudibus intellegenda est. Nunc ergo
confitetur Deo super iudicia iustificationum eius, laudans
igitur Deum quod nihil nisi in *iudiciorum iustificatione*
20 decreuerit.

VL   RC   pA   r   S   m

14, 17 consuetudinem *VL* ‖ infidelitatis : inpietatis *V r* ‖ 18 hos :
omnes *m* ‖ funum *V* ‖ 19 amittenda *C* ‖ nos esse *Ba. Er. Gi. Mi.* ‖
21 leges *VL r¹*

15, 4 domino *R* ‖ 8 cladi : gladii *V* ‖ admiceantur *L* ‖ 11 hoc : *pr.*
ergo *V* ‖ 12 silae *Ba. Er. Gi. Mi.* ‖ 13 ne : nec *pA* ‖ totus > *R Gi.* ‖
14 nec : ne *R² Zi.* ‖ officiis *V* ‖ 14-15 requia media *C* ‖ 15 obrepat
R Gi. Zi. ‖ 18 laudat *C pA m Mi.*

15. a. cf. Ex. 12, 12-29 ‖ b. cf. Matth. 25, 1-13 ‖ c. cf. Act. 16, 25

16. Origène, dont la *Ch. p.* ne donne pas de commentaire sur le
v. 61, «identifiait les cordes à nos péchés et citait *Prov.* 5, 22 à côté de
Ps. 118, 61» dans le fragment 121 sur *Jn* 2, 13 (M. HARL, *Ch. p.*,
Notes, p. 630).

Donc il « lie » par toute sorte de vices : l'habitude de
l'ivresse, le désir des plaisirs, la faute de l'infidélité. Mais
au milieu de ces filets de *cordes*, il ne faut admettre aucun
oubli de la loi. Il convient en effet que nous soyons
préparés à nous dégager de ces filets, si jamais ils nous
enserrent, de façon à nous souvenir en tout temps de la *loi
de Dieu*[16].

15. Et le prophète s'en souvient bien ; il dit : Au milieu   62
de la nuit, je me levais pour te confesser au sujet
des jugements de ta règle de justice. Il ne consacre
pas des *nuits* entières au sommeil et ne reste pas non plus
au lit sans rien faire ; *pour confesser Dieu*, il se lève non
seulement la *nuit*, mais même *au milieu de la nuit*. Il se
souvient que c'est le moment où les premiers-nés des
Égyptiens ont été « frappés » d'un désastre qu'avait si bien
mérité leur obstination impie[a] ; donc pendant ces heures, il
ne s'abandonne pas au sommeil, de peur d'être mêlé au
désastre des Égyptiens. A ce moment de la *« nuit »*,
l'« époux » entrant, les « vierges sages » entreront « avec leurs
lampes » pour les « noces » ; il « veille » donc pour ne pas
mériter d'être chassé avec les folles[b]. A ce moment, tandis
que les apôtres Paul et Silas chantent des psaumes, leurs
chaînes et leurs « liens » se défont[c] ; aussi ne dort-il pas, de
peur d'être « enchaîné ». Ni le sommeil le plus profond de la
nuit ne l'envahit, ni ne s'insinue en lui l'oubli de son devoir
à cause du repos du *milieu de la nuit* ; il se *lève* en effet *pour
confesser Dieu*. La *confession* ne doit pas toujours porter
sur les péchés, mais il faut comprendre qu'elle consiste
aussi en louanges rendues à Dieu. Donc, à présent, il
confesse Dieu au sujet des jugements de ses règles de justice ; il
loue par conséquent Dieu de n'avoir rien décidé sinon dans
le sens de la *règle de justice* de ses *jugements*[17].

17. Le commentaire d'Origène (*Ch. p.*, p. 284-286, v. 62) contient
les mêmes références scipturaires (*Ex.* 12, 23-29 ; *Act.* 16, 25) et donne
aussi les deux sens du verbe « confesser ». Mais Hilaire n'a pas retenu
ce qu'Origène — et Ambroise à sa suite — dit du symbolisme des

63   **16.** Sequitur deinde : Particeps svm ego omnivm
timentivm te et cvstodientivm mandata tva. Apostolum dixisse meminimus : *Participes Christi facti sumus*[a].
Sed et in quadragesimo quarto psalmo quosdam *participes*
5 Dei significatos esse meminimus, cum dicitur : *Vnxit te
Deus, Deus tuus oleum exultationis prae consortes tuos*[b].
Sunt ergo secundum apostolum et secundum prophetam
plures Domini nostri Iesu Christi *participes*. Et *particeps*
eius, quisque in iustitia manet, quia ipse iustitia est[c] ;
10 *particeps* eius erit, quisque in ueritate persistit, ipse est
enim *ueritas*[d] ; et quisque *in nouitate uitae ambulabit*[e],
erit *particeps* eius, quia ipse est *resurrectio*[f]. Ergo cum
sciat propheta plures Dei esse *participes*, nunc per
uerecundam ac modestam de se praedicationem, cum se,
15 quia et ipse Christus et factus et dictus sit, Christi
meminerit esse *participem*, tamen *omnium timentium
Deum* potius se confessus est esse *participem*. Est autem
etiam tunc *timentium Deum particeps*, cum patientibus
compatitur[g], cum plorantibus complorat[h], cum tamquam
20 eiusdem *corporis membrum* in dolore *membri* alterius
dolet[i]. Hac igitur passionum communione *timentium Deum
particeps fit*. Ceterum quisquis per insolentiam suam
credentem in Christo et redemptum a Christo dedignatur,
exacerbat, inhonorat, non est ille *timentium Deum par-*
25 *ticeps*, quibus non sit in *compatiendis* passionibus consors.

VL   RC   pA   r   S   m

16, 1 ego sum *A Ba. Gi.* ‖ 2 te > *VL* ‖ 3 participes *C* ‖ 4 et > *V r* ‖ 6
oleo *RC pA r S m Ba. Er. Gi. Mi.* ‖ exultationis : laetitiae *R Gi. Mi.* ‖
consortibus tuis *RC Ba. Er. Gi. Mi.*   participibus tuis *r S* ‖ 8-9 et
participes — iustitia est > *Ba.* ‖ 9 eius : *pr.* erit *p¹A*   + erit *Er. Gi.
Mi.*   + est *r* ‖ quisquam *R*   quisquis *m Er. Gi. Mi.* ‖ 10
participes : *pr.* et *Mi.* ‖ eius > *pA* ‖ quisque : quisquis *R m Er. Gi. Mi.*
‖ 11 quisque : quisquis *R m Er. Gi. Mi.* ‖ 18 etiam tum *VL*   tunc
etiam *Mi.*   tunc *C r Ba. Gi.* ‖ 20 dolorem *VL R* ‖ 22 fit : sit *A Mi.*
fuit *m* ‖ 23 christo¹ : christum *pA Mi.* ‖ a deo *R*   in christo *pA S
m Mi.* ‖ 25 sit : fit *C* ‖ in > *C pA m* ‖ patiendis compassionibus *V r*

16. Après, vient : JE SUIS PARTICIPANT DE TOUS CEUX   63
QUI TE CRAIGNENT ET QUI GARDENT TES COMMANDEMENTS.
Nous nous souvenons que l'Apôtre a dit : « Nous sommes
devenus *participants* du Christ[a]. » Mais nous nous souvenons que dans le psaume quarante-quatre aussi ont été
désignés des *participants* de Dieu, par ces paroles : « Dieu,
ton Dieu t'a oint d'une huile d'allégresse, de préférence à
tes compagnons[b]. » Donc, suivant l'Apôtre et suivant le
prophète, beaucoup sont *participants* de notre Seigneur
Jésus-Christ. Est *participant* de lui quiconque demeure
dans la justice, parce que lui-même est la justice[c] ;
participant de lui sera quiconque demeure dans la vérité ;
lui-même est en effet la « vérité[d] » ; et quiconque « marchera
dans la nouveauté de vie[e] » sera *participant* de lui, parce
que lui-même est la « résurrection[f] ». Donc, bien qu'il sache
que nombreux sont les *participants* de Dieu, ici, par
retenue et modestie pour ce qui le concerne, bien qu'il se
souvienne que, parce qu'il est devenu et a été appelé oint,
il est *participant* du Christ, le prophète a cependant préféré
confesser qu'il était *participant de tous ceux qui craignent
Dieu.* Et il est *participant de ceux qui craignent Dieu,* alors
même qu'il « souffre avec » ceux qui souffrent[g], pleure avec
ceux qui pleurent[h], souffre comme « membre » d'un même
« corps » de la douleur d'un autre « membre[i] ». Donc, par
cette communion dans les souffrances, il devient *participant de ceux qui craignent Dieu.* Mais quiconque, par son
insolence, méprise, aigrit, déshonore celui qui croit au
Christ et a été racheté par le Christ, celui-là n'est pas
participant de ceux qui craignent Dieu, parce qu'il n'est pas
leur compagnon dans le « partage » des souffrances.

16. a. Hébr. 3, 14 ‖ b. Ps. 44, 8 ‖ c. cf. I Cor. 1, 30 ‖ d. cf. Jn 14, 6 ‖
e. cf. Rom. 6, 4 ‖ f. cf. Jn 11, 25 ‖ g. cf. I Pierre 3, 8 ‖ h. cf. Rom. 12, 15
‖ i. cf. I Cor. 12, 26-27

17. Non nudum autem hoc neque solitarium propheta
posuit, cum dicit : *Particeps sum ego omnium timentium
te.* Plures sunt *timentes Deum* et tamen inoboedientes ;
plures sunt *timentes Deum* et tamen infideles, quos naturae
5 suae condicio *timori* quidem *Dei* subdit, sed uoluntatis
suae peruersitas ab obsequiis Dei auocat. Atque ob id
non suffecisset prophetam dixisse ita : *Particeps sum ego
omnium timentium te,* nisi addidisset : *Et custodientium
mandata tua.* Timor enim fidei in sola oboedientia est et
10 metus religionis in obsequella est. Horum itaque *particeps*
est, qui *timorem* suum in *mandatorum Dei custodia*
comprobabunt.

64   **18.** Dehinc sequitur : Misericordia tva, Domine,
plena est terra ; ivstificationes tvas doce me. *Terra
misericordia Dei plena est,* quae contaminata, quae cor-
rupta, quae inreligiosa, quae infida, quae perdita est.
5 Et si quis forte audebit impio ore prophetam mendacii
arguere, tamquam non in omnem *terram Dei misericordiam*
putet esse diffusam, Dominum in euangeliis recolat
dixisse : *Estote boni, sicut pater uester, qui est in caelis,
qui solem suum oriri facit super bonos et malos et
10 pluit super iustos et iniustos*[a]*. Patiens* enim et *misericors*
Deus[b], dum mauult paenitentiam *peccatorum* quam *mortem*[c], dona sua *iustis iniustisque* largitur, unicuique per
patientiam longae aequanimitatis paenitendi tempus im-
pertiens.

VL   RC   pA   r   S   m

17, 1 non nudum : nondum *V* ‖ 2 ego sum *r* ‖ 5 uoluptatis *R* ‖ 7
suffecuisset *L R* ‖ prophetae *C pA S m Ba. Er. Gi. Mi.*   -ta *r* ‖ ita
> *R Zi.* ‖ 8 omnium > *r* ‖ 10-11 particeps est : participes expedit nos
esse *pA m* ‖ 12 comprobabit *r*
18, 1 domini *R* ‖ 3 domini *r* ‖ 5 qui *VL* ‖ 8 sicut + et *m* ‖ qui est in
caelis : qui in caelis est *r*   > *C pA S m Ba. Er. Gi.* ‖ 10 misericors :
miserator *L RC S Ba. Er. Gi. Zi.*

17. Mais le prophète n'a pas livré cette déclaration brute et isolée : *Je suis participant de tous ceux qui te craignent.* Nombreux sont ceux qui *craignent Dieu* et pourtant ne lui obéissent pas. Nombreux sont ceux qui *craignent Dieu* et pourtant lui sont infidèles ; leur condition naturelle, certes, les soumet à la *crainte de Dieu*, mais la perversion de leur volonté les écarte des marques d'obéissance à Dieu. Et c'est pourquoi, il n'aurait pas suffi au prophète de dire : *Je suis participant de tous ceux qui te craignent*, sans ajouter : *Et qui gardent tes commandements.* En effet la *crainte* propre à la foi consiste dans la seule obéissance, et le respect propre à la religion, dans la soumission. Aussi est-il *participant* de ceux qui donneront la preuve de leur *crainte* par la *garde des commandements de Dieu*[18].

18. Ensuite vient : LA TERRE EST REMPLIE DE TA MISÉRICORDE, SEIGNEUR ; ENSEIGNE-MOI TES RÈGLES DE JUSTICE. *La terre remplie de la miséricorde de Dieu* est une terre souillée, une terre corrompue, une terre sans religion, une terre infidèle, une terre perdue. Et si quelqu'un ose par hasard, d'une bouche impie, accuser le prophète de mensonge, sous prétexte qu'à son avis la *miséricorde de Dieu* n'est pas répandue sur toute la *terre*, qu'il se rappelle que le Seigneur a dit dans les Évangiles : «Soyez bons, comme votre père qui est dans les cieux, lui qui fait lever son soleil sur les bons et les méchants, et tomber la pluie sur les justes et les injustes[a][19].» En effet, Dieu est «patient» et «miséricordieux[b]», lui qui préfère le repentir des «pécheurs» à leur «mort[c]», dispense ses biens aux «justes» et aux «injustes», accordant à chacun, dans la «patience» de sa longanimité, le temps de se repentir.

64

---

18. a. Matth. 5,45.48 ‖ b. cf. Ps. 144,8 ‖ c. cf. Éz. 18,32 ; 33,11

18. Sur *timor fidei*, cf. *In psalm.* 127, 1-2.
19. Même citation de *Matth.* 5,45, par Origène (*Ch. p.*, p. 288, v. 64).

19. Et quia hanc bonitatem *patientiae* Dei et perfectionem, quae sub illis *iustificationibus* legis corporaliter
adumbratur, meminit semper sibi propheta sperandam,
ait : *Iustificationes tuas doce me, Domine. Iustificationes*
5 omnes in lege legerat ; sed quia *caelestes* sperabat, quae
in *terrenis* praeformabantur, non eget doctore *terreno*.
Doceri enim se ab eo orat, qui ait : *Petite et dabitur
uobis* ; *quaerite et inuenietis* ; *pulsate et aperietur uobis*[a].
Aperiri sibi et *dari* clauem a doctore legis dedignatur pro-
10 pheta, scientiae *caelestis* expectans magistrum Dominum
nostrum Iesum Christum, cui est gloria in saecula
saeculorum. Amen.

VL   RC   pA   r   S   m

19, 3 sperandum *V r* ‖ 4 domine > *C pA r S Mi.* ‖ 5 legem *L* ‖ 7
orat ab eo *r* ‖ 9 aperi *pA* ‖ 12 amen > *V*
  finit littera VIII *L*   finit *R*   finit littera octaua (+ beth *C*)
C pA   explicit littera VIII *V r*   explicit eth *S*

19. Et comme le prophète se souvient qu'il doit toujours espérer cette bonté et cette perfection de la «patience» de Dieu, dont l'ombre nous apparaît matériellement dans les *règles de justice* de la Loi, il dit : *Enseigne-moi les règles de justice, Seigneur.* Il avait lu dans la Loi toutes les *règles de justice.* Mais comme il espérait les règles de justice «célestes», qui étaient préfigurées dans les règles *terrestres*, il n'a pas besoin d'un docteur de la *terre.* Il demande en effet à être *instruit* par celui qui dit : «Demandez et l'on vous donnera ; cherchez et vous trouverez ; frappez et l'on vous ouvrira[a].» Le prophète refuse que lui «ouvre» et lui «donne» la clé un docteur de la Loi ; il attend comme maître de la science «céleste» notre Seigneur Jésus-Christ à qui revient la gloire dans les siècles des siècles. Amen.

19. a. Matth. 7, 7

TABLE DES MATIÈRES

SOURCES CHRÉTIENNES

Fondateurs : H. de Lubac, s.j.
† J. Daniélou, s.j.
C. Mondésert, s.j.
Directeur : D. Bertrand, s.j.
Directeur-adjoint : J.N. Guinot

Dans la liste qui suit, dite « liste alphabétique », tous les ouvrages sont rangés par nom d'auteur ancien, les numéros précisant pour chacun l'ordre de parution depuis le début de la collection. Pour une information plus complète, on peut se procurer deux autres listes au secrétariat de « Sources Chrétiennes » — 29, rue du Plat, 69002 Lyon (France) — Tél. : 78 37 27 08 :

1. la « liste numérique », qui présente les volumes et leurs auteurs actuels d'après les dates de publication ; elle indique les réimpressions et les ouvrages momentanément épuisés ou dont la réédition est préparée.
2. la « liste thématique », qui présente les volumes d'après les centres d'intérêt et les genres littéraires : exégèse, dogme, histoire, correspondance, apologétique, etc.

La mention *bis* indique que le volume a été réédité avec des corrections, des modifications ou des additions importantes.

Liste alphabétique (1-344)

SOUS PRESSE

EN PREPARATION

Également aux Éditions du Cerf

LES ŒUVRES DE PHILON D'ALEXANDRIE
publiées sous la direction de

R. ARNALDEZ, C. MONDÉSERT, J. POUILLOUX.

Texte original et traduction française.

1. **Introduction générale. De opificio mundi.** R. Arnaldez (1961).
2. **Legum allegoriae.** C. Mondésert (1962).
3. **De cherubim.** J. Gorez (1963).
4. **De sacrificiis Abelis et Caini.** A. Méasson (1966).
5. **Quod deterius potiori insidiari soleat.** I. Feuer (1965).
6. **De posteritate Caini.** R. Arnaldez (1972).
7-8. **De gigantibus. Quod Deus sit immutabilis.** A. Mosès (1963).
9. **De agricultura.** J. Pouilloux (1961).
10. **De plantatione.** J. Pouilloux (1963).
11-12. **De ebrietate. De sobrietate.** J. Gorez (1962).
13. **De Confusione linguarum.** J.-G. Kahn (1963).
14. **De migratione Abrahami.** J. Cazeaux (1965).
15. **Quis rerum divinarum heres sit.** M. Harl (1966).
16. **De congressu eruditionis gratia.** M. Alexandre (1967).
17. **De fuga et inventione.** E. Starobinski-Safran (1970).
18. **De mutatione nominum.** R. Arnaldez (1964).
19. **De somniis.** P. Savinel (1962).
20. **De Abrahamo,** J. Gorez (1966).
21. **De Iosepho.** J. Laporte (1964).
22. **De vita Mosis.** R. Arnaldez, C. Mondésert, J. Pouilloux, P. Savinel (1967).
23. **De Decalogo.** V. Nikiprowetzky (1965).
24. **De specialibus legibus.** Livres I-II. S. Daniel (1975).
25. **De specialibus legibus.** Livres III-IV. A. Mosès (1970).
26. **De virtutibus.** R. Arnaldez, A.-M. Vérilhac, M.-R. Servel et P. Delobre (1962).
27. **De praemiis et poenis. De exsecrationibus.** A. Beckaert (1961).
28. **Quod omnis probus liber sit.** M. Petit (1974).
29. **De vita contemplativa.** F. Daumas et P. Miquel (1964).
30. **De aeternitate mundi.** R. Arnaldez et J. Pouilloux (1969).
31. **In Flaccum.** A. Pelletier (1967).
32. **Legatio ad Caium.** A. Pelletier (1972).
33. **Quaestiones in Genesim et in Exodum. Fragmenta graeca.** F. Petit (1978).
34 A. **Quaestiones in Genesim,** I-II (e vers. armen.). Ch. Mercier (1979).
34 B. **Quaestiones in Genesim,** III-VI (e vers. armen.). Ch. Mercier et F. Petit (1984).
34 C. **Quaestiones in Exodum,** I-II (e vers. armen.) (en prép.).
35. **De Providentia,** I-II. M. Hadas-Lebel (1973).
36. **De animalibus.** A. Terian et J. Laporte (en prép.).
37. **Hypothetica.** M. Petit (en prép.).

IMPRIMERIE A. BONTEMPS

LIMOGES (FRANCE)

Registre des travaux :

DÉPÔT LÉGAL : Mai 1988

IMPRIMEUR Nº 1625-88 — ÉDITEUR Nº 8627